TRAVER

DE L'ATLANTIQUE SUD

RF
5

G. BARLANGUE Del.

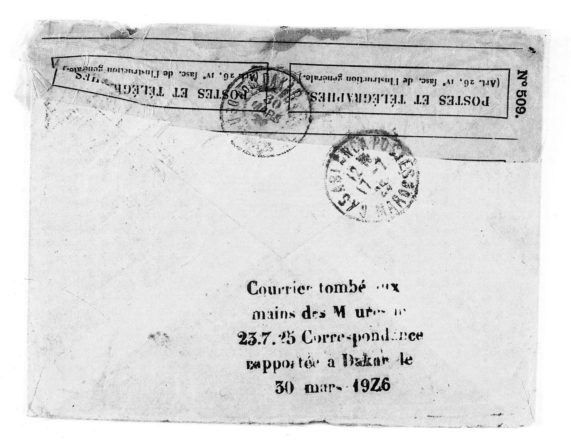

Le 23 juillet 1925, Henri Rozès et Éloi Ville
sont contraints à un atterrissage forcé,
près de l'oued Noun, au sud d'Agadir.
Pris à partie par une tribu de Maures, ils font usage
de leurs armes. Une partie du courrier est pillé.
Certaines lettres seront récupérées huit mois plus tard
et réexpédiées à Dakar.

L'AÉROPOSTALE

Benoît Heimermann
Olivier Margot

L'AÉROPOSTALE

Préface de
Jean-Claude Killy

ARTHAUD

Avertissement

Cet album ne se veut ni thèse d'école, ni publication exhaustive. En l'écrivant, les auteurs avaient pour principale ambition de prolonger leurs plus beaux rêves de gosse. Ils n'ont, bien sûr, pas connu, ni de près ni de loin, l'exceptionnelle aventure de la Ligne et de l'Aéropostale, mais ils ont, enfants, profité, comme tant d'autres, des bienfaits de sa légende. Leur travail s'est nourri en priorité des lectures de cette époque déjà lointaine. Chemin faisant, ils n'ont pas manqué de comprendre que l'épopée avait aussi engendré de nombreuses polémiques et donné naissance à des théories souvent contradictoires. Tant bien que mal, ils ont tenté de faire la part des choses, de peser l'important et de négliger le dérisoire, avec pour seul mot d'ordre de préférer le plaisir du souvenir aux combats d'arrière-garde et le bonheur de la jeunesse aux vérités définitives. Ils ont baptisé leur ouvrage *L'Aéropostale* en référence à l'appellation communément admise, même s'ils n'ignorent pas que ladite Aéropostale (1927-1933) ne représente, en fait, qu'une petite partie de leur chronique qui s'étend, elle, de la fin de la Première Guerre jusqu'au début de la Seconde.

B.H. & O.M.

Conception et réalisation graphique :
Philippe Bertrand

Cartes : *I&D*
Dessins des avions de la Ligne : *Philippe Mitchké*

ISBN : 2-7003-1050-0
Flashage : Leyre, Paris
Photogravure : Bussière, Paris
Imprimé et relié par : Imprimerie Mame, Tours
N° d'éditeur : 0825
© Arthaud, Paris, 1994
Dépôt légal : Octobre 1994

sommaire

Le temps d'une photo, les chefs coutumiers sénégalais se sont rassemblés sous les ailes d'un superbe Laté 28 et sous celles de la France par la même occasion. C'était en juillet 1931, à un moment où la Ligne était au faîte de sa gloire.

sommaire

Le temps d'une photo, les chefs coutumiers
sénégalais se sont rassemblés sous les ailes
d'un superbe Laté 28 et sous celles
de la France par la même occasion.
C'était en juillet 1931, à un moment
où la Ligne était au faîte de sa gloire.

« Je voudrais ne jamais descendre »

Jean Mermoz

La légèreté du devoir

J'AVAIS dix ans. Je montais dans le grenier de notre chalet de Val-d'Isère et, là, j'ouvrais le coffre de mon père. À l'intérieur, il y avait l'aviation. Sa vie de pilote de chasse dont il ne m'avait jamais parlé, dont nous n'avons jamais parlé. Ses insignes, ceux de son groupe 2/3, escadrille des Lévriers. Ses lunettes aux verres droits, avec une fente au milieu. Son casque de cuir. Et ses livres, en allemand, en anglais, des livres dans lesquels je me plongeais et qui ont été mon enfance. J'avais mes préférés, ceux, bien sûr, des pilotes de guerre. Je me souviens de tout, des détails et de la grande histoire, de ces noms magnifiques que j'étais le seul de mon âge, tout autour de moi, à connaître : Dewoitine 520, Normandie-Niémen, Hurricane, Royal Air Force, Marin La Meslée. Chaque fois, je regardais la photo du lieutenant Marin La Meslée à bord de son Curtiss, en 1940. Les cocardes, le cockpit ouvert, le regard droit sur le photographe. Vingt victoires homologuées, malgré la défaite, malgré une écrasante infériorité en nombre et en matériel. Il était le meilleur, peut-être, et il n'a pas vu la victoire. Ce n'est pas un avion qui l'a abattu, car qui aurait pu y prétendre, mais une mitrailleuse lourde au moment où il chassait d'Alsace, de mon pays, les derniers occupants, au début de 1945. Je lisais aussi les *Carnets* de René Mouchotte — j'étais un enfant et j'aimais à croire que, avec un nom comme le sien, il faisait mouche à tous coups — et, évidemment, *Le Grand Cirque* de Pierre Clostermann, le seul des trois qui ait survécu. Je m'intéressais également au groupe Alsace, équipé de Morane 406, puis de Hurricane, puis de Spitfire V, et à ses statistiques : trente-trois victoires officielles, trente et un pilotes tués. La guerre.

Marin La Meslée, Mouchotte, Clostermann, mon père, forcément. Et Jean Mermoz. Il y avait dans le coffre les récits des Andes, cette volonté prodigieuse de l'Aéropostale, dans chaque histoire la preuve, si importante pour la suite de ma vie, que rien n'est impossible, que rien n'est jamais perdu. Surtout, évidemment, quand on est Mermoz, quand on est avec Mermoz, l'homme qui n'avait pas l'avion pour franchir les Andes mais qui décida de les franchir quand même : il appuya simplement son vieux Laté 25 sur les courants ascendants. L'homme qui, une autre fois, prisonnier des Andes, s'en évada en lançant son avion dans la pente et qui, en rebondissant sur trois pics successifs, put trouver l'élan nécessaire. Cette idée-là, simple et folle, qui aurait pu l'avoir, sinon Mermoz ? Plus tard, beaucoup plus tard, j'ai entendu les Américains dire : « *The sky is the limit.* » Cette expression m'a plu. Elle convient si bien à ceux de l'Aéropostale, à ces hommes qui refusaient les limites imposées par ce bas monde. Et tout cela pourquoi ? Pour défendre l'idée que les lettres doivent passer. Mourir pour une lettre... c'est comme tout gagner sur une paire de skis : tout le monde s'en fout, mais la question, justement, n'est pas là.

J'ai voulu m'associer à Benoît Heimermann et à Olivier Margot, qui ont décidé de restaurer l'épopée de la Ligne, et donc ses valeurs. De faire revivre Mermoz et Collenot, Daurat, Guillaumet et Saint-Exupéry. Des hommes comme ceux-là, il n'y en a pas eu beaucoup. On leur disait : « Où allez-vous ? » Ils répondaient : « Nous allons faire notre métier. Nous allons porter des lettres. » Drôle d'époque que celle où mouraient les facteurs. André Gide a écrit dans sa préface à *Vol de nuit* : « Le bonheur de l'homme n'est pas dans la liberté, il est dans l'acceptation du devoir. » La Ligne, ce n'est pas la victoire en chantant, ni la fleur au fusil. C'est la légèreté du devoir.

Cette épopée de la Ligne, pardonnez la désuétude de mon propos, a contribué au rayonnement de la France. Par sa nature profonde, elle ne pouvait être que française, si professionnelle et si fantaisiste, menée par un Mermoz venant se présenter à Daurat habillé en dandy, mais un dandy dont les derniers mots connus sont : « Vite, ne perdons plus de temps. » Cette aventure, qui a mené jusqu'en Terre de Feu des avions de bleu, de blanc et de rouge, pilotés par des hommes jeunes et beaux, est constitutive de la France actuelle. Et, pour moi, aujourd'hui encore, Mermoz demeure le héros, parce qu'il a été jusqu'au bout et qu'il est mort à la bonne heure. Parce que, ce qu'il a fait, il l'a fait tout à fait.

Quand notre chalet de Val-d'Isère a brûlé, le grenier est tombé en flammes comme un avion. Mais, dans ma solitude, j'avais fait la stupéfiante découverte qu'on peut donner sa vie à vingt ans, en souriant. Pour la Patrie, pour rien, pour une idée, pour une lettre.

Je me souviens tellement du coffre du père.

Jean-Claude Killy

12 Mai 1930
1ère traversée Atlantique Sud   MERMOZ
St Louis du Senegal - Natal   GIMIÉ
                                      DABRY

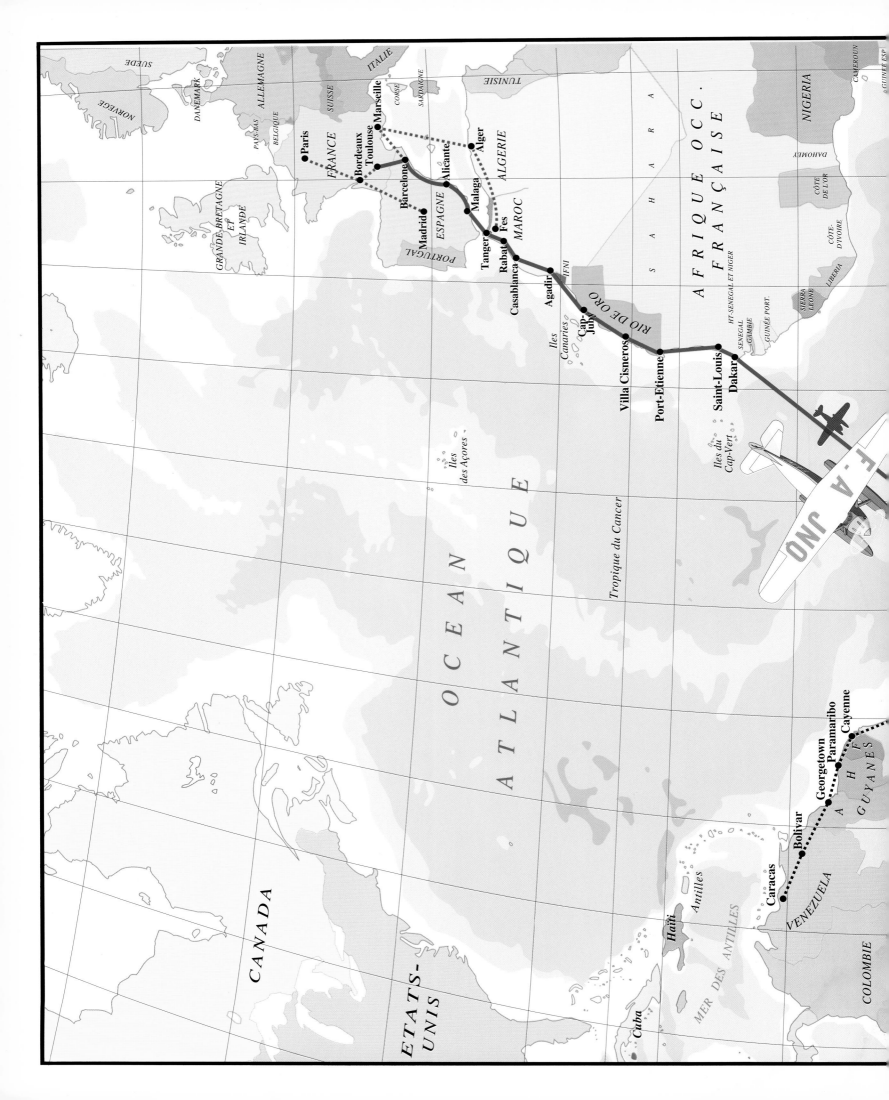

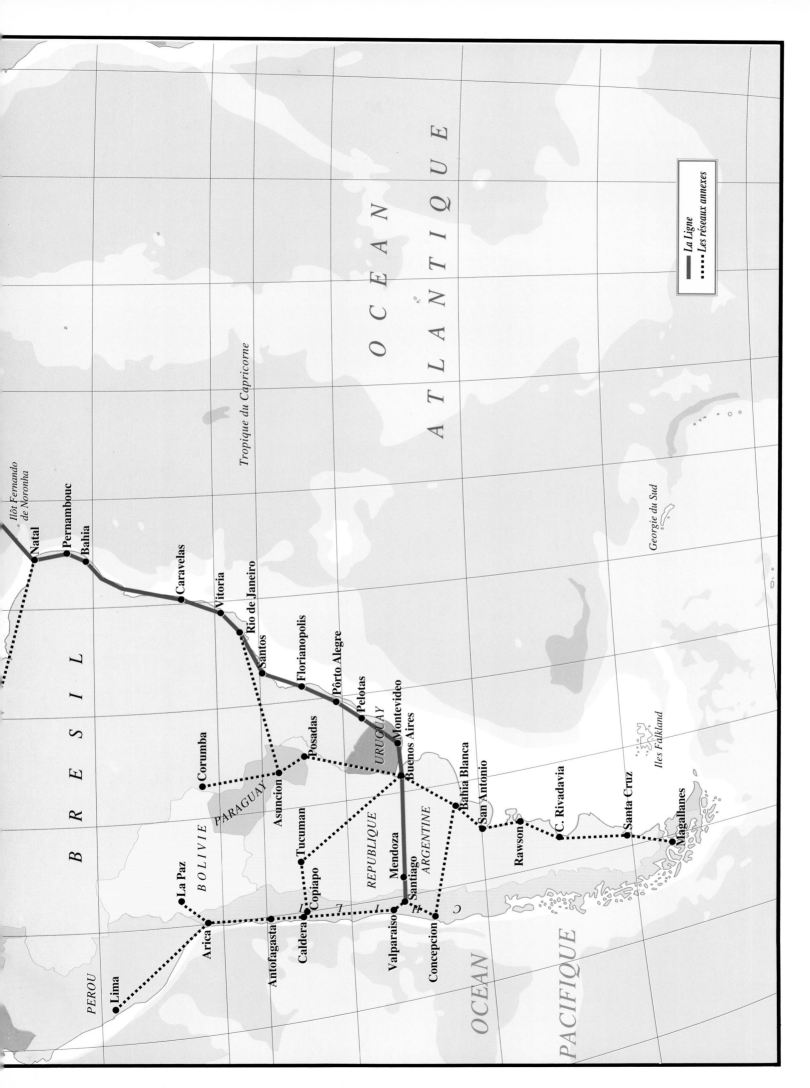

Le parcours de la Ligne de Toulouse à Santiago du Chili

1

Une idée irréalisable

Les canons de la
Grande Guerre sont
éteints. L'heure est
à la reconstruction.
À la reconversion
aussi. Les As de
l'aviation cherchent
de nouvelles raisons
de flirter avec la mort.

Pierre-Georges
Latécoère, lui aussi,
veut élever ses
ambitions. Transformer
ses usines de wagons
et lancer des avions
à la conquête
du Grand Sud.

Le premier réseau en
direction de l'Espagne
se met en place. Grâce
à d'antiques machines
et de courageux
pilotes. Déjà l'Afrique
se profile à l'horizon.

AU SORTIR de la Grande Guerre, l'aviation jouit d'un formidable crédit. L'Europe entière compte ses morts, panse ses blessures, mesure l'incroyable gâchis du plus meurtrier des conflits, et pourtant ses fils et ses filles ne se lassent pas de célébrer les mérites des héros de l'air. Ces chevaliers du ciel qui, sur le tard, avaient tenté de donner un supplément d'âme à un affrontement par ailleurs totalement monstrueux et bestial.

Loin des tranchées, par-delà le bourbier où s'enlisèrent tant d'espoirs perdus, les aviateurs avaient eu le privilège d'élever leur mérite et leurs rêves. Les fantassins avançaient en rang, serviles et anonymes, comme on se précipite à l'abattoir. Eux, volaient de leurs propres ailes, fiers et indépendants, libérés de toutes contraintes, simplement redevables de leurs initiatives, tributaires de leur propre courage. Pour leurs exploits, leur esprit chevaleresque, leur panache, leur bravoure, mais surtout parce qu'ils avaient redonné à la guerre figure humaine, rendu au combat un semblant d'honneur, les As rencontraient auprès des populations redevenues euphoriques un succès sans limites.

En avait-on écrit des dithyrambes à propos de ces rhéteurs en bandes molletières et casques de cuir, de ces paladins du manche à balai toujours en quête d'une mission supplémentaire, toujours en avance d'une anecdote à faire frissonner le commun des hommes de troupe. Ils avaient de la moelle, un sang-froid à toute épreuve, ils avaient surtout la manière. Pour eux, les chantres de la guerre tenaient des comptes d'apothicaire et leurs admirateurs se réjouissaient de leurs palmarès macabres. Le capitaine René Fonck avait réchappé plus d'une fois de la mort, mais il pouvait aussi se flatter d'avoir flirté avec les dieux. Il avait aligné soixante-quinze croix sur sa carlingue cabossée et couturée de partout, et cette seule litanie valait bien toutes les iconolâtries du monde.

Et que dire de Georges Guynemer et de ses cinquante-trois victoires, que les échotiers s'empressèrent de comparer à un ange, ou de Charles Nungesser blessé de la tête aux pieds, que ses amis portaient dans son avion pour qu'il poursuive sa quête ? Tous — ils étaient plus de mille deux cents au soir de l'armistice — avaient goûté au festin de la gloire, connu les honneurs, traversé les aventures les plus folles et côtoyé la mort. Retraités avant l'heure, sommés de remiser leur courage et leurs rêves, ils pouvaient difficilement se résoudre à passer la main, à admettre que le destin contredise leur fraîcheur d'âme et que le temps étouffe leur passion pour toujours. Ils voulaient encore voler, jouer leur vie à pile ou face et traverser le grand cercle enflammé de leur passion juvénile, malgré les réalités de l'heure, malgré les urgences de la reconstruction, malgré le scepticisme des plus ardents défenseurs d'un moyen de locomotion encore sujet à caution.

Issu d'une famille aisée, Pierre-Georges Latécoère (photographié par Nadar fils) aurait pu se satisfaire d'une vie facile. À l'inverse, il se façonna un destin ambitieux. Au sortir de la Grande Guerre, il se mit en tête de reconvertir les usines paternelles — spécialisées, entre autres, dans la fabrication des cantines pour l'armée (ci-dessous) — pour lancer dans le ciel de pacifiques courriers, capables de faire oublier les bombardiers promis à la casse (pages précédentes).

Les usines Latécoère ont fabriqué de nombreux appareils, mais elles ont aussi profité de la dispersion des stocks existant au lendemain de l'armistice (ci-dessus une série de Breguet 14). Dans le même temps, les responsables de l'entreprise ont recruté de nombreux pilotes, comme Paul Vachet qui s'illustra sur le front aux commandes d'un Caudron G. 3 (à droite).

Dès les premiers mois de 1919, l'industrie aéronautique française offre plus d'un signe de mauvaise santé. Par-delà l'euphorie guerrière, la réalité du marché a repris ses droits. Les commandes tardent et les ateliers se dépeuplent. Des cent quatre-vingt mille ouvriers spécialisés recensés au lendemain de l'armistice, il n'en reste plus que dix mille douze mois plus tard. Plus grave encore : les bureaux d'études sont désertés, les créations suspendues et les ingénieurs réduits au chômage. Les principaux avionneurs vivent sur leurs acquis, hésitent à tourner la page et écoulent leurs stocks tant bien que mal. Caudron est au bord de la faillite et Morane ne va guère mieux. On licencie à tour de bras et l'on tente de se reconvertir. Voisin produit des automobiles et Schmitt monte des bicyclettes. Du bateau de pêche à la machine à écrire, toutes les solutions de remplacement sont envisagées. L'avion est-il maudit ou son avenir tout simplement reporté au lendemain ?

S'ils se sont révélés des instruments de guerre efficaces, des armes de prestige capables de forcer les blocus les plus hermétiques et de surmonter les obstacles les plus infranchissables, les engins volants n'ont, aux yeux de beaucoup, aucun avenir civil et commercial. D'abord conçus et imaginés pour le combat, les Breguet, Spad ou Goliath ne peuvent revendiquer la moindre légitimité, ni supériorité particulière, ni qualité spécifique, pour d'autres missions ou d'autres objectifs. Avec ses quelque deux mille appareils en état de marche, ses multiples motoristes (Salmson, Hispano Suiza, Renault, Gnome-Rhône, en tête) et ses innombrables fournisseurs (Ratier, Chauvière, Jaeger, entre autres), la France possède, et de loin, le parc volant le plus impressionnant et le plus performant du monde. Mais dans quel but et pour quels nouveaux usages ?

Aviateurs et ingénieurs l'ignorent. La plupart hésitent, se cherchent et s'interrogent. Le 19 janvier 1919, Jules Vedrines, spécialiste, quelques mois plus tôt, des missions dangereuses au-dessus des lignes ennemies, récolte vingt-cinq mille francs de prix au risque d'écraser son Caudron G. 3 sur le toit en terrasse des Galeries Lafayette. Cinq mois plus tard, Charles Godefroy, à peine moins déterminé, s'offre une belle frayeur en lançant son biplan militaire Nieuport sous l'Arc de triomphe. C'est l'heure des exploits gratuits, des prouesses sans raison, pour faire «comme si», pour prouver que même en temps de paix, la peur est une compagne à laquelle il est toujours stimulant de se frotter. En Grande-Bretagne, aux États-Unis, les soldats de l'air sont devenus acro-

bates et cascadeurs. Pour quelques billets, ils sautent d'un avion à l'autre, d'une voiture à une échelle de corde, lorsqu'ils ne foncent pas cockpit baissé dans une maison de carton-pâte pour les besoins d'une mise en scène à haut risque. Hollywood devient leur planche de salut et leur Eldorado. Les As de chair et de sang d'hier sont devenus des funambules à hélice qui passent et repassent le film de leurs frayeurs d'antan, qui jouent les doublures et les héros de pacotille. Comme pour mieux repousser l'échéance de leur disgrâce calculée et reporter à plus tard la fin de leur bonheur programmé.

NSTRUMENT de guerre, puis engin de cirque, l'avion va pourtant révéler d'autres qualités. Ne pourrait-il pas devenir un moyen de transport capable de véhiculer des passagers mais aussi, bien sûr, du fret ou du courrier ? En pleine guerre, les Anglais avaient ouvert la voie et dépêché au-delà de la Manche — six ans après la traversée de Blériot — du courrier jusqu'en Belgique. Dès 1917, les Italiens acheminaient des lettres entre Rome et Turin. Avec quelques mois de retard, les Autrichiens, qui ne songeaient pas encore à l'issue fatale du conflit mondial, avaient inauguré une ligne plus audacieuse encore. À bord d'un biplan Brandenburg, August Raft von Marvil s'était persuadé que Kiev pouvait être rallié depuis Vienne en l'espace de dix heures et quatre arrêts seulement ! Plus qu'un exploit : une démonstration.

Les politiques et les hommes d'affaires persuadés du bien-fondé de ces diverses avancées sont encore peu nombreux, mais l'idée fait son chemin. Les machines en usage sont peu fiables, fragiles, souvent capricieuses, sujettes à des pannes trop fréquentes, mais les hommes qui les pilotent, les entretiennent ou améliorent leur rendement sont si déterminés et passionnés qu'ils gagnent peu à peu les sceptiques à leur cause. Et si les estafettes d'observation n'étaient pas que des gadgets d'état-major, si les lourds bombardiers n'étaient pas que des oiseaux de mort ?

Pierre-Georges Latécoère est optimiste tout autant que réaliste. Il ne met pas longtemps à se convaincre de l'avenir de l'aviation civile. De tous les industriels concernés par les nouvelles orientations à donner aux légions d'appareils guerriers désormais privés d'objectif, il est celui qui imagine et anticipe le plus. Volontariste de nature, il refuse de faire du sur-place et ambitionne de grandes choses pour les intérêts dont il a la charge, et il sait de quoi il parle.

À trente-cinq ans, le jeune entrepreneur, qui s'est taillé une belle réputation dans tout le Sud-Ouest, a déjà accumulé de multiples expériences. Il dirige trois usines, emploie plus de mille personnes et ses commandes s'élèvent, au bas mot, à près de cent millions de francs. Un joli pactole et surtout une belle garantie sur l'avenir à la condition expresse, bien sûr, que celle-ci tienne compte des préoccupations du moment et anticipe plus encore les exigences du lendemain.

Né le 25 août 1883 à Bagnères-de-Bigorre, Pierre-Georges Latécoère est un visionnaire, un vrai. À la différence de son frère André-Louis, évaporé et beau parleur, il a toujours envisagé la succession de son père avec sérieux et réflexion. La famille dispose d'une importante

scierie, de deux centrales électriques et d'intérêts divers dans les thermes et le casino de la ville. Le catalogue de la maison propose des parquets, des charpentes, des décors entiers. Les sollicitations sont nombreuses et les projets d'envergure ne manquent pas.

Naturellement, parce que tout indique qu'il participera un jour à l'aventure familiale, Pierre-Georges envisage une carrière d'ingénieur. Il monte à Paris et suit de bonnes études. Abonné aux places d'honneur, il est curieux de tout. Il poursuit ses humanités moins pour apprendre un métier bien précis que pour tous les envisager. Sa soif de lecture est inextinguible. Il éprouve un faible pour Stendhal, mais se pique aussi de philosophie. Un voyage en Allemagne s'impose dans la foulée. Au terme de sa formation, l'étudiant assidu obtient son diplôme des Arts et Manufactures. Sa place est modeste (160e sur 225), mais son envie de progresser est énorme.

Lorsque Gabriel Latécoère meurt d'un cancer le 4 juin 1906, son fils, âgé de vingt-deux ans, n'est pas pris de court. À ses yeux, la charge qu'on lui confie prend l'aspect d'une mission. Loin de lui l'idée de se reposer sur ses lauriers, de se contenter de faire fructifier la fortune paternelle et de tirer avantage des orientations préalablement données. Le fier jeune homme, toujours soigné et vêtu à la dernière mode, voit grand. Sa mère Isabelle est officiellement élevée au rang de directrice des entreprises Latécoère, mais c'est lui, et lui seul, qui perpétue la tradition familiale et honore les commandes déjà passées. Il développe les secteurs les plus performants, passe, par exemple, un contrat de douze mille isolateurs électriques pour les casernes de la région et promet dix mille caisses à explosifs à la poudrerie d'Angoulême. Il envisage surtout d'autres terrains de conquête.

Dès 1907, il suggère la construction de cabines téléphoniques, commercialise l'eau minérale de Castelloubon, dessine des étiquettes et des capsules. Plus important : il envisage très vite de se faire un nom dans le domaine de la construction ferroviaire. La conjoncture est favorable. Avec ses contremaîtres et ses ouvriers les plus inventifs, il imagine de nouveaux matériels roulants alliant le bois (c'est la spécialité de la maison) au fer (une forge est ouverte pour la circonstance).

Au-delà de ses connaissances et de ses compétences, l'ingénieur se révèle fin innovateur et habile tacticien. Il parle l'allemand et prend donc langue avec les responsables du ministère des Transports de ce pays. Un premier contact, suivi de beaucoup d'autres. La Serbie, la

Dans le grand hall de l'usine de Montaudran, les ouvriers, hier occupés à fabriquer des wagons ou des citernes, se sont reconvertis dans la tôlerie des pièces de moteur d'avion.

Ancien pilote lui-même, Beppo de Massimi fut l'inlassable diplomate de la Ligne. Sans relâche, il parlementa avec les chancelleries, et les autorités espagnoles en particulier. Il fut également à l'origine de nombreux recrutements, par exemple celui de Saint-Exupéry.

Turquie, la Libye, tout autant que la Compagnie du Midi se laissent séduire. En 1911, le grand ordonnateur peut se vanter d'avoir enregistré suffisamment de commandes pour assurer du travail à ses ateliers pour les dix années à venir. Ses divers comptes en banque sont bien approvisionnés et ses propriétés nombreuses. Il vit sur un grand pied, multiplie les dépenses de prestige, s'intéresse de très près à l'architecture et poursuit les œuvres artistiques et philanthropiques inaugurées par son père. Est-il heureux et satisfait pour autant ? Ce n'est pas sûr. Le gentilhomme qui apprécie les bons auteurs et ne dédaigne pas les jolies femmes ne parvient pas à brider son esprit fougueux, toujours en mouvement, jamais rassuré. S'applique-t-il à classer un dossier qu'il s'empresse d'ouvrir le suivant. Avec lui, point de repos : la vie est et ne doit être que paris et surenchère.

En 1912, le collectionneur construit une nouvelle usine à Toulouse, à deux pas du pont des Demoiselles, qui enjambe le canal du Midi à l'est de la ville. Près de cent personnes occupent la forge et l'atelier de mécanique. Un dépôt est ouvert à Paris, à proximité de la gare d'Austerlitz, et il achète un pied-à-terre rue Hippolyte-Lebas, dans le 9e arrondissement. Ces deux initiatives ne l'empêchent pas de voyager en Italie et de visiter Vérone, Venise et Florence. La déclaration de guerre le prend-elle de court ? Pas le moins du monde. Malgré son récent mariage (avec une belle et jeune actrice), malgré sa myopie, Pierre-Georges veut combattre. Sans autres égards, ni excès de réflexion, on le verse dans l'infanterie. Une piètre voie de garage, où même ses supérieurs hiérarchiques conviennent qu'il n'a rien à faire. Ne serait-il pas plus utile aux commandes de ses usines ? « Ce phénomène rendra plus de service à son pays à la tête d'une industrie qu'au derrière d'un canon », remarque avec bon sens un général.

Comme Louis Renault, comme André Citroën, Pierre-Georges Latécoère retrouve vite ses fourneaux, ses ateliers et ses chaînes de montage. La France manque de munitions, de canons, de matériels roulants : comme ses confrères, il se transforme en marchand de guerre sans s'interroger sur les conséquences de son choix, ni sur la finalité de son engagement. Les circonstances commandent et seule cette réalité lui importe.

Loin des tristes réalités du front, pratique et pragmatique, le patron de Toulouse livre des caisses de munitions, des cuisines de campagne, des baraquements, des obus de gros calibre. Parce que les besoins progressent beaucoup plus vite que les moyens de production, il est sans cesse obligé de s'adapter, de recruter, d'agrandir une affaire déjà imposante. Mieux, il pousse à la roue, crée un siège à Paris, boulevard Haussmann, mobilise ses relations et décroche des contrats toujours plus mirifiques. Une quatrième usine ouvre ses portes sur la commune de Montaudran, de part et d'autre de la ligne de chemin de fer Toulouse-Sète.

En septembre 1917, Louis Loucheur remplace Albert Thomas au ministère de l'Armement. Le nouveau promu est un industriel. Comme Pierre-Georges, il a une formation d'ingénieur et apprécie la culture germanique. C'est un esprit ouvert, résolument moderne. Avec son partenaire privilégié, il convient que l'industrie aéronautique française a pris trop de retard. Un minimum de décentralisation s'impose. Les usines Voisin, installées à Issy-les-Moulineaux, ne parviennent pas à satisfaire la demande. Breguet, Spad ne sont guère mieux lotis. Le 29 octobre, l'usine de Montaudran reçoit officiellement commande de fabriquer et de livrer, aux normes du constructeur, mille avions de reconnaissance biplace Salmson 2A. 2, dotés de moteur de la même marque. Le bordereau précise que la moitié de la flotte devra être proposée en kit, emballée dans des caisses spéciales, l'autre devant être fournie en état de vol. L'échéance pour la livraison de la toute première machine est fixée au 15 mai 1918.

MÊME réduite à huit cents appareils dans les semaines qui suivent, la commande passée par le ministère des Armées est proprement phénoménale. Elle est inespérée dans la mesure où Latécoère n'a de sa vie jamais approché ni de près ni de loin un avion et que personne, dans toute la région toulousaine, ne peut, à la même époque, se prévaloir de connaître dans le détail ce type d'engin. Qu'à cela ne tienne ! Quitte à sacrifier quelques cheveux supplémentaires d'une toison déjà bien dégarnie, à emboutir un peu plus un emploi du temps déjà très encombré, Pierre-Georges Latécoère décide de relever le défi.

Au mépris des moqueries, malgré les mises en garde, ou à cause d'elles, l'entrepreneur rassemble ses forces, et met au point sa stratégie. Aussi prudent que prévoyant, il démarche ce qui se fait de mieux dans le domaine de l'aéronautique. Gabriel Voisin cède le premier à ses avances et devient chef de fabrication. Tout juste rentré de Russie, Émile Dewoitine installe peu après ses quartiers du côté de Toulouse. Même s'il fondera sa propre marque deux ans plus tard, il ne rechigne pas à la tâche, et participe à la mise en œuvre des nouveaux projets.

Après deux heures d'entretien serré, Marcel Moine, frais émoulu des Arts et Métiers, se laisse séduire à son tour. Le tout jeune ingénieur est une perle rare. Il a beaucoup travaillé sur la résistance des matériaux, un domaine que Latécoère maîtrise mal. Calme et discret, il voue une admiration sans bornes à son patron. C'est un acharné, un obstiné. « Avec lui, c'est toujours pareil : impossible de le décourager. On le sort par la porte, inlassablement il revient par la fenêtre », s'étonne un de ses collègues. Entre Moine et Latécoère, la confiance s'installe sans tarder, durablement. Le fidèle lieutenant demeurera responsable du bureau d'études Latécoère pendant cinquante-sept ans !

Pour assurer ses livraisons en temps et en heure, Latécoère est obligé d'élever de nouveaux bâtiments, toujours du côté de Montaudran. Il devient son propre architecte. Une centaine de prisonniers allemands participent aux travaux. On déboise, on nivelle, on déplace des lignes électriques. La grande halle s'étend sur près de soixante-dix mètres au nord de la ligne de chemin de fer. Un pont roulant est suspendu aux cintres, à vingt mètres de la chaîne proprement dite. Un château d'eau,

des magasins spécialisés et même une cantine sont installés de part et d'autre de la halle centrale. Au-delà du passage à niveau, les bâtiments et ateliers de l'aérodrome sont plus modestes. Quatre hangars Bessonneaux charpentés de bois et recouverts de toile composent l'essentiel de l'aérogare. Une salle des pilotes a été aménagée avec pour tout mobilier et décoration une table rustique, une demi-douzaine de chaises et quelques cartes épinglées aux murs. La piste elle-même a été rallongée et portée à sept cents mètres.

Le 27 avril 1918, avec quelques jours d'avance sur l'échéance prévue, *Le Cri de Toulouse* signale les « Premiers essais du premier avion Latécoère » : « Mardi dernier, les Toulousains ont eu, dans l'après-midi, l'agréable surprise de voir un magnifique biplan survoler notre ville et à une grande hauteur exécuter d'audacieuses et élégantes évolutions. Beaucoup ont cru que c'était un avion venu de l'école de Pau. Détrompons-les ! Le bel avion sortait tout entier des ateliers Latécoère, installés, comme on sait, à Montaudran, et où travaillent déjà plus de mille cinq cents ouvriers. » Selon toute vraisemblance, le quotidien local signale la sortie du Salmson n° 1 565,

piloté par Pierre Bastide : c'est le premier appareil opérationnel signalé par les registres de la firme.

BIENTOT, les ateliers créés de fraîche date sont capables d'assembler cent cinquante avions par mois. En octobre, la cadence est de six engins par jour. Le 1er novembre, six cents sont prêts à voler. Déjà de nouvelles commandes affluent. Cette fois, l'État réclame des Nieuport 29 pour la grande offensive que le maréchal Foch prévoit de lancer au… printemps 1919. Vaine spéculation : le 11 novembre, à 5 heures du matin, les parlementaires allemands signent la convention d'armistice à Rethondes.

Latécoère est sous le choc. Soulagé bien sûr de célébrer la victoire des troupes alliées à l'unisson de la France tout entière, mais aussi inquiet de voir la corne d'abondance de ses initiatives multiples se tarir du jour au lendemain. Au total cinq cent cinquante Salmson ont été livrés au front et le dessin de très nombreux prototypes exécuté. Le capitaine d'industrie prend goût à l'innovation. Il est heureux d'avoir rempli son contrat et de frayer avec les édiles gouvernementaux. Plus que jamais, il sacrifie à un rythme de travail démentiel, partage sa vie entre Toulouse, Paris et les trains de nuit qui circulent entre les deux métropoles. « Quand les trains ne marcheront plus, plaisante un de ses collaborateurs, on mettra un moteur au pied de son lit ! » En définitive, il ne redoute qu'une chose : revenir en arrière, retourner à ses wagons et à ses parquets, enfiler de nouveau la défroque de l'entrepreneur certes actif et méritant mais somme toute provincial.

Un homme au moins l'incite à poursuivre ses ambitions et à entretenir un peu plus son goût de la surenchère : le marquis Beppo de Massimi. Depuis quinze ans qu'ils s'estiment, les deux confidents ont effectué ensemble plusieurs voyages d'agrément, partagé un même goût pour les beaux livres et les femmes frivoles, mais à l'heure où chacun s'interroge sur son avenir et, par dessus tout, sur celui de l'Europe, l'un et l'autre se rapprochent et se stimulent. Ils multiplient les conversations, confrontent leurs points de vue sur les derniers événements et imaginent ensemble mille et une collaborations. Bientôt, ils ne se sépareront plus.

Très utilisé durant la dernière partie de la guerre, le Salmson fut le premier avion mis en service par les pionniers de la Ligne. Robuste, il atteignait au mieux les cent quarante kilomètres à l'heure et devait être ravitaillé toutes les trois heures et quart. À partir d'octobre 1917 et jusqu'à la fin du conflit, les usines Latécoère, qui gagnaient toujours en superficie à Montaudran, en construiront plusieurs centaines.

D'origine modeste, l'ingénieur Marcel Moine fut "l'âme technique" de la Ligne. Les ouvriers (à droite) appréciaient en priorité son sérieux et son dynamisme. Sa devise, *Labor improbus omnia vincit*, "Un travail acharné triomphe de tout", l'expliquait tout entier. Il est mort en 1985.

Beppo de Massimi a huit ans de plus que Pierre-Georges. Il est né en 1875, à Naples, au sein d'une famille d'aristocrates abonnée aux bonnes manières et aux relations choisies. Licencié ès lettres, raffiné et bien mis, il a rencontré son futur partenaire dans une librairie du Quartier latin, à l'occasion du marchandage poli d'un livre pareillement désiré. Il n'en fallait pas davantage pour sceller leur avenir.

Certes, leurs tempéraments étaient différents, mais ils se complétaient à merveille. Lorsque Pierre-Georges Latécoère regrettait d'être trop cassant et intransigeant, Beppo de Massimi s'empressait de le rassurer et d'arrondir les angles le cas échéant. « Quand un homme fait une belle moyenne, aimait-il répéter, il faut le conserver. » Rarement contredit, l'ami italien bénéficiera, vis-à-vis de son patron, d'un privi-

lège rare : celui de le tutoyer, ce dont aucun autre membre de l'entreprise ne pourra jamais se prévaloir.

Massimi revendique si fort sa francophilie qu'il n'hésite pas une seconde à s'engager sous les couleurs de son pays d'adoption, le jour même de la déclaration de guerre. Il ne choisit pas son arme par hasard. Escrimeur et cavalier à ses heures, le jeune homme guindé et précieux est un sportif convaincu. Plus que toute autre spécialité, l'aviation lui semble être un parfait champ d'expérimentation. Versé au sein de l'escadrille de reconnaissance C-227, il est prêt à effectuer diverses missions. Bientôt, une croix de guerre, plusieurs palmes et une Légion d'honneur témoignent de sa détermination et de sa bravoure.

L ATÉCOÈRE passant son temps entre Paris et Toulouse, Massimi multipliant les sorties, les deux amis n'ont que trop peu l'occasion d'entretenir leur amitié. Ils se voient néanmoins de temps à autre. La conversation tourne autour de cet instrument d'avenir, ce moyen de transport révolutionnaire, cet avion plein de ressources dont les promesses ont, de leur propre point de vue, toutes les chances de se concrétiser dès le lendemain du conflit.

Bien que réduit au rang de spectateur, l'industriel est plus convaincu et motivé que son ami. Dès les premiers jours de 1918, il décide de passer à l'action. Au-delà des impératifs et des rigueurs de la guerre, il imagine la reconversion de ses diverses entreprises. Loin d'abandonner l'aéronautique, il envisage au contraire d'y faire carrière, de poursuivre la construction d'engins toujours plus modernes, mais surtout de lancer les bases d'une ligne, voire d'un réseau capable de servir diverses capitales, de transporter courrier et passagers, avec pour seul objectif celui d'accélérer le temps et de réduire les distances.

La marge de manœuvre est étroite. L'idée a déjà fait son chemin ici et là. D'ores et déjà, les Anglais et les Allemands sont passés à l'action. Et les Américains ont lancé l'US Air Mail Service. Grâce aux frêles Curtiss Jenny, plusieurs villes de la côte ouest se révèlent soudain plus proches les unes des autres. Latécoère ne veut pas laisser passer sa chance. Parce qu'il est installé à Toulouse, parce qu'il chérit sa région plus que toute autre, parce qu'il veut définitivement tourner le dos au conflit qui s'éternise dans le Nord, il porte naturellement son regard vers le Sud. Et s'interroge.

Comment l'avion pourra-t-il, par-delà les Pyrénées, se jouer de conditions météo forcément aléatoires et surmonter des distances souvent rédhibitoires ? Comment mettre au point un service régulier ignorant les obstacles et les contrariétés ? Personne, bien sûr, n'est capable de lui fournir la moindre réponse. Qu'importe : il se persuade du potentiel de la compagnie à venir et accumule les arguments favorables. Avec ses quatre-vingt mille Européens installés à demeure, le seul Maroc offre un marché d'envergure. Pour l'heure, les principales villes du pays sont desservies par train et bateau depuis Paris, au mieux en sept jours, au pire en onze. D'après ses calculs, et grâce à l'avion, Latécoère estime pouvoir réduire cette attente à trente et une heures en été et à quarante-huit heures en hiver. Une révolution.

Et pourquoi s'arrêter en si bon chemin ? Pourquoi ne pas envisager le Maroc comme une simple rampe de lancement, un relais vers des conquêtes plus lointaines en direction de l'Afrique australe et pourquoi pas vers l'Amérique du Sud tout entière ? À l'époque, cette seule partie du monde échangeait avec l'Europe quelque deux mille tonnes de lettres, alors que la Malle des Indes n'en transportait que sept cents en direction du Proche et du Moyen-Orient. Au bas mot, les échanges commerciaux entre Paris et Buenos Aires ou Rio de Janeiro se chiffraient à cinquante milliards de francs par an. Or il ne fallait pas moins de dix-sept jours pour atteindre le Brésil et vingt-trois pour accoster en Argentine. Quelle plus belle œuvre que le projet de rapprocher les continents, de servir les intérêts de la France au-delà des mers, d'accélérer les échanges culturels et économiques entre des pays déjà si fortement complémentaires ?

Massimi a parfaitement reçu le message. Installé aux premières loges, aux commandes d'appareils qui ne demandent qu'à progresser, il est persuadé que l'aviation dispose de toutes les qualités requises pour devenir le moyen de transport de demain. Bien sûr, il regrette que les ingénieurs se soient préoccupés en priorité d'améliorer les capacités guerrières des engins qu'il chevauche, grâce à des armements toujours plus efficaces. Mais il est tout aussi persuadé que, la paix revenue, les inventeurs auront en tête d'autres préoccupations. Qu'ils étudieront plus avant la fiabilité, l'autonomie ou le confort des engins de mort qui firent la gloire des Ailes françaises.

L E 7 SEPTEMBRE 1918, Pierre-Georges Latécoère remet à Jacques Dumesnil, sous-secrétaire d'État à l'Aéronautique, un premier dossier dans lequel il projette déjà de rejoindre le Maroc, Dakar et l'Amérique du Sud. Il est question de courrier mais aussi de passagers. Il est aussi suggéré d'ouvrir plusieurs aéroplaces et d'utiliser des navires rapides pour traverser l'Atlantique sud. Compte tenu des préoccupations du moment, des combats qui s'éternisent et des alliances qui s'improvisent, les autorités compétentes ne prêtent guère attention à ce qui n'est encore considéré que comme de fumeuses élucubrations.

Deux mois plus tard, l'industriel obstiné repart à la charge. Le 11 novembre 1918 très précisément (le clin d'œil ne s'invente pas), il dépose au greffe du tribunal de commerce de Toulouse les statuts d'une société d'exploitation intitulée : Compagnie Espagne, Maroc, Algérie. On l'imagine, la CEMA recouvre peu ou prou les objectifs du projet initial soumis aux caciques politiques parisiens. À quelques jours d'intervalle et du seul fait de l'arrêt des hostilités, la proposition semble soudain plus crédible. Du jour au lendemain, le rêve devient tangible.

D'emblée, les nouveaux conquérants étudient trois routes différentes afin de rejoindre l'Afrique du Nord.

Le 25 décembre 1918, Pierre-Georges Latécoère (à gauche) choisit d'inaugurer lui-même son projet fou de liaison avec l'Espagne et invite René Cornemont à le piloter jusqu'à Barcelone. Pour l'occasion, il a revêtu une combinaison fourrée assez ample pour ne pas abîmer l'impeccable costume qu'il ne quittait jamais.

Un trajet par Madrid et le cœur de l'Espagne ; un autre purement maritime via Marseille et les Baléares ; un troisième, enfin, qui épouserait la côte méditerranéenne de Perpignan à Gibraltar. Même s'il est objectivement le plus court, le premier tracé est abandonné sans attendre : les reliefs pyrénéens et les rigueurs de la sierra ibérique n'incitent guère à l'optimisme. Le manque de fiabilité des hydravions alors en usage, les risques liés au survol d'un espace maritime très important ne permettent pas davantage de pencher en faveur de la deuxième option.

La troisième, en revanche, semble moins risquée et plus logique, mais des incertitudes subsistent. Le pas-

sage en Espagne entre le mont Canigou et la mer n'est pas, par exemple, une partie de plaisir. Le rayon d'action somme toute très limité des avions impose d'autre part plusieurs escales. L'accord des autorités locales, l'aménagement des pistes d'atterrissage nécessitent de nombreuses discussions. Et que dire de la suite du programme ? De la perspective de survoler le désert saharien, sans l'appui ni des populations indigènes ni même de leurs pays de tutelle (le Maroc et l'Espagne) ?

Non seulement l'aventure envisagée par Latécoère multiplie les handicaps techniques et physiques, mais elle suppose de livrer parallèlement une formidable ba-taille administrative et politique. De même que les aviateurs doivent se familiariser avec de nouvelles façons de naviguer, abandonner leurs points de repères habituels (routes, voies de chemin de fer, etc.), de même, leurs supérieurs hiérarchiques sont invités à courir les chancelleries, à gagner la confiance des élus et à séduire, encore et toujours, d'éventuels et nouveaux bailleurs de fonds.

Pour lancer son opération et tisser sa toile, Pierre-Georges Latécoère se mue en diplomate zélé. Depuis son siège parisien, boulevard Haussmann, à peine moins soigné qu'un palais vénitien, il bat le rappel, convoque les leaders d'opinion et profite de son entregent. Il conforte

Parti tôt dans la matinée, Pierre-Georges Latécoère — bien calé à l'arrière du Salmson 2 A. 2 — et son pilote survolèrent les Pyrénées sans encombre, malgré le froid et le vent. Leur atterrissage à Barcelone (ci-dessus) fut parfait et l'accueil (à droite) à la hauteur de l'événement.

surtout les amitiés qui le servent, ne néglige aucune obligation et flatte ses principaux partenaires. À sa droite, l'élégant Massimi joue de son charme. C'est un beau parleur, un esprit vif et attachant. Le commandant Watteau, son ancien chef d'escadrille, prête une oreille attentive à ses projets. Avec d'incontestables résultats : il est avocat, n'ignore rien des tractations législatives en cours et possède plus d'un ami haut placé. Chargé par l'état-major de l'Aéronautique d'étudier le dossier « Latécoère », il émet, sans réserve, un avis favorable.

Entre novembre 1918 et février 1919, les futurs patrons de la Ligne engagent une partie extrêmement serrée. Ils essaiment leur rêve du mieux qu'ils peuvent. Dossiers et arguments sous le bras, ils multiplient les entrevues, les communications et les déjeuners. Une bonne demi-douzaine de ministères sont concernés : le Commerce et les Finances, mais aussi les Postes et Télégraphes, les Travaux publics, la Marine et les Colonies. Directeur de l'Aéronautique au ministère de la Guerre, Paul Dhé, colonel et polytechnicien, se rallie bientôt à leur cause. C'est un proche collaborateur de Georges Clemenceau, alors président du Conseil.

Côté espagnol, l'opération s'avère plus délicate à négocier. Mais, là encore, le tandem Latécoère-Massimi s'appuie sur un allié de première influence. Très tôt mis dans la confidence, Georges Prade, journaliste féru de cyclisme et d'automobile, ne jure depuis peu que par l'aviation. Non content d'alerter l'opinion ou les pouvoirs publics, le jeune normalien jette d'intéressantes passe-

relles au-delà des Pyrénées. Ami intime de Quinones de Leon, ambassadeur d'Espagne à Paris et familier des milieux intellectuels madrilènes, il plaide pour le projet des initiateurs toulousains. Grâce à son aide, Massimi obtient plusieurs rendez-vous importants qui lui permettent de devancer d'autres émissaires ou entrepreneurs.

LES Espagnols ne sont pas très enthousiastes à l'idée de voir passer des avions français au-dessus de leurs têtes. Jusqu'à preuve du contraire, Paris et Madrid nourrissent des points de vue différents, au Maroc en particulier. Alors pourquoi privilégier un voisin si peu amène, alors que d'autres nations font antichambre ? Et en premier lieu l'Allemagne, qui, malgré ses déboires guerriers, entretient une très importante communauté en Espagne et a des affinités avec certains hauts dignitaires de l'armée. Il convient de rassurer, d'avancer des gages, d'imaginer des contreparties.

D'accélérer le processus également. Sans attendre la signature officielle d'un quelconque moratoire, Pierre-Georges Latécoère décide de se lancer dans les airs comme on se jette à l'eau. Pour la forme, le gouvernement français a arrêté dans les premiers jours de janvier une convention qui lui accorde un délai de trois mois pour la mise en service d'une ligne reliant Toulouse à l'Afrique du Nord deux fois par semaine, mais le texte est bien vague et sujet à de nombreuses interprétations. Il ne sera d'ailleurs signé que le 11 juillet.

Latécoère n'y tient plus. Et s'entête : « J'ai refait tous les calculs, ils confirment l'opinion des spécialistes : mon idée est irréalisable. Il ne me reste plus qu'une seule chose à faire : la réaliser. » La boutade qui, au fil des années, deviendra si célèbre — elle est aujourd'hui encore gravée sur la façade du siège social de la société, au n°79 de l'avenue Marceau à Paris — sonne juste. Elle ajoute à l'incertitude de l'opération, mais agit aussi comme un stimulant sur l'entourage du principal intéressé.

Déjà Massimi a recruté quelques pilotes, des As bien sûr, comme le capitaine René Cornemont, le lieutenant Lemaître et son ami Pierre Beauté qui servit à ses côtés au sein de l'escadrille C-227. Le 25 décembre à l'aube, le carré des fidèles est convoqué aux abords de la piste de Montaudran. C'est le grand jour.

Pierre-Georges Latécoère n'hésite pas. Il prend lui-même place à l'arrière de l'appareil piloté par Cornemont. Pour la circonstance, il a revêtu une superbe combinaison bordée de fourrure, des bottes montantes et un casque souligné d'une visière et de deux oreillettes. Le Salmson construit dans ses ateliers a été débarrassé de ses superflus militaires, adapté et doté de réservoirs supplémentaires. Le départ est fixé à 8 h 30 et l'itinéraire jusqu'à Barcelone convenu et entériné avec soin. L'appareil suivra le canal du Midi, la voie ferrée Toulouse-Narbonne, évitera le Canigou, enfilera le col du Perthus, rejoindra Figueras et Gérone, pour atteindre enfin la capitale catalane.

Deux heures et vingt minutes plus tard, accueilli en grande pompe sur l'hippodrome de la ville, Latécoère est aux anges. Une belle limousine accompagne son bonheur auprès de ses hôtes les plus prestigieux, les responsables politiques locaux, mais aussi les industriels et les hommes d'affaires. Pour la peine, il a troqué son casque de cuir bouilli contre un claque du plus bel effet. Avec ses lorgnons, son profil d'aigle et ses manières choisies, le « chevalier des airs » avance en terrain conquis. Il profite de son avantage, multiplie les contacts et flatte ses in-

Les responsables de la Ligne sont souvent du voyage. Le 31 mars 1920 à Alicante, Pierre-Georges Latécoère (à gauche) et Beppo de Massimi (à droite) posent pour le photographe. Les deux amis encadrent le pilote Pierre Beauté.

terlocuteurs. Dès son retour à Toulouse, il décide l'agrandissement du terrain de Montaudran et porte la longueur de la piste à huit cents mètres et sa largeur à deux cent cinquante mètres. Deux espaces de secours sont aménagés à Carcassonne et au Canet. Une agitation normale en ces temps de perpétuelle invention, et pourtant exceptionnelle, compte tenu des incertitudes et des problèmes que soulève l'aventure à venir.

C'EST QUE, sur d'autres fronts, les esprits s'agitent. L'aviation a gommé les frontières, désormais l'horizon appartient à tout le monde. Jean Brun prolonge les lignes Farman vers le nord, Albert Gauchet fonde Air Union et Albert Deullin s'imagine déjà survolant les Carpates et Constantinople. Les exploits s'accumulent. Le 27 janvier 1919, François Coli qui a perdu un œil pendant la Grande Guerre et son compagnon Henri Roget traversent la Méditerranée le même jour dans les deux sens. Le 8 février, à bord d'un Goliath tout juste rendu à la vie civile, Bossoutrot transporte quatorze passagers entre Paris et Londres. Le 12 août, le glorieux commandant Vuillemin part d'Istres pour Le Caire accompagné par le commandant Dagnaux, l'As à la jambe coupée. Chacun pilote un Breguet. Le but est atteint en quatre jours. Vuillemin reviendra par la voie des airs, soit un raid total de huit mille deux cents kilomètres. De part et d'autre de l'Océan, en France comme aux États-Unis, il n'est déjà plus question que de traverser l'Atlantique sans aide et sans escale.

Le temps s'accélère. Le 3 mars, deux Salmson 2A.2 sont avancés au bout de la piste de Montaudran. Leur mission : rejoindre le Maroc dans les meilleurs délais. Latécoère est encore de la partie. Il veut montrer le chemin, prendre sa part de risque, servir d'exemple. Paul Junquet est chargé de le piloter. Massimi est là également. Lui-même est accompagné par Henri Lemaître. Tous deux prennent les devants, atterrissent à Barcelone sans encombre et poursuivent vers Alicante.

Mais les autorités locales, contactées plusieurs jours auparavant, ont mal interprété les recommandations françaises : l'aire d'arrivée ne mesure pas six cents mètres de long comme suggéré, mais six cents mètres carrés. La cabriole est inévitable. Le Salmson capote en bout de piste, longeron et moteur endommagés, hélice bri-

sée, aile gauche déchirée. Massimi s'en sort avec quelques ecchymoses et le nez en sang.

À l'arrière, son ami Latécoère n'est guère mieux loti. Il a raté l'escale de Barcelone. Trop juste en carburant pour envisager de rebrousser chemin, il se pose à une vingtaine de kilomètres plus au sud, sur une plage de Tortosa. Une roue est endommagée. Massimi interprète comme il peut le retard de son patron, et profite de ce contretemps pour modifier les dispositions du terrain d'Alicante. Avec les nappes du restaurant voisin, on dessine à la hâte un T pour indiquer le sens du vent. En vain, car le pilote de Latécoère a perdu ses lunettes. Handicapé, il signe, lui aussi, un joli cheval de bois.

Journée maudite. Sur le chemin de l'hôtel, la voiture qui emmène les quatre compagnons renverse un passant qui est sévèrement commotionné. Malgré les discours et le bon vin, le repas du soir tourne à la veillée funèbre. Pourtant, Latécoère refuse de se laisser gagner par la déception et parle de réparer les deux appareils pendant la nuit. Ses amis le raisonnent et lui suggèrent plutôt de reprendre le train pour Toulouse.

Il ne tarde pas à s'offrir une seconde chance. Dès le 8 mars, accompagné cette fois par Henri Lemaître, il

met le cap sur le Maroc, toujours via Barcelone. À 15 heures, le lendemain, il atterrit à Rabat. Le maréchal Lyautey, revêtu de son inséparable dolman à brandebourgs et de son gilet blanc souligné d'une lavallière noire, est le premier à accueillir le messager venu du ciel. En connaisseur : ancien ministre de la Guerre, il a toujours comblé de compliments les aviateurs, et Guynemer en particulier. Latécoère n'est pas pris de court; dans le même mouvement ou presque, il offre *Le Temps* du 7 mars au patriarche et, à sa femme, un bouquet de violettes cueillies quarante-huit heures plus tôt à Toulouse.

Lyautey est séduit. Malgré ses soixante-cinq ans, c'est un apôtre du progrès et de la modernité. À ses yeux, le pari de Latécoère relève tout autant de l'audace que du bon sens. Il en est persuadé, l'avion est et sera le mode de locomotion de demain. D'ailleurs, le maréchal ne se contente pas de le répéter à son hôte, il joint l'acte à la parole et promet un million de francs d'aide postale à l'entreprise en train de naître. Mieux, il alerte ses supérieurs parisiens, bouscule les conventions et commande que l'on signe au plus vite le contrat promis.

L'État s'exécute le 5 juillet. Pour les cinq années à venir, les Lignes aériennes Latécoère sont tenues d'or-

ganiser huit vols mensuels entre Toulouse et Rabat avec une durée de trajet inférieure à quarante heures, escales comprises. Des pénalités sont prévues pour tout retard des avions au départ. Latécoère contresigne l'intention et mobilise son équipe. Seul l'aspect matériel de l'entreprise l'inquiète un peu. Les Salmson et leur fuselage en tronc d'arbre, leurs 11,75 mètres d'envergure et surtout leurs trois malheureuses heures d'autonomie ne sont plus à la hauteur de son ambition. Au mois de juillet, il profite heureusement d'un prêt inespéré et récupère quinze Breguet 14 A. 2, dotés de moteurs Renault de 300 CV, plus robustes, et une quantité incalculable de matériels de rechange.

Le pari est gagné. Même les Espagnols confirment l'opportunité et la viabilité de l'expérience. Le 28 août, le roi Alphonse XIII lâche du lest et propose enfin la ratification d'une convention accordant aux avions de Pierre-Georges Latécoère le survol d'une partie du territoire ibérique ainsi que la création de trois aéroplaces permanentes à Barcelone, Alicante et Malaga. Les As de la Grande Guerre sont redescendus sur terre il y a six mois à peine. Mais, déjà, la Ligne leur promet un avenir plus aventureux encore.

2
L'appel du désert

Une grande œuvre ne se fait pas sans casse. Qu'importe le temps et les circonstances : il faut que le courrier passe. Au-delà du succès, la Ligne compte ses morts.

Le désert impose sa loi et ses pièges. Les guerriers insoumis refusent de composer avec ces étranges oiseaux venus du ciel. La route de Dakar est semée d'embûches.

Meneur d'hommes, Didier Daurat impose sa poigne et motive ses troupes. Les politiques se prennent au jeu. Toulouse gagne ses galons de capitale aéronautique.

LES plaintes et les pleurs n'ont que trop duré. Les années d'après-guerre ne sont pas encore tout à fait folles, mais l'intention y est. Il convient de se griser, d'oublier, de se perdre même. Les plus jeunes portent l'audace à la boutonnière et leurs pères ne s'en laissent pas conter. Il n'est pas jusqu'aux mères de famille qui se sentent investies d'un nouveau rôle, qui parlent, sans complexes de liberté, d'égalité et d'indépendance. Partout l'espoir renaît et l'esprit de conquête gagne de nouveaux territoires. Partout, les initiatives se multiplient et la concurrence fait rage. Les investisseurs privés lancent le mouvement et les organismes gouvernementaux doublent la mise. Il n'est question que d'invention et de nouveaux marchés. Les industriels rivalisent d'audace et les esprits malins se sentent pousser des ailes. Chez Latécoère, la troupe des fidèles emboîte le pas du fondateur qui s'investit pleinement.

Plus que jamais, Beppo de Massimi joue les rassembleurs. À compter du 1er janvier 1919, date de l'ordre de démobilisation générale, il multiplie les contacts. Les candidats pilotes ne manquent pas. Tour à tour, Louis Delrieu, victorieux d'un Zeppelin au-dessus des lignes ennemies, le commandant Jean Dombray, membre de la célèbre escadrille des Cigognes dirigée par Georges Guynemer, et Raymond Vanier, As de la chasse, rejoignent la Ligne. Le 16 juillet, l'ami privilégié de Latécoère convainc une recrue de choix : un jeune homme calme et taciturne dont il a apprécié la discrétion mais surtout l'efficacité, trois ans plus tôt, alors qu'il servait, comme lui, à Châlons-sur-Marne au sein de l'escadrille C-227.

Didier Daurat avait alors vingt-cinq ans et, déjà, quelques jolis faits d'armes à son actif. Mobilisé en 1914 au 163e régiment d'infanterie, il s'était, en premier lieu, embourbé près de deux ans dans les tranchées avant de servir dans un bataillon de morts vivants accroché à la Cote 304, juste devant Verdun. Une expérience traumatisante, durant laquelle il fut question d'horreur, d'impuissance et de mort. Une sale période, où il vit plus d'un de ses compagnons d'armes tomber sous la mitraille allemande et dans l'indifférence de ses propres chefs. Blessé par un shrapnell, évacué sur Vichy, soigné tant bien que mal, le fantassin de la première heure aurait pu passer son tour. Il n'en fit rien : en juin 1916, l'individu, aussi petit qu'obstiné, aussi discret que volontaire, demanda à regagner le front et à rejoindre ce que l'on n'osait pas encore appeler l'armée de l'air.

Daurat ignore tout des avions, ne sait pas piloter, mais espère apprendre au plus vite. Le 16 décembre, après quelques trop brèves leçons, il obtient son brevet de pilote puis est envoyé à Châteauroux pour parfaire ses connaissances. En l'espace de quelques semaines seulement, le convalescent tout juste débarrassé de ses pan-

Tendre époux, amateur d'astronomie, fumeur invétéré, Didier Daurat — chef d'escale à Malaga puis directeur d'exploitation à Toulouse — fut le glaive dont Pierre-Georges Latécoère usa durant plus de quinze années pour combattre au mieux les sceptiques et les pessimistes. La Ligne doit beaucoup à cet homme inflexible. Malgré les défaites ou les incidents. Pages précédentes : un équipage dans l'attente des secours.

sements se familiarise avec les Caudron G. 3 et G. 4, effectue un premier looping et rejoint la fameuse escadrille C-227, où sert déjà Beppo de Massimi.

Les deux hommes ne sont pas faits pour se croiser et pourtant ils font connaissance. Tout oppose le fin lettré et le fils de chauffeur mécanicien. Le premier n'ignore rien des bons auteurs et des philosophes à la mode, le second peut se targuer, au mieux, d'un diplôme d'horlogerie et d'un court passage dans une école de travaux publics. Mais Daurat possède une grande force de caractère. Il traîne d'ailleurs derrière lui une réputation de leader à poigne peu enclin à faire des concessions. Lieutenant, il avait même hérité du surnom de «vache» et goûté à une baignade forcée dans la Saône, organisée par une poignée de bidasses excédés. Le lendemain, les inconscients en furent pour leurs frais et récoltèrent quelques sanctions choisies.

Massimi apprécie le phénomène. Il le sait juste et intègre, conséquent avec les autres comme avec lui-même. Il n'hésite pas à lui proposer de devenir son équipier. Daurat, l'ours solitaire, ne rechigne pas et accepte l'aubaine dans l'instant. Il avance cependant deux conditions : que l'Italien s'astreigne à un entraînement théorique intensif et qu'il accepte de plonger les mains dans la graisse afin de mieux comprendre les multiples secrets de sa machine. Massimi obtempère. Son mentor a trouvé les mots justes, son discours est cohérent, ses suggestions toujours judicieuses.

ENSEMBLE, les deux compagnons effectuent de nombreuses opérations d'observation et de reconnaissance. Ils sont montrés en exemple. Hasard des affectations et des emplois du temps : c'est avec un autre partenaire, choisi au débotté, sans que son association avec Massimi ait été le moins du monde remise en question, que Daurat frôle la mort le 30 mai 1917. Assailli par cinq Fokker, il évite par miracle une attaque en règle, et ramène à sa base un avion criblé de balles et un équipier agonisant. Quelques jours plus tard, le survivant se distingue une nouvelle fois en découvrant la fameuse Grosse Bertha, canon à très longue portée qui menaçait Paris au

grand dam de l'état-major français.

Promu lieutenant puis commandant, décoré de la croix de guerre et de la Légion d'honneur, encore blessé en vol, à nouveau remis sur pied, puis versé dans l'escadrille de chasse Spad-87, Daurat ne pouvait pas ne pas croiser le chemin de son ami italien au lendemain de l'armistice. Était-il disposé à prolonger sa vie aventureuse ? Se sentait-il capable de renouveler son bail avec le risque ? Plutôt deux fois qu'une. Le 15 juillet 1919, le trompe-la-mort obtient un congé de deux ans et rejoint Toulouse immédiatement.

Il ne restera pas longtemps inactif. Tout juste revenu du Maroc, Pierre-Georges Latécoère entend tirer avantage de son expédition au plus vite. Au-delà du raid et de l'exploit, il comprend la nécessité d'entériner l'idée d'un service infaillible, susceptible d'atteindre son objectif à intervalles réguliers au mépris des aléas météorologiques, mécaniques ou simplement humains. En attendant de transporter éventuellement un jour des passagers, l'entrepreneur, aussi novateur que pragmatique, opte définitivement pour la livraison de courriers. Mises bout à bout, les taxes perçues pour ce type de fret seront à coup sûr plus rentables que les bénéfices tirés de la circulation de personnes encore peu enthousiastes à l'idée de souscrire avec constance à un mode de locomotion encore trop neuf et trop aléatoire. Autre certitude : le maître de Montaudran sait qu'il rencontrera moins d'opposition à convoyer des messages par-delà la Méditerranée que certains de ses concurrents obligés de lutter en direction de Bruxelles, Berlin ou Milan contre un réseau ferré parfaitement éprouvé et crédible.

L'ouverture de la Ligne en direction de l'Afrique est fixée au 1er septembre 1919. Didier Daurat et Jean Dombray, chacun aux commandes d'un Breguet 14, sont chargés dans un premier temps de rallier Alicante, bientôt rejoints par Pierre Beauté avec les sacs de courrier. Le 2 au matin, Daurat s'envole le premier en direction des côtes marocaines. À 17 heures, il atterrit à Rabat et livre aux autorités locales les premières missives officielles du service postal franco-marocain. Fort de ce succès, il est convenu que cette rotation sera répétée depuis Toulouse tous les jeudis et tous les samedis.

Le Breguet ne brillait pas par la pureté de ses lignes, mais il était d'une extrême solidité. De nombreux bombardiers 14 B.2 furent encore livrés après l'armistice à l'armée française, ainsi qu'à celles du Brésil, de la Chine ou du Siam. Leur inventeur fut gratifié de la croix de guerre.

La surtaxe aérienne pour les lettres ordinaires est fixée à 1,25 franc.

Daurat se prend au jeu. Il a apprécié les honneurs liés à cette expérience inaugurale et les égards qui ont salué sa performance. Il a accepté les félicitations de son patron et celles des élus, aussi bien à Toulouse qu'au Maroc. Mais il a surtout compris que ce nouveau défi était à la mesure de ses exigences et de sa conscience professionnelle, qu'il réclamait ponctualité et discipline, et n'avait de chance de se réaliser qu'à la faveur d'une organisation sans faille. « Partir et arriver à l'heure : tout le secret de notre entreprise est contenu dans cette formule », insiste Massimi. Et Latécoère de surenchérir : « On écrit tous les jours, il conviendra d'assurer nous aussi notre service à la même cadence. »

Ces deux vérités, Daurat ne met pas très longtemps à les assimiler. Il n'ignore pas les faiblesses du matériel volant utilisé, ni la précarité des services fournis aux escales, mais il a aussi et dans le même temps envisagé les remèdes indispensables à une amélioration du système dans son ensemble. Sans tarder, Massimi lui commande de devenir le chef de l'aéroplace de Malaga et l'invite à y organiser un relais vraiment efficace, doté d'un véritable atelier de réparation et de pièces de rechange en nombre suffisant.

Les Espagnols font traîner les négociations. Ils ont enregistré les desiderata des Français, mais rechignent à leur offrir une quelconque collaboration. Malgré la convention signée au cours de l'hiver, les relations demeurent tendues. Fait aggravant, Pierre-Georges Latécoère accumule les maladresses. Emporté par son élan, pressé d'ouvrir les portes du sud, il avance comme en terrain conquis, sans se soucier outre mesure de la susceptibilité des uns et des autres. Il néglige, par exemple, d'admettre que le Rio de Oro, que ses avions espèrent rallier bientôt, est directement administré depuis Madrid. Massimi calme les esprits comme il peut et multiplie les missions de conciliation. Dans l'intervalle, les Allemands — Junkers et Zeppelin en tête — ne manquent pas une occasion de s'immiscer dans la brèche et de remettre en cause les efforts patiemment accumulés par les Français.

Le premier raid mené jusqu'à Rabat et Casablanca augure bien néanmoins de l'avenir de la Ligne au Maroc. Le maréchal Lyautey, qui ne se préoccupe encore guère d'Abd el-Krim et anticipe encore moins la prochaine guerre du Rif, est trop heureux de soutenir pareille initiative. À ses yeux, le Protectorat a tout à gagner à renouveler et à officialiser au plus vite ce type d'échanges aériens. D'eux dépendront bientôt la bonne santé du commerce dans la région et la saine administration des institutions locales.

Curieusement, les voisins algériens sont beaucoup moins pressés d'accueillir les avions venus de Toulouse.

À défaut d'envisager une liaison immédiate, Latécoère prévoit de gagner ce territoire depuis Fez, mais les premiers contacts sont décevants. De même, l'éventualité d'un prolongement de la Ligne du côté de la péninsule italienne est très vite abandonnée. Au terme d'une mission exploratoire qui le mène durant les premiers mois de 1920 à Florence, Pise, Rome et Naples, le patron de la Ligne se lasse des manœuvres politiques et renonce à ce tronçon dès son retour en France.

L'AFRIQUE du Nord et de l'Ouest lui semble revêtir une importance autrement prioritaire. Il pousse au recrutement de nouveaux pilotes et de nombreux mécaniciens afin de pallier les pannes et les avaries trop fréquentes. Ces derniers sont tenus de maintenir en état quatre fois plus d'avions que le nombre de ceux régulièrement affrétés pour le service. Les sources d'inquiétude sont innombrables : le mauvais temps endommage les hélices et les sautes de vent mettent en péril les structures. Tant bien que mal, on renforce et améliore des appareils que l'on ne s'était jusque-là jamais avisé d'utiliser autrement que par beau temps. Las! le 2 octobre, le pilote Jean Rodier et le mécano François Marty-Mahé se perdent en mer au large de Port-Vendres. Ce sont les premières victimes de la Ligne.

Personne ne songe à évoquer la fatalité. Tous les membres de l'entreprise, ingénieurs et pilotes en tête, ont déjà enregistré trop de déboires et flirté si souvent avec la mort qu'ils se persuadent, au contraire, que ce coup du sort sera malheureusement suivi de bien d'autres. En effet, à compter de cette date et pour les six mois à venir, la Ligne va traverser une de ses périodes les plus funestes. Rapporter les progrès de l'entreprise à venir, suivre sa progression sur la carte, revient à cette époque bien précise à feuilleter un registre funèbre qui aurait dû en toute logique faire vaciller les caractères les mieux trempés. En 1920, six pionniers trouvent la mort et cinq autres l'année suivante. Dans le même temps, près d'une trentaine d'avions sont sérieusement touchés et quantité d'autres plus ou moins endommagés.

Trois jours seulement après l'accident de Rodier et Marty-Mahé, le Breguet 14 de Charles Genthon et Léo

Au début de l'exploitation de la Ligne, les avaries dues à la faiblesse des moteurs n'étaient pas rares. D'ordinaire, les avions suivaient la côte espagnole, afin de profiter des plages en guise de terrains improvisés. L'accident de Paul Vachet à Tarragone le 23 novembre 1921 (à gauche). L'aéroplace de Barcelone (ci-dessous).

André Laurent-Eynac était un personnage à l'air bonhomme. Ancien observateur dans une unité de bombardement durant la guerre, il servit, par la suite, la cause de l'aviation tout au long de sa carrière politique. Secrétaire d'Etat à l'aéronautique sous Aristide Briand (à droite), il deviendra le premier ministre de l'Air en 1928, sous Poincaré.

Bénas est pris dans une tempête à la nuit tombante. Craignant de ne pouvoir atteindre Alicante, le pilote décide de faire demi-tour en direction de Valence. Avec un désagrément supplémentaire : il rate la piste de secours ce qui le contraint à se poser dans un champ près d'Onteniente. L'appareil heurte un sol caillouteux et finit sa course en catastrophe. Les trois occupants (les deux navigants étaient accompagnés d'un passager) meurent carbonisés. Le 24 décembre, Jean Sagnot s'écrase à Barcelone aux commandes d'un Salmson. Le 15 février 1921, c'est au tour de Henri Mérel et de Maxime Garrigue de percuter un obstacle du côté de Gibraltar. Le 8 mai, Marcel Stitcher perd le contrôle de son Breguet non loin d'Alicante…

Le matériel utilisé, mais surtout les conditions atmosphériques sont tenus pour responsables de cette série d'accidents mortels, sans parler de tous les chevaux de bois, soleils et autres capotages enregistrés ici et là. Déjà la presse parle d'une «entreprise démente», d'un «sacrifice déraisonnable». Les critiques pleuvent, le doute s'insinue. Les principaux acteurs, pilotes ou mécaniciens, ne sont eux-mêmes plus sûrs de rien. Certains choisissent de raccrocher ou de passer la main. Ils sont peu nombreux, mais les responsables des autres compagnies en profitent pour se moquer de la mégalomanie d'un industriel qui, il y a un an encore, ignorait tout des avions. Avec quelques arguments : les déboires que subissent les compagnies concurrentes sont, de fait, beaucoup moins catastrophiques.

Massimi et Latécoère ont beau constater avec satisfaction que 99 % du trafic est néanmoins assuré, ils sont aussi et parfaitement conscients de la gravité de la situation. Ils conviennent du besoin urgent de resserrer les boulons et les rangs, d'améliorer le matériel volant et de regonfler le moral des troupes. Marcel Moine, chef du bureau d'études, est sollicité sans ménagement. Les ateliers sont réorganisés et les appareils entièrement révisés. On enregistre les remarques des pilotes, on les incite à mieux se familiariser avec leur machine, à étudier chaque instrument, à connaître la moindre pièce et le plus petit accessoire.

Dès le mois d'octobre 1920 (pressentant les difficultés à venir ?), Pierre-Georges Latécoère s'était séparé de son directeur d'exploitation, jugé trop tendre et trop conciliant. Sur les conseils empressés de Massimi, il avait remercié Pierre Beauté et choisit de le remplacer par Didier Daurat jusqu'alors chef d'aéroplace à Malaga.

C'est Daurat qui encaissera de plein fouet la kyrielle d'accidents qui va suivre. Mais c'est lui aussi qui trouvera les remèdes capables de rasséréner un tant soit peu les sceptiques. L'impétrant fait même davantage. À peine confirmé dans ses fonctions, il colmate les brèches et insuffle une énergie nouvelle, ce fameux "esprit" de la Ligne qui assurera la pérennité de l'entreprise.

Daurat jouit d'un évident charisme, mais son ascendant ne se limite pas à ce seul avantage. L'homme sait se faire respecter et donner des ordres comme on distribue des claques. Il n'ignore pas non plus comment infléchir les points de vue et convaincre les hésitants. Froid, volontiers cassant, le chef désigné n'hésite pas à emprunter les chemins les plus improbables ou les plus inattendus, pourvu qu'ils servent la cause qu'il s'est choisie. Sans que ni Latécoère ni Massimi ne le poussent vraiment sur ce terrain, Daurat met au point un règlement extrêmement précis et rigoureux. Un mémorandum où il est question en priorité de ponctualité et d'ordre, mais aussi de primes à la rentabilité et de récompenses en cas de «non-casse». Pris entre le marteau de l'autoritarisme et l'enclume de la rigueur, les pilotes de la Ligne n'ont guère le loisir de s'égarer. Leur destin est balisé et leurs éventuels écarts de conduite n'ont pratiquement aucune chance de s'épanouir.

Sous son masque de cire et ses moustaches de sapeur, derrière son front large et ses yeux inquisiteurs, Daurat cache des manières de cabot, il dissimule aussi une énergie rare, inépuisable et toujours en éveil. On le dit farouche, ce qu'il est sûrement, mais également toujours prêt à montrer l'exemple, inflexible et inébranlable. «Capable de faire entrer le pire de ses contradicteurs dans un trou de souris», comme le remarque si bien le pilote René Riguelle, quelques jours seulement après son engagement.

Les accidents accumulés ne changent guère son humeur de satrape. Le « camarade gelé », comme on le surnomme à la sauvette, ne laisse rien paraître. Joseph Kessel, qui avait, lui aussi, goûté aux rigueurs de l'escadron et participé aux premières envolées aéronautiques, ne fut pas le dernier à reconnaître les mérites tant de l'homme que de sa méthode : «Laissez-les (les pilotes, bien sûr) à leur nature et il n'en sortira rien de bon. Donnez-leur un but collectif, placez ce but, par

l'exigence même que vous montrerez, à une hauteur presque inaccessible, bloquez tous les efforts dans une concurrence, une émulation sans fin, et vous ferez de la molle pâte humaine une substance de qualité. »

DAURAT n'eut pas à forcer autrement son talent pour devenir le «boulanger» en chef de la Ligne. Même les pires épreuves serviront son dessein. Et les plus improbables contrariétés. Telle la mort de ce novice, qu'un ancien avait suggéré de remplacer au pied levé à cause du mauvais temps, mais que lui-même obligea à surmonter sa peur jusqu'à causer sa perte. Au seuil de l'aventure qui s'annonce, Daurat sait qu'il n'a rien à attendre des faibles, que les sentiments ne suffiront pas à fouetter le courage des hésitants et que les couards ne parviendront jamais à composer avec les éléments. Comment espérer conquérir l'Afrique puis l'Atlantique si, déjà, quelques orages au-dessus de Carcassonne freinent l'élan d'une escadrille tout entière ?

Les ordres fusent, les employés s'exécutent. Toutes notions d'improvisation et de laisser-aller sont bannies. La Ligne devient une phalange, une phratrie, un clan, tout autant qu'une compagnie aérienne. Daurat dirige l'exploitation. Vanier, Paulin, Delrieu et Clavel sont responsables des aéroplaces disposées tout au long du parcours. Comme les cinq doigts de la main, chacun remplit les fonctions qui lui reviennent, mais le groupe tout entier ne fait qu'un. Pas de sentiment, pas d'atermoiements, ni de vains épanchements.

Pierre-Georges Latécoère est rassuré. Mais, au-delà des problèmes d'hommes et d'organisation, il se rend néanmoins à l'évidence : la Ligne coûte cher. Même s'il a su attirer l'attention et les bonnes grâces de Pierre-Étienne Flandin, premier sous-secrétaire d'État à l'Aéronautique et aux Transports aériens (en poste de janvier 1920 à février 1921), même s'il dispose de nombreux appuis et passe-droits, il constate que les aides publiques et les crédits d'achat sont loin d'équilibrer les dépenses, toujours plus nombreuses et plus lourdes.

Comme toutes les compagnies françaises lancées dans le ciel d'Europe, les lignes Latécoère profitent de subventions rondelettes (près de 40 % de la manne globale entre 1919 et 1926 !). Mais les recettes tirées du transport du courrier sont encore très faibles, insuffisantes en tout cas pour couvrir l'entretien d'une flotte désormais conséquente (près de cinquante avions) et assurer les salaires d'une multitude d'employés (plus de mille). En marge de ses entreprises, Latécoère se lance à corps perdu dans le projet fou de Romonville : un château d'un autre temps, décoré et aménagé comme une demeure de roi. Entre deux trains et trois réunions, le seigneur de Toulouse, plus dissipateur que jamais, discute de l'agencement de son nouveau salon de musique et

s'inquiète du dessin de ses parterres de roses.

Entre avril et septembre 1921, Pierre-Georges Laté-coère est contraint de modifier le cadre juridique de la Ligne qui avait le tort, aux yeux des pouvoirs publics, de confondre son existence et surtout sa raison sociale avec celles d'autres sociétés aux intérêts différents si ce n'est contradictoires. L'entreprise volante proprement dite est baptisée Compagnie générale d'entreprises aéronautiques (CGEA) et les ateliers de construction regroupés sous une autre appellation : la Société industrielle d'aviation Latécoère (SIDAL). Cet effort de clarification n'empêche pas les difficultés : au cours des premiers mois de 1922, le patron, trop lourdement endetté, est contraint de brader plusieurs joyaux de son empire. Les forges de Bagnères-de-Bigorre et l'usine de wagons de Toulouse sont sacrifiées en priorité. Non pas que leur rentabilité soit soudain remise en question, mais parce que le fruit de leur vente va momentanément permettre de consolider le seul secteur qui désormais lui importe : l'aviation.

Plus que jamais la concurrence menace. Même si certains d'entre eux seront encore en service en 1930, les antiques Breguet sont contestés. Les Latécoère 2 et 3, dérivés de ces fameux biplans, ne donnent pas satisfaction. Les études préliminaires sont décevantes et les premiers essais en vol peu concluants. Quoi qu'il en soit, leur construction se révèle beaucoup plus coûteuse que

Tout au long de son parcours espagnol, la Ligne ne passait pas inaperçue. La population locale admirait les pilotes français, et n'hésitait pas à les dépanner ou à soutenir leurs efforts en cas d'escale forcée. Pierre-Georges Latécoère, accompagné d'une charmante passagère (ci-dessous), était toujours accueilli à l'égal d'un notable de haut rang.

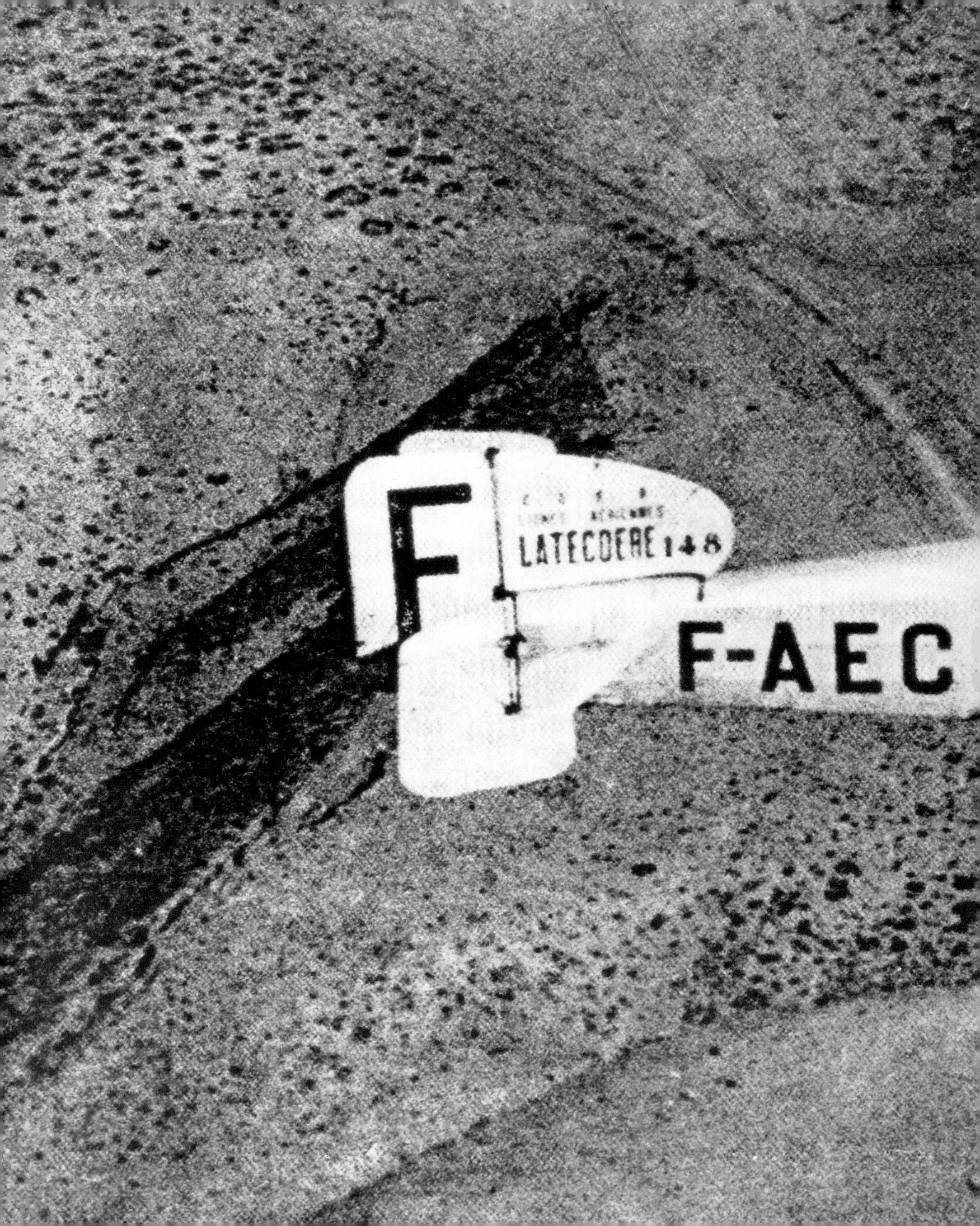
F
LATECOERE 148
F-AEC

l'entretien des engins (fournis par l'État) qui les avaient inspirés ! De bombardiers en avions de chasse, de trimoteurs en quadrimoteurs, les ateliers Latécoère se dispersent, incapables de mettre vraiment au point un appareil susceptible de faire oublier les performances du Breguet. On travaille sur les lois de l'aérodynamique, on fait appel à de nouveaux matériaux, on combine des systèmes contradictoires. Il faudra attendre encore de longs mois avant de concevoir un appareil capable de tenir la dragée haute aux Junkers ou aux Dornier, appréciés par les responsables (et les pilotes) de toutes les autres compagnies. En attendant l'échéance, il faut réformer, s'adapter, créer. Encore et toujours.

Partout, il n'est question que d'avions au long cours et d'hydravions à fort rayon d'action. L'Atlantique n'est plus un rêve. Les Britanniques John Alcock et Arthur Brown sont venus à bout de la partie nord (de Terre-Neuve à l'Irlande) dès le mois de juin 1919. Les Portugais Sacadura Cabral et Gago Coutinho ont traversé la partie sud (de Rio de Janeiro à Lisbonne) en mars 1922. L'étau se resserre. Massimi a beau se démener dans l'antichambre des ministères et des ambassades, il n'a, pour l'heure, guère d'arguments à faire valoir. Bientôt, on l'informe que la route du Portugal est définitivement coupée. Le raccourci envisagé pour rejoindre plus rapidement l'Amérique du Sud (*via* les Açores) n'est plus envisageable. D'autres émissaires ont déjà négocié avec le gouvernement portugais. La surenchère bat son plein.

Latécoère ne faiblit pas pour autant. Il pose quelques jalons supplémentaires aux Baléares et aux Canaries, assoit ses positions au Maroc et en Algérie. Le 1er septembre 1922, la liaison Toulouse-Casablanca devient quotidienne dans les deux sens. Le 6 octobre, Didier Daurat en personne inaugure la bretelle en direction de Rabat, Fez et Oran. Il a à son bord un passager de choix : André Laurent-Eynac, successeur de Pierre-Étienne Flandin, et premier véritable ministre de l'Air français de l'histoire. Le personnage est rond et volubile. Il s'exprime avec passion, à grand renfort de gestes amples et d'images colorées. C'est aussi un ancien pilote de guerre qui paie de sa personne, croit dur comme fer à l'avenir de l'aéronautique et au bien-fondé de la quête

----

Vue du ciel, l'escale de Port-Etienne (actuellement Nouadhibou, en Mauritanie) apparaît bien dérisoire. Elle l'était en réalité, regroupant tout au plus une demi-douzaine de bâtiments précaires, dont un hangar capable de protéger un tant soit peu les appareils du simoun et des tempêtes de sable. Pages précédentes : le Breguet 14 F-AECS.

de Latécoère en particulier. Son embarquement dans l'avion de Daurat n'est pas innocent et encore moins inutile : trois mois plus tôt, à Guadix, la Ligne a essuyé un terrible accident. Un de plus. Pour la première fois, deux passagers ont trouvé la mort dans le Breguet de Gaston Méchin soudain plaqué au sol.

À contre-courant du scepticisme ambiant, le représentant gouvernemental conforte Pierre-Georges Latécoère dans ses choix, et l'incite à tourner encore un peu plus son regard vers le sud, point de convergence de sa passion initiale et de ses espoirs à venir. Plus que jamais, celui-ci rêve de désert, de tropiques et d'Afrique. Dans les semaines qui suivent, il commande que l'on avance quelques pions supplémentaires dans cette direction. Une mission exploratoire s'impose. Didier Daurat étant retenu à Toulouse, il convient de trouver un nouveau leader. Un pilote de trempe et de caractère capable d'accomplir un sans-faute jusqu'à Dakar. L'avenir de la Ligne en dépend.

JOSEPH ROIG sera l'homme de la situation. L'émissaire désigné a du tempérament : on le dit aussi actif qu'impétueux. Mis en congé par l'armée pour deux ans, il a déjà accompli un travail d'envergure au Maroc, où il a été nommé par Massimi en 1921. Parlant couramment l'espagnol — il est catalan —, Roig est un ambassadeur inspiré. Alors que la Ligne déplore de nombreux accidents, que les remises en cause du projet s'accumulent, il fait taire les critiques et sème la bonne parole.

Depuis son QG, installé avenue Mers Sultan à Casablanca, il multiplie les contacts. Il est au mieux avec le rédacteur de *La Vigie marocaine* et entretient des rapports courtois avec le maréchal Lyautey. Il fonde l'aéro-club du Maroc, s'attire les bonnes grâces du prince Murat et accueille le roi des Belges Albert Ier, séduit au point de rejoindre la France à bord de l'une de ces improbables machines volantes. À la fin de 1922, Roig n'y tient plus. Il imagine déjà la suite de l'épopée, bouscule Beppo de Massimi, le presse et le harcèle. Les deux hommes se rencontrent et étudient la meilleure stratégie possible pour atteindre Dakar.

Un pari d'envergure. Mille trois cents kilomètres semés d'interrogations et d'incertitudes. Parce que les itinéraires continentaux (*via* le Tchad ou le Niger) ont été repoussés (trop longs, trop contraignants), les initiateurs du projet décident de rejoindre le Sénégal en suivant au plus près la côte atlantique, avec quelques escales forcées au gré des enclaves espagnoles qui ne passent pas, à l'époque, pour les terres les plus accueillantes de la planète.

Entre l'oued Draa et le cap Blanc la terre est stérile, morte. A-t-elle jamais connu la pluie ? Pas un village, aucune route, juste une mer de sable à l'infini, une chaleur d'étuve plus traître qu'un mauvais vin et le simoun qui sèche le moindre espoir de vie comme un gigantesque ventilateur. L'Espagne y a installé deux fortins, mi-pénitenciers, mi-garnisons. Cap-Juby, quadrilatère de parpaings chaulé à la hâte, est planté au bord de la plage à quatre cent quatre-vingt-quinze kilomètres au sud d'Agadir. Six cent dix kilomètres encore et Villa Cisneros, dérisoire et incertaine, s'alanguit comme un mirage au détour d'une dune.

Bien que dépourvues de toutes commodités, ravitaillées depuis la mer toutes les trois semaines seulement, les deux positions espagnoles s'imposent. Aux yeux des responsables de la Ligne, elles sont les seules escales possibles, les uniques relais envisageables, compte tenu des rigueurs du climat et surtout de la faiblesse du rayon d'action des appareils utilisés.

Roig tente une première approche. Accompagné par le capitaine Cervera, émissaire de Latécoère aux Canaries, il embarque à bord du *Frasquita*, le 19 janvier 1923 pour une épuisante croisière qui doit conduire les éclaireurs tout au long des côtes africaines. Le deux-mâts de 36 tonneaux se traîne. La météo n'est guère encourageante. Victime d'une crise d'épilepsie, le capitaine de bord passe l'essentiel de ses journées dans le coffre à pavillons ! Roig ne se formalise pas, ne se décourage pas. Il questionne, note, compare et évalue. Enfin, Cap-Juby pointe à l'horizon.

L'enclave espagnole est conforme aux descriptions qu'on lui en a faites. Quelques murs crénelés, une cour carrée et des soldats qui s'ennuient. Au pied de l'enceinte quelques indigènes vivotent, partagés entre fierté et soumission. De maigres échanges, quelques menus

Joseph Roig (à droite, aux côtés de sa femme et de sa fille) fut l'un des principaux artisans de la mise en place de la Ligne en Afrique du Nord. Pierre-Georges Latécoère avait en lui une confiance aveugle. En 1923, ses émoluments seront portés à 36 000 francs par an.

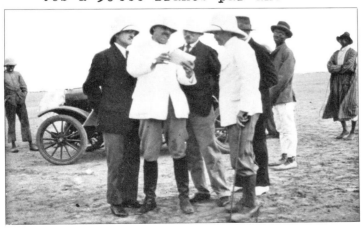

Les premiers sacs de courrier prêts à être chargés dans le Breguet 14 T F-CMAQ, l'un des six appareils rachetés à la Compagnie des messageries aériennes. On remarquera, sous l'aile, le réservoir d'essence caréné.

travaux leur assurent un petit revenu et leur permettent de goûter, un tant soit peu, aux bienfaits d'une civilisation qu'ils ignorent. Le gros de la population vit en retrait, à bonne distance du bord de mer, loin de semblables compromissions. Les hommes du désert sont méfiants. Ils sont attachés à leurs traditions et n'hésitent pas à le faire savoir. Les escarmouches ne sont pas rares, et les autorités espagnoles n'hésitent plus à parler de dissidence. Adossée à l'océan, la peur au ventre, la garnison de Fort Juby veille en attendant le prochain bateau de ravitaillement.

À défaut d'être chaleureux, l'accueil réservé à Roig et Cervera est poli. Leur hôte est un petit homme replet, brûlé par le soleil, engoncé dans une tunique kaki et coiffé d'un petit calot rond. Délégué du haut-commissaire espagnol au Rio de Oro, le colonel Bens a cinquante ans dont vingt-deux passés aux confins du désert, à la merci des tribus maures. Il sait de quoi il parle et tient à rassurer ses interlocuteurs. Les nomades n'apprécient guère la présence étrangère sur leur terrain et leurs réactions sont souvent imprévisibles. Leur organisation est parfois incompréhensible et leurs allées et venues parfaitement incontrôlables. Mais le dialogue demeure ouvert et les négociations se poursuivent. Divers accords ont récemment été passés avec le cadi des Bou-Sba et celui des El-Baghi. Moyennant une rente mensuelle de 1 000 francs versée à chaque tribu (Teknas, Regueibats, Oued-Sba, Trarza), Bens a non seulement obtenu un semblant de respect mutuel mais encore l'embryon d'une saine collaboration. Chaque poste avancé espagnol (Cap-Juby et Villa Cisneros entre autres) bénéficie dorénavant de deux ou quatre guides et de quelques chameaux supplémentaires.

Les aviateurs de la Ligne sont-ils les bienvenus ? Bens est circonspect. Il demande à étudier la question et surtout met en garde Roig quant aux réelles capacités d'accueil des fortins qui répondent aux ordres directement transmis depuis Madrid. L'absence de réserve d'essence et de comptoirs de pièces détachées, les limites du ravitaillement supposent un effort d'intendance considérable et des dépenses équivalentes. Par acquit de conscience, Roig abandonne sur place quelques bidons et trace à la chaux une aire d'atterrissage de fortune.

Son rapport ne néglige aucun détail, ni aucune mise en garde. Il ne suffit pas pour autant à refroidir les ardeurs de ses commanditaires. Une mission aérienne et exploratoire est programmée pour le mois de mai 1923. Dans un premier temps, l'émissaire très spécial de la Ligne est chargé de déposer des réserves d'essence en quantité suffisante en des lieux assez nombreux pour assurer une progression constante et régulière des avions. Des touques et des tonneaux sont ainsi acheminés par bateau à Agadir, Cap-Juby, Villa Cisneros, Port-Étienne, Nouakchott, Saint-Louis et Dakar, ainsi que quelques pièces de rechange afin de prévenir les petits désagréments, voyage de retour compris. La distance totale est de deux mille sept cent soixante kilomètres et les étapes longues de quatre cents à six cents kilomètres environ.

TROIS Breguet 14 sont envoyés à Casablanca et affrétés pour la circonstance. Le premier est confié au pilote Louis Delrieu, au mécanicien Lefroid et à Joseph Roig en personne. Le deuxième à Robert Cueille, au mécanicien Bonnord et au journaliste Georges Louis. Victor Hamm, enfin, chargé de convoyer ravitaillement et matériel, s'installe seul aux commandes du troisième appareil. Le départ de l'équipée est fixé au 3 mai à 4 heures du matin. Elle n'ira pas sans encombre. Dès Agadir, Lefroid est contraint de renoncer : une hélice lui a sectionné deux doigts ! Gêné par le brouillard, Hamm ne parvient pas à atterrir à Villa Cisneros. Obligé de poursuivre sa route, il se pose quelques dizaines de kilomètres plus loin, bientôt rejoint par un autre avion venu à la rescousse. On récupère l'égaré et l'on ravitaille l'appareil. Le 5 mai, Roig, Cueille et Louis atterrissent enfin à Dakar après vingt-deux heures de vol effectif. Le trajet inverse apporte encore quelques surprises. Trois des six rescapés déclarent forfait et décident de rentrer par bateau. Qu'importe ! L'essentiel est assuré et, surtout, la viabilité d'un service régulier jusqu'au Sénégal bel et bien confirmée.

Georges Louis se répand en commentaires flatteurs dans *La Vigie marocaine*. Bientôt la nouvelle fait son chemin, se colporte d'aéroplace en compagnie, d'administration en ministère. Le bilan n'est pas entièrement satisfaisant, mais cette première expérience permet de définir les priorités. Par exemple, le besoin, sur ce parcours, de toujours voler de conserve ou la nécessité, dans un proche avenir, de mettre au point un système radio capable de relier les avions aux responsables d'escale. Roig se permet aussi d'insister sur la nécessité d'un matériel volant encore plus fiable, de postes de réparation plus nombreux et de soutiens logistiques plus efficaces.

Ce que les membres de ce courageux voyage liminaire ne pouvaient ni prévoir ni anticiper, c'est l'évolution de la situation politique des divers pays ou contrées qu'ils ont survolés, en Espagne et dans le Rio de Oro en particulier. Déjà passablement mis à contribution depuis le début de l'aventure, sans cesse en butte aux tergiversations et exigences des édiles locaux, Beppo de Massimi se rend compte à la fin de l'année 1923 qu'il n'est pas au bout de ses peines.

Il doit d'abord composer avec un nouveau venu sur la scène madrilène : Primo de Rivera. Le 13 septembre 1923, en effet, le général et marquis, gouverneur militaire de la Catalogne, exige du roi Alphonse XIII qu'il le nomme à la tête du pays. Sa requête recouvre tous les dehors d'un coup d'État, même si en réalité le souverain fait mine de s'en accommoder. De fait, le nouvel homme fort du pays impose un directoire militaire, mate les contestataires et soumet la presse à la censure. Plus important encore, il décide de reprendre en main la situation au Maroc. Lui, le défenseur de la grandeur nationale, le chantre de l'Espagne conquérante admettra-t-il que des avions français survolent son domaine ? Dans le Sud, les fragiles accords obtenus par le colonel Bens sont chaque jour remis en cause. Les tribus maures s'interrogent sur les livraisons de vivres et de matériels qui, depuis peu, ont arraché Cap-Juby ou Villa Cisneros à leur habituelle torpeur. Dans quelle mesure les maîtres des lieux accepteront-ils d'être tenus à l'écart de cette manne inespérée ?

Pierre-Georges Latécoère et son entourage immédiat sont bien incapables de répondre à de semblables questions. Faute de mieux, le groupe, parfaitement soudé, choisit la continuité. On multiplie les gestes de bonne volonté et l'on se réjouit de voir Massimi gagner à nouveau du terrain. On lui interdit de multiplier les dépôts d'essence en Espagne, de construire des bâtiment en dur au Maroc, de ravitailler Cap-Juby plus d'une fois par mois ? Il compose, lâche du lest... pour mieux se rattraper sur un autre plan. Le moral n'est peut-être pas au beau fixe et de nombreuses zones d'ombre subsistent, mais la Ligne survit et surtout espère. Un hangar flambant neuf est installé à Alicante et des pourparlers sont ouverts avec les autorités de Tanger afin de définir les modalités d'un nouveau relais. Des radios rudimentaires sont essayées sur le réseau méditerranéen et de nouveaux pilotes sont recrutés.

Fin 1923, la CGEA se flatte de posséder soixante-quinze Breguet, quinze Salmson, quatre Caudron 61, dix hydravions Lioré et Olivier et un Farman 70, soit plus d'une centaine d'appareils. À la même époque, la Franco-Roumaine ne compte que quatre-vingts appareils. Mieux, la Ligne peut se vanter d'avoir acheminé trois millions de lettres au terme de la même année. Cerise sur le gâteau : mille trois cent quarante-quatre passagers ont accepté de tenter l'aventure. Les échanges entre les deux continents sont de plus en plus fréquents. À lui seul, le service quotidien Toulouse-Casablanca requiert la mobilisation d'une soixantaine d'appareils. En été, le voyage, pour peu qu'il débute à l'aurore, est envisageable dans une seule et même journée !

3

L'Afrique au cœur

Les acteurs du drame rejoignent le devant de la scène. Jean Mermoz prend les commandes de l'aventure. Accompagné par Saint-Exupéry, Guillaumet et cent autres trompe-la-mort.

Cap-Juby devient le centre de ralliement de tous les espoirs. Les Maures jouent la surenchère. Les pilotes souffrent, doutent, mais la Ligne est plus forte encore.

Les ingénieurs transforment leurs avions. Pierre-Georges Latécoère et Marcel Bouilloux-Lafont rêvent d'Atlantique. La Ligne cède la place à l'Aéropostale.

C'EST parfois dans un wagon de troisième classe que se déplacent les rêves, que se dessinent les destinées. Jean Mermoz roule vers Toulouse, dans un train bringuebalant, s'arrêtant à toutes les gares. Il n'est rien, alors, qu'un jeune athlète efflanqué qui oublie depuis de nombreux mois de manger à sa faim, et essaie de ne pas y penser ; il n'est qu'un dandy démodé dans un costume singulier, entre panache et ridicule : guêtres blanches, chapeau à large bord, longs cheveux blonds sur de belles épaules. C'est un artiste de Montparnasse hésitant entre l'émouvante carrière de peintre maudit et le métier lucratif d'haltérophile de trottoir posté devant l'entrée de la Coupole, un esthète affamé sautant dans un train gare d'Austerlitz, pourvu qu'au bout du voyage il soit sûr de trouver le Sud, le soleil, la mer, l'aventure et la découverte, l'amitié et le respect, le danger et la bravoure, en tout cas la dignité.

Jean Mermoz rêve tout éveillé, puisqu'il ne parvient pas à dormir. Non au héros qu'il deviendra dans les douze années qu'il lui reste à vivre, mais plus simplement à l'aviation, qui lui fait si souvent lever les yeux au ciel. Il a une immense confiance en lui et il a peur, il triture la lettre froissée qu'il connaît par cœur, un courrier des Lignes aériennes Latécoère : « Suite à votre demande d'emploi [...], nous sommes disposés à vous engager après essais satisfaisants. Nous vous prions en conséquence de vous présenter le plus tôt possible à notre direction d'exploitation, route de Revel, à Toulouse-Montaudran, muni de votre brevet de transport public, de votre carnet de vol et d'un passeport pour l'Espagne... » Dans quelques heures, il volera. Et il leur montrera. »

Jean Mermoz n'a encore rien fait, mais il a déjà tant vécu. À vingt-deux ans, déjà titulaire de la croix de guerre, de la médaille du Levant, de la médaille de Syrie et de Cilicie, il vient de vivre sa période la plus noire, au ras du sol. Échoué sous les ponts, blotti dans les asiles, il a écrit pour subsister des adresses inconnues sur des enveloppes inutiles dans un sous-sol du quartier Réaumur, quinze heures par jour depuis des mois ; dilapidant ses quelques sous, il s'échappe de cette vie qui n'en est pas une pour rejoindre les terrains d'aviation de Saint-Cyr ou de Villacoublay, respirer enfin, espérer encore. Là, quand un avion décolle, le corps se redresse, le cœur redémarre, l'âme s'élève. Bien sûr, chacune de ses échappées est aussi cruelle qu'une femme aimée qui se donnerait pour mieux s'enfuir après, bonheur entrevu aussitôt disparu. Le soir, il revient vers la Seine et c'est un fleuve de souvenirs qui le submerge. Beyrouth. Damas. Palmyre. La Syrie ! Les aventures du caporal Mermoz engagé dans la guerre contre les Druzes !

Quand il doit renoncer à devenir ingénieur à cause des mathématiques, obstacle décidément insurmon-

Engagé le 14 octobre 1926, Antoine de Saint-Exupéry fut affecté à la direction de l'aéroplace de Cap-Juby un an plus tard. Il y effectuera un séjour de dix-huit mois qui bouleversa le cours de sa vie. C'est là, au milieu des Maures

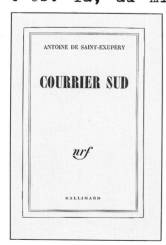

(pages précédentes), qu'il rédigea l'essentiel de *Courrier Sud*, publié chez Gallimard en 1929 : "Six heures encore d'immobilité et de silence, puis on sort de l'avion comme d'une chrysalide."

table, quand il abandonne l'idée d'être centralien, qu'il renonce au journalisme car il lui faut gagner sa vie dans l'instant, Jean Mermoz se laisse guider vers la carrière militaire. Ce n'est pas une vocation. La médiocrité de la vie de garnison provoque la révolte d'une nature fière, la rébellion contre une institution coupable de tolérer, d'encourager la présence de gardes-chiourme gradés, figés dans des commandements imbéciles et de pauvres vengeances.

Évidemment, même pour un Mermoz tellement épris de justice et de fraternité, l'armée ne peut pas être que cette permanente et insupportable déception. Car l'arme qu'il a choisie s'appelle l'aviation. Jean Mermoz s'engage le 26 juin 1920. S'il veut devenir pilote, il doit signer pour quatre ans. Il le fait. Le voilà à Istres où il connaît le meilleur et subit le pire, Istres où les avions des élèves pilotes se fracassent les uns après les autres, où de jeunes hommes n'échappent à une discipline surréaliste que pour mourir dans des éclats de bois et de toile, finir estropiés dans une vrille longue comme une nuit d'insomnie, recommencer à voler, pour s'arracher à la boue, survoler ce bagne militaire où l'on creuse des trous pour en combler d'autres.

Le jour arrive où Jean Mermoz doit passer son brevet de pilote. Depuis son arrivée, ils sont dix-sept à avoir trouvé la mort. Après le décollage et un virage, le moteur cale, l'avion tombe de cinquante mètres. Mermoz a une jambe cassée, la mâchoire fracturée, mais il est vivant ! Douze jours, pas plus, et il remet ça. Cette fois, le mistral retourne le biplan à l'atterrissage. Mermoz obtient une troisième chance, hommage réel à sa persévérance, à sa témérité. Le 29 janvier 1921, il réussit. Jean peut devenir Mermoz.

Pour échapper à la monotonie, il demande à partir pour l'Orient, dans l'aéronautique du Levant, peuplée de Breguet 14, de vents de sable, de Druzes révoltés, de romantique ennui. À Palmyre, occupée par des Sénégalais et des méharistes, il plante sa tente loin de tout et près des ruines, fabrique à sa rêverie un décor très oriental. La beauté de ces lieux chargés d'histoire le saisit. Il y a des fêtes et de l'alcool, des envolées et de l'opium, les couleurs du soir et les combats sur l'Euphrate et, enfin, l'épreuve, cette grande épreuve qu'il retrouvera si souvent, dont il triomphera toujours jusqu'à cet hydravion si parfaitement nommé la *Croix-du-Sud*.

Une mission comme tant d'autres. Au retour, c'est le mauvais temps. Carburant épuisé, Mermoz parvient à se poser. Il est à trois jours de marche de Palmyre. Le lieutenant qui l'accompagne regagne le campement à dos de chameau. Le quatrième jour, Mermoz est rejoint par Bertrand, un mécanicien. Le plein fait, l'avion décolle. Très vite, le moteur prend feu. L'atterrissage est hasardeux, son compagnon est blessé au pied. Tout autour d'eux, le désert, le sable et les Druzes. Il leur faut partir quand même. Ils vont lutter quatre jours et quatre nuits. Bertrand supplie Mermoz de le laisser sur place. Jean lui tend son revolver, s'éloigne, revient. Puisqu'il ne peut pas l'abandonner, il va le porter sur ses épaules et affronter les dunes, la soif, l'épuisement ; ils tombent. Ils restent là, ils luttent encore. Une patrouille de méharistes les voit, les sauve. Mermoz a triomphé du désert.

Toulouse, 1924. Il descend du train, froissé comme un drapeau. Il n'a pas volé depuis cet accident simulé pour Pathé-Cinéma sur un biplan Sopwith de la guerre. Mais il a ses certificats, ses décorations et ses six cents heures de vol, sa citation à la division. Même quand il était gardien de nuit, manœuvre ou balayeur, Mermoz n'a jamais cessé d'être un pilote.

A MONTAUDRAN, une journée de travail commence. Le jeune homme passe devant le mécanicien Marcel Moré : « Il avait une allure superbe, qui ne pouvait laisser personne indifférent, fût-ce en suscitant de la jalousie. » Mermoz préférerait plaire à Didier Daurat, qui le fait attendre. Quand il le reçoit, l'entrevue est glaciale. Même la chaude recommandation du général Denain, son chef du Levant, ne paraît guère émouvoir le « patron ». Enfin, Mermoz est engagé comme mécanicien. Il sort du « château » ébranlé, et croise Marcel Reine, un copain, qui ferait rire l'ennui. Les voilà à Toulouse où ceux de la Ligne dorment au Grand Balcon, petit hôtel situé à l'un des angles de la place du Capitole, tenu par quatre vieilles et charmantes demoiselles. Le lendemain, le mécano Mermoz prend l'antique autobus en bleu de travail, comme les autres. Il passe trois semaines dans les ateliers, à démonter et à remonter des cylindres, à comprendre la vie propre des moteurs. Un soir, enfin, on lui dit : « C'est pour demain, 6 h 30. » Demain, il va voler. Et il sait qu'avec Daurat il n'existe pas de session de rattrapage.

Un jour froid se lève sur Montaudran. Didier Daurat est là, le col du pardessus relevé, dissimulé sous son chapeau. À sa cigarette, on le devine plus qu'on ne le reconnaît. Le premier pilote est recalé, le deuxième aussi.

Avant de rejoindre Toulouse et d'être enfin recruté par les lignes Latécoère en octobre 1924, Jean Mermoz a sollicité l'ensemble des avionneurs et constructeurs français, ou presque. Caudron, Hanriot, Farman, Breguet, Salmson, Potez, Dewoitine ne se montrèrent pas autrement intéressés par ce jeune pilote tout juste démobilisé, qui servit, entre autres, à Palmyre, en Syrie.

LIGNES AÉRIENNES LATÉCOÈRE

FRANCE - ESPAGNE - MAROC - ALGÉRIE

COMPAGNIE GÉNÉRALE D'ENTREPRISES AÉRONAUTIQUES

SOCIÉTÉ ANONYME AU CAPITAL DE CINQ MILLIONS DE FRANCS

Siège Social: 182, Boulevard Haussmann, PARIS

TÉLÉPHONE : ÉLYSÉES { 50-71
                      { 52-40

SIÈGE D'EXPLOITATION & AÉRODROME

A TOULOUSE, ROUTE DE REVEL

TÉLÉPH. 7-81

Registre du Commerce Toulouse N° 600 B

TOULOUSE, le 17 DECEMBRE 1923.

LAL/T-2626
Ex-DD/AD

PERSONNEL PILOTE

Sergent Pilote M E M O Z
Ier Rgt de Chasse
3° Groupe, 7° escadrille

THIONVILLE (Moselle)

Monsieur,

En réponse à votre demande du IO courant nous vous adressons ci-joint une feuille de renseignements que nous vous prions de nous retourner aprés l'avoir soigneusement remplie.

Nous entreprendrons alors lé étude de votre candidature

Agréez, Monsieur, nos sincères salutations.

Pr P.G. LATECOERE
Le Directeur de l'Exploitation,

Mermoz est le troisième. Il se sent habité par une grâce dangereuse, par une sainte fureur. Il veut montrer qui il est, alors qu'on lui demande précisément de l'oublier. C'est un artiste qui prend place dans la carlingue du Breguet 14, il y faudrait un ouvrier. Mermoz décolle sans effort et sans hâte, pour mieux surprendre. Maintenant une chandelle, c'est fou, c'est vertigineux. L'acrobate se multiplie de chaque côté du ciel et pousse l'audace jusqu'à survoler le domaine de Marguerite Latécoère, incroyable manquement à l'étiquette. Mermoz trace des pleins et des déliés, il prend tous les risques, il y met tout ce qu'il a, tout ce qu'il est, la solitude de son enfance, le père qu'il a repoussé, l'amour de sa mère qu'il aime tant, sa rage de clochard trop jeune et trop

beau. Il est sublime, Mermoz, et il se perd. Quand il se pose enfin, quand il finit par revenir sur terre, le silence l'accueille. Daurat est parti, il en avait assez vu. Mermoz ? Bon pilote, tête brûlée, pas besoin.

Henri Rozès s'approche de Jean Mermoz pour lui expliquer qu'il est inutile d'espérer. Quoi ! C'est quand on prouve qu'on est bon qu'on est recalé ! Daurat surgit. Il lui conseille de choisir le cirque plutôt que l'aviation. Le jeune homme, blême, jette son casque de cuir, se rue vers les vestiaires, il n'a plus d'illusions, plus d'avenir, seulement la fière certitude d'avoir bien piloté. Décidément le monde est absurde. Il voudrait cogner de toutes ses forces, de cette force d'Hercule tranquille qui, beaucoup plus tard, avec Joseph Kessel pour témoin,

Parce que les pannes étaient très nombreuses, Didier Daurat décida que les avions envoyés par-delà le Rio de Oro voleraient deux par deux, afin de parer au mieux à la défaillance de l'un ou de l'autre. Ainsi, les pilotes attendaient un minimum de temps l'arrivée des secours (ci-dessous). Si les affaires se gâtaient, Antoine de Saint-Exupéry et le lieutenant-colonel de la Pena, stationnés à Cap-Juby, étaient alertés (pages précédentes).

lui fera soulever sur une plage de Saint-Tropez un essieu alourdi de deux roues de wagon. Maintenant, il lui faut partir, dans ce bouillonnement, cette rage intérieure, la confusion des sentiments, la honte de l'échec, la perspective de la rue, du sommeil volé sur la banquette d'un café. Alors se produit le coup de théâtre : Daurat rejoint Mermoz. L'échange est vif. Les mots se succèdent et s'entrechoquent, rebondissent de la jeunesse de l'un à l'expérience de l'autre, expriment la soif de perfection, hurlent l'exigence sans état d'âme. « Discipline. » « Injustice. » « Mauvais caractère. » « Aviation. » Mermoz se croit renvoyé, Daurat le renvoie sur la piste. Il lui ordonne de décoller, de voler et de se poser comme un postier à la retraite. Mermoz a compris, Mermoz obéit,

le Breguet 14 est son ami, c'est en vieux camarades qu'ils passent le test comme on voit poindre l'aube, lucides et ralentis. À l'atterrissage, Jean Mermoz cherche Didier Daurat, mais il ne le voit pas. Le patron n'a pas de temps à perdre, il a regagné son bureau, il sait. La Ligne, déjà, existe ; la légende de la Ligne commence.

Qui est Jean Mermoz ? En août 1935, Mermoz est au sommet de sa gloire, Antoine de Saint-Exupéry écrit : « Il est l'un des premiers pilotes qui assurent les liaisons postales Casa-Dakar, au-dessus des Maures dissidents, à l'époque où la panne de moteur était épreuve quotidienne. Lui-même fut fait prisonnier et jugé sous une tente par un tribunal d'hommes voilés et qui ne parlaient pas son langage.

Épargné et revendu [...], on sait qu'il recommença. Il est le premier enfin qui s'attaqua aux traversées postales de l'Atlantique sud. On sait que sa seconde traversée fut marquée par un dramatique naufrage. Et pourtant il recommença. »

Qui est Jean Mermoz ? Celui qui, encore inconnu, écrit en octobre 1925 à un journaliste enthousiaste qui souhaitait faire de lui le centre de son article : « Permettez-moi d'abord de vous remercier très vivement de votre aimable proposition. [...] Néanmoins permettez-moi de ne pouvoir accéder à votre demande : ce serait me faire une réclame imméritée vis-à-vis de tous mes camarades qui font chaque jour ce que je fais personnellement, et je ne m'en reconnais pas le droit. De plus, notre rôle à nous, pilotes de ligne, est d'être et de rester obscurs. Nous accomplissons simplement un métier, parfois un peu plus dur que les autres, mais qui n'en est pas moins un métier. »

QUI est Jean Mermoz ? Très vite un chef, celui que l'on reconnaît, que l'on suit. Le 25 avril 1925, à Alicante, deux Breguet 14 s'apprêtent à se croiser, l'un montant le courrier d'Afrique, l'autre le descendant depuis Toulouse. Le vent d'Espagne vient d'emporter le toit de l'unique hangar de l'aéroplace. L'avion de Malaga parvient néanmoins à se poser. Quatre hommes en descendent : deux passagers téméraires, le mécanicien Émile Lempereur et le pilote épuisé qui refuse de repartir. Mermoz arrive de Barcelone et se pose à son tour. Il essaie de persuader son collègue de reprendre sa route, plus aisée vers le nord de l'Espagne. En vain. Le règlement de la Ligne est formel : le chef d'escale, Raoul Berjaud, doit prendre la place du pilote défaillant. Le courrier n'attend pas. Lempereur monte dans le Breguet 14 bourré de carburant, les deux passagers se tassent sur les sacs postaux, et Berjaud décolle. Alors, inexplicablement, l'avion amorce un virage beaucoup trop tôt. En perte de vitesse, il s'écrase et prend feu dans l'instant. Berjaud et Lempereur meurent carbonisés, les passagers décéderont à l'hôpital. Tandis qu'on improvise une chapelle ardente, Jean Mermoz réunit l'équipe de l'aéroplace et explique la faute de pilotage de Berjaud. Il dit pourquoi la Ligne ne peut s'arrêter. Ne reproche rien au pilote resté au sol. Puis sous ses yeux, et dans un

Ancien pénitencier, le fortin de Cap-Juby (aujourd'hui Tarfaya, au Maroc) fut une escale secourable pour les pilotes de la Ligne. "À tous ceux d'entre nous qui ont connu la grande joie des dépannages sahariens, tout autre plaisir a paru futile." (Saint-Exupéry)

vent de *muerte*, il s'envole pour Malaga. Le pilote demande alors qu'on lui prépare l'avion de remplacement. Le soir, les quelques sacs de courrier sauvés de l'accident seront à Barcelone.

Qui est Jean Mermoz ? Un pilote que Didier Daurat affecte d'abord sur la ligne Toulouse-Barcelone puis, le 14 janvier 1925, sur Barcelone-Alicante. Un pilote qui apprend son métier, découvre le canal du Midi et les tours de Carcassonne, se repère à un moulin à vent, une ferme isolée, un figuier solitaire, un groupe de caroubiers sur la poussière ocre ; un pilote qui se fond dans ces paysages si différents de ses Ardennes natales, vole avec passion, avec fureur, une joie profonde, profane et religieuse. En 1925, Jean Mermoz parcourt cent vingt mille kilomètres en huit cents heures : ce record lui vaut la médaille de l'Aéro-Club de France.

L'effort est rude, mais quand il se pose sur le terrain du Prat, à une dizaine de kilomètres de Barcelone ou sur la piste d'Alicante, à une quinzaine de kilomètres de la ville, Jean Mermoz, le plus souvent, oublie sa fatigue. À Barcelone, il loge à la Nueva Pension Frascati, où il lie connaissance avec nombre d'étrangers comme lui, séduits par la jeunesse créatrice de la ville, son effervescence sociale et culturelle. Barcelone lui plaît et elle le lui rend bien. Mermoz vole de maîtresse en maîtresse, s'essaie au piqué et à la vrille lorsqu'il lui faut sauter d'un balcon dans le plus simple appareil. Il déambule sur les *ramblas* noctambules, près du port vogue

de *bodega* en *bodega*. Il regarde et s'essaie à la sardane, se fait expliquer sa dimension politique pour l'âme catalane. Il s'étonne qu'en cette année 1925 on puisse fermer le stade du Futbol Club Barcelona parce que les spectateurs, en sifflant la *Marche royale*, ont manifesté pour l'indépendance. Parfois, il se perd dans le Barrio Chino, le quartier où tout est possible, où se mélangent « putes et familles ouvrières, pédés professionnels et militants syndicaux et anarchistes, lieux de réunions des groupes socialistes et communistes, prisons de femmes et frontons basques, magasins de préservatifs et meublés miséreux […], une des premières synthèses culturelles entre le peuple catalan et les émigrés », comme l'a écrit Manuel Vazquez Montalban. À Barcelone, tournée vers elle-même et projetée vers l'Europe, Jean Mermoz s'ouvre un peu plus au monde. Il assiste, lui l'artiste, à la première exposition de Salvador Dali, il admire *Le Corps de ma brune...* de Joan Miró, dans sa période des tableaux-poèmes. Il s'arrête, fasciné, devant la Sagrada Familia, cette « cathédrale des pauvres » imaginée par Antonio Gaudi, qui habite une cabane au pied de son chef-d'œuvre et qui va bien bientôt mourir écrasé par un tramway. Puis il va se distraire au club de natation, où il peut pratiquer la nage, le canotage, l'athlétisme. Là, il s'expose au soleil et au regard indiscret des femmes.

Pour rejoindre Alicante, il longe la côte méditerranéenne et laisse sous les ailes de son biplan Tarragone, Tortosa et Valence. Invariablement l'attend la Ford T qui l'amène Chez Pépita, l'auberge de la Ligne. Parfois, il marche dans le quartier populaire de Santa Cruz, compare la cathédrale San Nicolas à celle de Gaudí, rejoint les grandes plages, s'allonge sur le sable, et il songe à l'Afrique. Alors un orchestre ambulant, sans doute loué à l'heure par un camarade tenté par une impossible sérénade, vient le distraire de sa rêverie. Mermoz se lève, rejoint ses amis, leur nuit commence, de cafés en cabarets, de belles en moins belles. Mais l'Afrique est là, en lui ; ce désir si fort d'autres terres, d'autres hommes, l'attire et le pousse toujours un peu plus loin.

'AFRIQUE. Émile Lécrivain, qui ne se sépare jamais de son violon, et Edmond Lassalle inaugurent, le 1er juin 1925, le service Casablanca-Dakar. Il leur faut vingt-trois heures pour parcourir ces deux mille sept cent soixante kilomètres. L'Afrique. Le 22 juillet, Henri Rozès et Éloi Ville décollent d'Agadir. Rozès est bientôt forcé d'atterrir. Il répare son Breguet 14 lorsque surgissent les Maures. Les pilotes alors portent un gros revolver au ceinturon : échange de coups de feu, un assaillant s'effondre. Ville se porte au secours de son camarade et le sauve en décollant sous les balles.

En attendant l'Afrique et ses légendes qui s'écriront sur le sable, Jean Mermoz a rendez-vous avec l'amitié. Dans Paris au mois d'août, attablé sur les Grands Boulevards, il regarde la foule, amusé et indifférent. Surgit, le bel hasard, Henri Guillaumet. Le sergent pilote qui, en juin, a remporté, sur un Nieuport prêté, la Military Zenith, course de vitesse sur deux mille huit cent dix ki-

lomètres de Villacoublay à Villacoublay, s'interroge sur son avenir. Mermoz et Guillaumet se sont connus au cours d'un autre mois d'août, deux années auparavant, au camp de Basse-Yutz, près de Thionville. Jean passe sa première nuit au premier régiment de chasse à monter une garde d'honneur auprès du corps d'un camarade qu'il n'a pas connu et qui occupait, la veille encore, la même chambre que lui et Guillaumet. La charmante timidité d'Henri, sa vraie solidité lui plaisent, d'autant que, dès qu'il pénètre dans la salle d'escrime, il devient un autre homme. Par son exceptionnelle dextérité au sabre, il va devenir, dans la logique si particulière des contes pour enfants et des jeunes hommes de guerre, l'un des trois mousquetaires de la Ligne.

Paris est brûlant, ils boivent et s'enflamment. Mermoz enchante son ami par des récits d'Espagne qu'il enrichit peut-être, qu'il enjolive certainement. Il parle d'orages sur les Pyrénées, du flamenco et des Andalouses, du courrier et du turquoise de la mer au large de Murcie, de sa fascination pour les courses de taureaux, de

---

Les pilotes de la Ligne se sont adaptés à la vie dans le désert du mieux qu'ils ont pu. Parfois avec astuce, souvent avec plaisir. Avec un dromadaire en guise d'escabeau, Louis Vidal répare un des tout premiers Laté 26 (à gauche). Reine et Picard profitent de l'hospitalité de quelques nomades, installés à proximité du camp.

Entre deux vols, les "facteurs de l'impossible" faisaient escale dans l'un des trois fortins du Rio de Oro (Juby, Cisneros et Port-Etienne), parfois pendant plusieurs jours. Celui de Cap-Juby était le plus apprécié. Repos, jeux, détente étaient alors à l'ordre du jour. Une chanson, un pas de danse, deux ou trois animaux fétiches (des singes ou des gazelles en particulier) permettaient de tuer le temps (pages précédentes). Jean Mermoz n'était jamais en retard d'une plaisanterie. Avec quelques enfants, il se prépare à mimer une farce de sa composition (à gauche). Le confort de la place — la chambre du chef d'aéroplace y comprise — était spartiate, mais tellement bien venu après de trop longues heures de vol. "Malgré les difficultés sans nombre, (...) malgré les quatre-vingts machines qui jonchent la côte de Mauritanie, l'élan est donné, la Ligne est tracée et marche régulièrement." (Jean Mermoz)

la signification du chant choral en Catalogne et des remous auxquels le Breguet 14 résiste parfois si mal. Lorsque Mermoz conte la mésaventure survenue à Guy des Pallières, tellement secoué par le mauvais temps qu'il en perd son passager, les deux hommes hésitent entre l'incrédulité, l'apitoiement et le fou rire. Le rire explose lorsque Mermoz décrit son atterrissage en catastrophe sur une plage espagnole, l'avion qui se plante dans l'eau, le plongeon olympique de sa passagère projetée bien malgré elle hors de la carlingue, son effort de maître nageur improvisé pour la sauver de la noyade. Enfin, quand Mermoz raconte le désert qu'ils fouleront bientôt, quand il se transforme en marchand de sable pour tirer Henri du grand sommeil de sa vie présente, Guillaumet prend sa décision : il sera pilote chez Latécoère.

L'Afrique ! Jean Mermoz est affecté au tronçon Casablanca-Dakar à la fin de l'hiver 1926. En mars, il emménage à Casa dans un appartement qu'il couvre aussitôt de tapis marocains. Trois ans déjà qu'il a quitté Damas. Casablanca, dont Lyautey, résident général au Maroc depuis 1912, vient d'être écarté après la révolte d'Abd el-Krim dans le Rif, est une ville en pleine expansion, régie par un urbanisme moderniste et rationnel. Les très riches et les très pauvres s'y côtoient ; elle est à la fois africaine, européenne, américaine. Les paysans ruinés par l'effondrement des prix agricoles y affluent par milliers. Les colons vivent de la place de France à la plage d'Anfa, du café Excelsior au cinéma L'Apollon où l'on se presse, place du Commerce, pour admirer Gloria Swanson, Tom Mix ou Rudolph Valentino. Les bars sont innombrables, les hôtels accueillants, la municipalité a même offert un vin d'honneur pour l'inauguration du plus grand bordel de la ville, l'année précédente, juste après le départ de Lyautey. Les pilotes mènent grand train et, dans des décapotables, remontent en chantant le boulevard du 4e Zouave.

À peine installé à Casa, Jean Mermoz rêve à l'Amérique du Sud, prochaine étape de la Ligne. Il envisage de quitter Latécoère pour la Compagnie franco-roumaine, postule à Air Union, imagine un raid qui le rendrait célèbre. Sa renommée viendra des simples exploits quotidiens, des mots que Joseph Kessel trouvera pour les décrire, des romans d'Antoine de Saint-Exupéry, qui ne connaît pas encore Jean Mermoz. Le 1er avril justement, quelques jours après l'arrivée de Mermoz à Casablanca, paraît un récit d'aviation dans *Le Navire d'argent*, la revue littéraire dirigée par Adrienne Monnier. Il est un peu long et Jean Prévost a dû se résoudre à le couper. Il débute ainsi : « Les roues puissantes écrasent les cales. Battue par le vent de l'hélice, l'herbe jusqu'à vingt mètres en arrière semble couler. Le pilote, d'un mouvement de son poignet, déchaîne ou retient l'orage. » Et se termine par : « Vers le pilote assassiné, comme la mer vers le plongeur, jaillit la terre. » On y lit : « C'est le départ même : dès lors, on est d'un autre monde. » Ou : « L'atterrissage est décevant. On troque le torrent du vent, le grondement de son moteur et l'écrasement du dernier virage contre une province silencieuse où l'on étouffe… » Et : « L'élève pilote a compris quelque chose : on meurt et cela ne fait pas grand bruit. » Ce texte, intitulé *L'Aviateur*, est signé Antoine de Saint-Exupéry.

Un pilote de la Ligne peut mourir de bien des manières et sur le sable du désert, en effet, la mort ne fait pas grand bruit. Jean Mermoz accompagné d'Ataf, un interprète maure, décolle d'Agadir le 22 mai. Éloi Ville est aux commandes du second avion. Pour échapper au vent de sable et à la brume, de brusques adversaires, Mermoz prend le risque de monter en altitude, persuadé de la proximité de l'escale Cap-Juby. Il est prêt à tout pour échapper à cette route aveuglée. Dans ce coup d'audace, Mermoz s'égare et s'éloigne de Ville jusqu'à le semer. Soudain, c'est la panne de moteur. Jean pose sans encombre le Breguet 14 le long de la côte. Rupture de la distribution, il n'y a aucun espoir de réparer. Au-dessus d'eux, Ville les cherche, passe sans les voir puis s'éloigne. Mermoz et Ataf possèdent une demi-bonbonne d'eau. Là-bas, derrière les dunes, les Maures attendent peut-être. Le plus souvent, ils crèvent les yeux, coupent lèvres, nez, oreilles… Avant de s'endormir tant bien que mal dans le coffre du courrier, Mermoz a tout le temps de penser à Marcel Reine, tombé en panne en décembre au sud d'Agadir et, au bout du compte, échangé contre une rançon de quatre mille cinq cents francs.

Au petit jour, Mermoz et Ataf se mettent en marche vers le sud, vers, croient-ils, Cap-Juby. Ils aperçoivent un cargo, parcourent une trentaine de kilomètres puis, ne reconnaissant rien, reviennent sur leurs pas. Lorsqu'ils atteignent l'avion, la bonbonne est vide. Le lendemain, il faut bien que Mermoz recueille l'eau acide du radiateur. Ils boivent, évidemment s'empoisonnent, et prennent la route du nord. D'atroces maux de ventre transforment chaque pas en souffrance. Il faut dominer la douleur, la chaleur, l'angoisse qui grandit, et continuer, jusqu'au choc de la rencontre avec les hommes bleus. Mermoz, à bout de forces, veut les combattre, au moins se défendre, mais il s'évanouit. Les palabres d'Ataf lui sauvent la vie. Lorsque le pilote reprend conscience, il est ligoté sur un chameau la tête en bas et son corps douloureux tressaute au rythme lent de l'animal. La captivité dure plusieurs jours avant que Mermoz et son interprète ne soient libérés à Cap-Juby contre une rançon

de mille pesetas, le prix de deux existences.

Été 1926. C'est à Lille, où Mermoz rend visite à sa mère infirmière, que la dureté du désert se rappelle à son mauvais souvenir : sinusite, double otite, on craint la surdité, on redoute l'abcès au cerveau. Trois mois de repos sont obligatoires : ce n'est qu'une sérieuse alerte. Un mois après, il vole. Mais qui sont-ils, ces personnages extravagants, dont on ne sait s'ils façonnent le désert à leur image ou si c'est leur si sérieuse insouciance qui transforme le sable infini en terre de tous les rêves ? Qui sont-ils, ces héros sans nom de l'aviation commerciale, ces hommes promis à la célébrité que personne encore ne connaît, quelle est leur vie à l'escale, entre deux vols hoqueteux, des sacs de courrier poussiéreux et des fuites d'huile, deux décollages nez au vent, tête en l'air ? Ils ne sont pas si différents des autres, hormis leur courage et la découverte capitale qu'ils font, chaque jour ensemble, de la fraternité.

L Y a leurs nuits dans le désert, à Villa Cisneros, à Cap-Juby ou près de leur avion stoppé, démonté, attendant l'aube, une histoire qu'un autre aviateur, Saint-Exupéry, s'apprête à raconter comme personne ne le fera. Et il y a leurs nuits blanches de Dakar, de Toulouse, de Casablanca, les nuits de Casa, au Petit Riche ou ailleurs. Émile Lécrivain est un bon pilote et un mauvais musicien. On le dit mystique ; cet homme glacial se réchauffe la nuit dans la sueur des bastringues, un œil sur les décolletés qui s'offrent, l'autre sur son inséparable étui à violon. Lécrivain se révèle un stupéfiant danseur, surtout vers trois ou quatre heures du

matin, lorsqu'il y a tant d'étoiles dans le ciel marocain qu'il peut comme ses amis croire en son étoile : car pour ces hommes-là, être vivant est une conquête, vivre est une surprise. Lécrivain veut la Légion d'honneur et demande à Kessel d'intercéder en sa faveur : « Mon vieux, fais tout ton possible pour qu'ils se dépêchent... Il paraît que c'est très long à obtenir à titre posthume... » Au courrier suivant, Émile Lécrivain se tue non loin de Mogador, le 31 janvier 1929.

Marcel Reine est petit, jovial et il a les yeux bleus. Quand il ne rit pas, il sourit et considère que la mort n'est qu'une façon de vivre sa vie. C'est un pilote remarquable et très remarqué des femmes. Avec elles aussi, il a un don. Si Mermoz doit souvent déménager pour éviter leur courroux, Reine les aime tant qu'il parvient à faire cohabiter ses multiples maîtresses. Et, la nuit venue, s'il est aimé des entraîneuses, c'est qu'il est entraînant. Son humour est parfois radical. Privé du carnaval de Casa pour cause de service, Reine, sans doute pour mieux tester l'avion qu'il est chargé d'essayer, le précipite en piqué vers les musiciens de la fête, les danseurs et les badauds : réjouissance inattendue, nez dans la poussière et habits ternis. Édouard Serre est doux et curieux de tout. En toutes circonstances, il porte un strict costume bleu et une serviette sous le bras. Reine est un titi intrépide, Serre un polytechnicien, un ingénieur en électricité passionné par la Ligne, fasciné par la vie des Maures. Dans un film caricatural où Reine jouerait tout naturellement le pilote, Serre serait le fonctionnaire rentrant chez lui chaque jour à la même heure, à la minute près. Bientôt, ces minutes seront des jours, ces jours des semaines et des mois ; bientôt Serre sera un héros. Et Marcel Reine avec lui. Tous ceux-là et les autres – cent huit pilotes et deux cent cinquante mécanos se relaient sur la Ligne en 1925 – aiment leur métier, sont des pionniers. La plupart ne sont pleinement eux-mêmes qu'au décollage comme si, pour respirer vraiment, il leur fallait prendre l'air. À Toulouse, en Espagne, au Maroc, dans le Sahara espagnol, en Mauritanie, au Sénégal, ils livrent le courrier. Ils vivent.

Antoine de Saint-Exupéry va les faire accéder à l'existence. Léon-Paul Fargue était l'aîné du pilote-écrivain, il fut son ami. « Saint-Exupéry, dit-il, était un homme complet. Il y en a peu. Mais lui en était un, et naturellement, sans le vouloir, par talent naturel. » Il affirme : « C'était toujours un événement que de lui serrer la main. » Il écrit : « Il est resté de lui un grand passage d'anges sur la page blanche, sur la première page blanche de nos vies fragiles, possibles encore, qui tremblent cependant de connaître une mort moins pure que la sienne. »

Saint-Ex, c'est d'abord une silhouette et une allure. Joseph Kessel le décrit « grand, épais, large, le nez court

Les mécaniciens qui stationnaient à l'escale n'avaient guère de possibilités de s'évader. Les rotations du bateau de ravitaillement étaient rares. A Port-Etienne, en 1926, quelques boute-en-train ont confectionné un avion de pacotille pour patienter entre deux dépannages.

Le 22 mai 1926, Jean Mermoz et son interprète Ataf sont capturés par les Maures. Après trois jours de privation, le célèbre pilote est très affecté physiquement (à gauche). Les captifs étaient d'ordinaire libérés contre rançon. L'écrivain embarque argent et matériel, dans l'espoir de libérer Reine et Serre (pages précédentes).

----

et relevé, la figure ronde, les yeux un peu exorbités, naïfs et attentifs [...] l'air d'un collégien passé trop vite. La maladresse des mouvements, l'hésitation de la voix sourde et heurtée, les membres massifs, une allure nouée, timide... » Pour son nez pointé vers le ciel, ses camarades d'aviation le surnomment « Pique la lune ». Bien plus tard, l'espiègle général Chassin évoquera ce « nez de Mickey Mouse », juste hommage rendu à l'amateur de dessins animés.

Le comte Antoine de Saint-Exupéry est le dernier descendant mâle d'une illustre famille et, à ce titre, couvé par une mère veuve trop tôt, retirée à Saint-Maurice-de-Rémens, près de Lyon, loin du mouvement et du progrès, loin de la vie. Il naît avec le siècle et, avec un chic tout aristocratique, obtient son baccalauréat l'année de la révolution d'Octobre. À Paris, dûment chaperonné, Antoine fait ses études au lycée Saint-Louis, boulevard Saint-Michel, puis au lycée Bossuet où l'abbé Sudour est l'une de ses rencontres décisives. Il n'est pas riche, mais il fréquente les salons de son monde et, dans les thés dansants, frôle les jeunes filles bien nées à marier, parvient à les faire rire dans les ors et le luxe des hôtels particuliers du faubourg Saint-Germain, des rues de Verneuil, de Lille, de Varenne, là où résident l'élite, les grandes familles, les promesses de mariage.

Antoine est un virtuose dans l'art si particulier de la conversation de salon. Il a un vrai talent pour dire tout en ne disant rien, il évoque Bach, la boxe qu'il ne connaît guère et les échecs où il excelle, Carlos Gardel; on se gausse, on s'excite, on sent le son du tango, Schumann et Chopin, on l'écoute. Antoine est musicien, il aime jouer du piano à quatre mains et apprécie l'idée de son profil singulier penché sur son violon. Il a des amis qui sont ses cousins, des cousins des cousins, des amis des cousins. Ils portent tous de beaux noms : Bertrand de Saussine, Honoré d'Estienne d'Orves, Raoul de Roussy de Sales, André et Henri de Vilmorin. Henry de Ségogne, qui s'essaie à la poésie classique, est le plus constant. Il sera grand séducteur, grand alpiniste, conseiller à la cour des comptes puis conseiller d'État. Il racontera des histoires comme s'il devait être le dernier conteur du monde.

Bien sûr, il n'y a pas que des garçons. Loulou est là, non celle de Berg ou de Pabst, mais presque. Louise de Vilmorin est une sublime jeune fille, dont l'âme même doit être coquette. Héroïne délicieusement perverse de tant d'adolescents, elle fait rêver ses soupirants à tour de rôle, ces hommes qui n'osent pas encore être des hommes. Ses lèvres qu'elle offre à l'un et à l'autre, l'un et l'autre jour, ont la fraîcheur d'une poésie d'enfant. À Verrières ou à Paris, Louise est le centre des conversations, des chuchotements et des désirs. Elle aime le luxe, la richesse, les hommes plus âgés, les garçons pourvu qu'ils soient nombreux et amoureux. Saint-Exupéry, alors en uniforme de sous-officier, auréolé de son prestige d'aviateur, parle de mariage. Il y croit, ils y croient sans doute. Les deux jeunes gens passent dix jours de merveille, ensemble mais pas tout à fait seuls, en Suisse, près de Neuchâtel. Pour le bonheur d'Antoine. Alors Louise court se réfugier au Pays basque, invoque des raisons de santé. Le malentendu s'installe, Antoine met longtemps à comprendre que, peut-être, gentilhomme sans fortune avant d'être aventurier de fortune, il n'est pas le parti idéal. Loulou s'est enfuie, elle ne sera jamais à lui.

LES Vilmorin lui ont quand même trouvé son premier emploi, au siège parisien de l'entreprise des Tuileries de Boiron. Puis parce qu'il s'ennuie comme il s'ennuiera si souvent, il se fait engager chez Saurer, pour vendre des camions. Il en vend un mais il n'est pas pour autant un bon représentant. En fait, Antoine, qui n'a aucune vocation, a la nostalgie de l'aviation, qu'il a connue durant son service militaire.

Printemps 1921. Saint-Exupéry rejoint le 2e régiment d'aviation, à Strasbourg-Entzheim. Il vole assez vite sur des Spad-Herbemont et des Hanriot et, autre découverte capitale pour sa vie future, apprend d'un soldat prestidigitateur à faire des tours de cartes. Puis, par relations, il est muté à Rabat, au Maroc. Antoine passe son brevet de pilote militaire le 21 décembre 1921. Il quitte l'armée après vingt-six mois, fort bien noté par ses supérieurs : « De la classe », « serait à utiliser dans la chasse ». Il s'est aussi fait une vraie frayeur. Le 1er mai, au Bourget, il amène son Hanriot HD 14 à la perte de vitesse. Fracture du crâne pour lui, fracture définitive pour l'avion, et quinze jours de mise aux arrêts.

Antoine de Saint-Exupéry écrit, bien sûr, comme tous les jeunes hommes de sa condition. Mais il écrit mieux que les autres. Yvonne de Lestrange, duchesse de Trévise, en est tôt persuadée. Elle est de douze ans son aînée, elle est belle et d'esprit libre, elle aime Ravel et les cubistes, fréquente les auteurs de la NRF. Elle encourage Antoine à s'installer aussi souvent qu'il le souhaite dans son appartement du quai Malaquais et le présente à

André Gide, qui règne sur les lettres françaises. Gide croit en Yvonne et en ce jeune homme qui fait si bien les tours de cartes. Autour de Gide, il y a Léon-Paul Fargue, le confident de Gaston Gallimard, Ramon Fernandez et Jean Prévost, qui un peu plus tard, publiera le premier texte de Saint-Exupéry.

Printemps 1926. Antoine devient pilote professionnel à la très modeste Compagnie aérienne française. Le 5 juillet, il obtient son brevet de pilote de transport public. Le temps est venu pour l'abbé Sudour d'obtenir pour son protégé un rendez-vous avec Beppo de Massimi, bras droit de Pierre-Georges Latécoère. La rencontre du 12 octobre 1926 est fructueuse. Saint-Exupéry part aussitôt pour Toulouse où, comme Jean Mermoz, il commence aux ateliers, parmi cette aristocratie ouvrière, mieux payée qu'ailleurs et qui a conscience de participer à une aventure singulière. Le stage est bref, il vole rapidement, le voilà déjà pilote sur la ligne du Maroc grâce à la protection de Massimi.

Il connaît les périls habituels, mais lorsqu'il tombe en panne, il s'arrange pour jouer les explorateurs émerveillés ou pour participer à une chasse au lion. Antoine de Saint-Exupéry n'est pas tout à fait comme les autres, ce qui n'exclut pas le sens du compagnonnage. À Toulouse, il ne loge pas comme tout le monde au Grand Balcon, l'hôtel des familliers de la Ligne, mais rue d'Alsace-Lorraine, de l'autre côté de l'opéra. À Casablanca et à Dakar qu'il n'aime pas, il est reçu dans la société. Quand il part en bordée, et qu'il se met sur le tard au piano, il commence par Chopin avant de passer à un tout autre répertoire. Jean Mermoz le regarde et l'écoute.

Antoine de Saint-Exupéry essaie de vivre avec le souvenir aigu de Loulou, la douleur de la mort de sa jeune sœur Marie-Madeleine, de son ami Marc Sabran. Il correspond fougueusement avec Renée de Saussine, amie intime de Louise. Il attend sa vie. En janvier 1927,

elle est là. Muté à Dakar, il fait équipe quelques mois avec Mermoz, Guillaumet, Reine, Ville! Ils ont la grâce. En octobre, il est promu chef d'aéroplace à Cap-Juby, dans le Rio de Oro. La vraie vie commence. Il a sous ses ordres un adjoint et deux mécaniciens. La mer est à trente mètres, le désert est devant, Villa Cisneros à six cents kilomètres. Deux avions passent chaque semaine, un bateau de ravitaillement franchit la barre toutes les trois semaines.

Saint-Exupéry s'installe dans la précarité, la modernité des liaisons radio, l'infini du temps. Il est en gandoura, prépare le thé et noircit feuillet sur feuillet, qu'il range dans une valise de métal. Tandis que naît *Courrier Sud*, on entend une ou deux détonations, les pétoires des Maures, les cris des sentinelles du bataillon disciplinaire du lieutenant-colonel Don Guillermo de la Pena, le ressac, le vent de la mer, le souffle du désert. Et puisque le temps s'allonge, Saint-Exupéry écrit à l'opposé, inventant des phrases brèves, des périodes sèches, un rythme tout en saccades. Il organise la Ligne et, chaque fois qu'il le peut, part dans le désert à la découverte des Maures.

Quand Jean Mermoz atterrit, c'est soir de fête. Kiki le singe sait qu'il doit céder la vedette. Le fils du peuple et celui qui ne l'est pas se parlent d'égal à égal. Mermoz déclame ses vers, Saint-Ex lit tout haut quelques-unes de ses pages. Autour du méchoui ou sur la plage, bercés par les alizés, Antoine raconte son baptême de l'air à Ambérieu à deux pas de la maison familiale, il avait douze ans et Jean, l'émerveillement de son premier meeting. C'était à Bétheny, près de Reims, il avait lui aussi douze ans forcément. Antoine renchérit avec le récit de son escapade sur les toits de Saint-Louis, en 1918, pour mieux voir l'attaque des avions allemands dans le ciel de Paris. Mermoz parle de sa mère, des trente-cinq mois où ils furent sans nouvelles l'un de l'autre, séparés par une fuite éperdue, à la suite de l'of-

fensive allemande dans les Ardennes, de tous ces lieux où elle fut couturière puis infirmière. Saint-Ex confie que, l'été venu, son principal problème existentiel consistait à choisir sa résidence de vacances, en Provence, sur la côte basque, en Bretagne. Ils en rient, ils boivent de l'alcool et leurs paroles. Ils ont découvert la perfection de la vie, l'amitié et l'amour, l'amitié des hommes et l'amour du métier. Ils mettront dix ans à se tutoyer.

SANS cesse, la Ligne se rappelle à eux. Tout s'accélère : le défi de l'Afrique est relevé, l'Amérique du Sud devient la grande ambition. Là-bas, l'aventure a commencé. L'exploration de ce continent, excitante et exotique, est décisive pour l'avenir de la Ligne. Depuis très longtemps, 1918 exactement, presque une autre époque, Pierre-Georges Latécoère veut relier la France à l'Amérique du Sud. Il est temps de franchir le pas. Les hypothèses de travail se multiplient. Selon l'étude la plus fiable, neuf jours et demi seront nécessaires pour franchir la douzaine de milliers de kilomètres séparant Toulouse de Buenos Aires. De nouveau, Latécoère décide de faire appel aux qualités de défricheur de Joseph Roig, capitaine en disponibilité qui, en 1923, a déjà exploré le tronçon Casablanca-Dakar. Roig se voit confier une double mission, technique et diplomatique : il doit définir les trajets, reconnaître les lieux possibles d'escale et convaincre les gouvernements du Brésil, de l'Uruguay et de l'Argentine, pour obtenir les autorisations et les soutiens. Un travail exaltant, une lourde tâche, qui transforment le pilote en ambassadeur, le diplomate en mécano échoué sur une plage déserte, cherchant rageusement les causes d'une panne inopportune. Joseph Roig s'embarque à Lisbonne le 20 mai 1924, sur le paquebot néerlandais *Zeelandia.* Bientôt, il est à Rio de Janeiro. Soutenu par

les différents ambassadeurs de France et les services consulaires, il progresse vite. Et rencontre deux hommes appelés à jouer un grand rôle dans ce qui deviendra l'Aéropostale. Le premier, Marcel Bouilloux-Lafont, est un industriel magnifiquement implanté au Brésil et au-delà, dont le sens patriotique et le goût de l'aventure, sans doute jusque-là dissimulé, vont l'amener peu à peu du réalisme terre à terre au romantisme de l'air. Il promet à Joseph Roig une aide concrète et bénévole. Le second, Vicente Almandos Almonacid, est un héros argentin de l'aviation qui a franchi la cordillère des Andes sur un Spad XIII Hispano, lors d'un vol de nuit, le 29 mars 1920.

Homme d'honneur à l'ancienne et pilote moderniste, c'est un personnage de roman qui, devant l'accueil inamical et méprisant réservé par le major Torrès à Joseph Roig, n'hésitera pas à défier son compatriote en duel. Touché au coude par le sabre de son adversaire, il blessera celui-ci à l'arcade sourcilière, provoquant l'arrêt de ce singulier combat. C'est en France que Vicente Almonacid, né à Facunda Quinroga, au pied des Andes, passe son brevet de pilote, le 3 octobre 1913. Lorsque la guerre éclate, il s'engage dans la Légion étrangère puis il est versé dans l'aviation. Il la termine capitaine de l'armée française, expérimente notamment les vols de nuit et, nanti de brillants états de service, s'en retourne à Buenos

Le 14 janvier 1925, trois Breguet 14 entament un premier voyage de reconnaissance en Amérique du Sud entre Rio de Janeiro et Buenos Aires. Le 21, lors du voyage de retour, les avions font escale sur la plage de Santos (ci-dessous). Roig et Vachet achèvent leur périple le 23 (pages suivantes).

Longtemps, les avions de la Ligne furent très sommairement équipés. Sur les Breguet 14 (ci-dessus), l'absence d'instruments de mesure fiables et surtout de radio augmentait encore les difficultés de navigation. Les pilotes étaient obligés de se fier tout autant à leur sens de l'observation qu'à leurs connaissances techniques. Il fallut attendre la mise au point des Laté 26 et plus encore celle des Laté 28 à partir de février 1928 (mis en service en 1930 seulement) pour que les pilotes profitent d'une assistance technologique digne de ce nom. C'est la mission Roig qui a inauguré le premier vol avec "radio" en mars 1923, mais la pratique ne s'est généralisée que bien plus tard.

Aires. Une dizaine d'années plus tard, il sera gérant de la Compagnie Aeroposta Argentina, qu'il crée avec Marcel Bouilloux-Lafont.

En octobre 1924, Joseph Roig regagne la France. Le long de la côte de Natal à Buenos Aires, il a reconnu une dizaine de terrains d'aéroplaces. Et, si en Argentine et en Uruguay, l'enthousiasme l'a largement emporté sur le scepticisme, au Brésil, Roig a su mesurer la puissance du lobby pro-allemand. Un mois plus tard, la Ligne prend un nouveau départ. Cette fois, les hommes de Latécoère débarquent en force. Le prince Charles Murat commande la mission diplomatique. Roig dirige la mission technique. Il est accompagné de trois pilotes, Paul Vachet, Étienne Lafay, Victor Hamm et de trois mécaniciens, Gauthier, Estival et Chavalier. Avec eux, quatre Breguet 14, trois moteurs supplémentaires et des pièces de rechange.

Le 14 janvier 1925, ils décollent de Rio, cap au sud. Le premier incident ne tarde pas. Le Breguet de Vachet est contraint de se poser sur une plage en raison d'une panne de radiateur : la réparation dure toute la nuit. Le lendemain, l'incident est plus grave. Lorsque Victor Hamm se pose à Pôrto Alegre, le train d'atterrissage de son engin se bloque dans une partie meuble de la piste, et il est arraché ! Pour cet équipage, la mission, à peine commencée, est déjà presque finie. Le lendemain, vers 16 heures, les deux appareils restants atterrissent à El Palomar, le terrain militaire de Buenos Aires où se déroule l'incident entre le major Torrès et la délégation française. Cinq jours de fête font oublier ce rude début. La capitale argentine s'arrache les aviateurs français. Ils quittent leurs admirateurs le 21 janvier. Le retour sur Rio n'est guère plus aisé que l'aller. La violence de la pluie puis une vraie tempête obligent à deux escales improvisées, à Florianopolis puis sur une plage, non loin de Santos. Les deux Breguet n'atteignent le Campo de Affonsos de Rio que le 23 janvier, à 13 h 45.

Il leur faut maintenant explorer le tronçon nord, de Rio à Recife. Hamm est resté à Pôrto Alegre, Lafay a repris ses exhibitions acrobatiques, Vachet, Roig et Gauthier embarquent donc sur un Breguet lesté d'un réservoir supplémentaire. Deux jours plus tard, l'avion alourdi tente de décoller de Bahia et heurte une dune. Les trois hommes sont sains et saufs, mais l'appareil est hors d'usage. Il reste deux appareils qui reprennent l'air le 6 mars avec, pour équipage, Hamm, le prince Murat, Gauthier d'une part, Vachet, Roig et Estival d'autre part. Vachet connaît quelques frissons en se posant de nuit à Camassary. Le lendemain, le moteur du Breguet de Hamm tombe en panne, celui-ci se pose sur une plage et heurte les récifs. Vachet, Roig et Estival atteignent finalement Rio de Janeiro dans l'après-midi du 11 mars 1925. Il reste à en rendre compte à Pierre-Georges Latécoère. Ce n'est pas parce que Roig a mené à bien sa reconnaissance que le patron lui en sait gré. A la fin de 1925, le capitaine Roig, que nul ne retient et dont le congé arrive à expiration, se voit contraint de réintégrer l'armée.

À Toulouse, on réfléchit à l'organisation de la Ligne. Latécoère choisit une des huit solutions imaginées. Elle fait intervenir des Laté 17 sur les parcours terrestres, des hydravions Laté 21, des bateaux rapides filant à dix-sept nœuds et place Toulouse à sept jours de Rio, à huit jours de Buenos Aires. Les négociations commencent. Mais Pierre-Georges Latécoère a surestimé les possibilités du Laté 21 qui, mis en service sur Marseille-Alger, se révèle décevant. Il doit revenir à une solution transitoire qui oblige à transporter le courrier intégralement par bateau : première mauvaise impression sur les interlocuteurs sud-américains. Les ennuis continuent : il est impossible de trouver ces bateaux rapides tant vantés. On se résout à faire appel à la Marine nationale qui, pour un franc l'unité, loue six avisos, datant de la guerre, avec lesquels il est fort conseillé de ne pas dépasser les douze nœuds : seconde promesse non tenue. Pierre-Georges Latécoère, dont le crédit est entamé, peut s'interroger. Et si, pour lui, cette épopée industrielle touchait à sa fin ? Et s'il mettait tout son savoir-faire dans la construction d'hydravions ?

E N Afrique, les événements se précipitent. Le 11 novembre 1926, Léopold Gourp pose dans le désert son Breguet en panne. La procédure est classique : Henri Érable, sur l'autre avion, lui porte assistance. Lorenzo Pintado, le mécanicien, se met au travail. Érable prend le courrier, décolle, hésite, revient. Quand il se pose à nouveau, les Maures embusqués font feu. Érable est tué sur le coup, Pintado peu après, Gourp est grièvement blessé à la jambe. Ataf, l'interprète, fait miroiter la rançon. La blessure de Gourp est soignée avec des excréments de chameau ; la gangrène s'installe et le pilote cherche à se suicider en avalant de l'acide phénique et de la teinture d'iode, provoquant des lésions irréversibles. Mermoz et Ville cherchent et cherchent encore. Éloi Ville, en panne, est sauvé de justesse par Jean Mermoz qui se pose, le happe et décolle sous les balles. Quand Léopold Gourp est retrouvé, il est agonisant. Il meurt le 5 décembre à l'hôpital de Casablanca, au terme d'une atroce et horrible souffrance. De ce deuil collectif, Jean Mermoz fait une affaire personnelle. Il suit obstinément les allées et venues de la tribu dissidente des R'Guibat jusqu'à ce que les méharistes français partent à leur rencontre et tuent leur chef, Ould Hajrab. Il demande sans cesse au lieutenant-colonel de la Pena l'autorisation d'aller rechercher le corps d'Érable, qu'il imagine déchiqueté par les chacals. L'Espagnol finit par céder.

Mermoz part pour le cap Bojador, se pose près des débris calcinés des deux Breguet et commence sa quête. Elle dure dix minutes qui lui semblent une éternité. Dans le sable, Jean Mermoz découvre les restes de son camarade qu'il reconnaît à une mèche de cheveux châtain ; il les recueille et décolle.

Le 30 juin 1928, le Laté 26 de Marcel Reine et d'Édouard Serre percute une dune. Les deux hommes sont faits prisonniers par les R'Guibat qui réclament la libération de prisonniers et une rançon « d'un million de chevaux et d'un million de fusils ». Pour retrouver Reine, son ami, Saint-Exupéry vole huit mille kilomètres en cinq jours. Peine perdue. Pour Reine comme pour Serre, commence une captivité de trois mois qui, relatée par les envoyés spéciaux de la presse française, va tenir en haleine l'opinion et devenir une affaire, provoquant la mobilisation des forces de gauche autour d'Édouard Serre, membre de la SFIO et de la Ligue des droits de l'homme. Les R'Guibat tirent parti de la situation et, le 28 octobre, finissent par libérer les deux hommes, meurtris par le désert. Angoissés, agacés, soulagés, ceux de la Ligne fêtent leurs amis. Tous, ils ont bien cru que, plus jamais, Marcel Reine ne ferait entrer son cheval dans quelque boite de jazz à la mode pour le faire boire dans un seau à champagne. Tandis que l'Amilcar rouge de Jean Mermoz tourne dans Casablanca et tourne les têtes, Marcel Reine est accueilli par un syndicat très particulier et même très personnel : celui qu'ont constitué ses dix-sept maîtresses.

Avec la mise en service du Laté 26, Pierre-Georges Latécoère décide de frapper un grand coup. Les 10 et 11 octobre 1927, sur un Laté malicieusement nommé *Spirit of Montaudran*, Élisée Négrin et Jean Mermoz relient Toulouse à Saint-Louis du Sénégal en vingt-trois heures sans escale : c'est la première fois. Négrin et Mermoz voulaient faire beaucoup mieux, franchir l'Atlantique sud mais, lors de l'atterrissage à Saint-Louis, l'hélice du Laté s'est brisée et l'avion s'est enfoncé dans la piste ce qui exigea de nombreuses réparations.

L'Amérique du Sud n'est plus le futur de la Ligne, c'est déjà le présent. Pierre-Georges Latécoère a vite compris qu'il devrait s'allier, notamment au Brésil, à des industriels puissants et solidement établis. À cet effet, en décembre 1926, il rencontre à Rio de Janeiro Marcel Bouilloux-Lafont. Le groupe spécialisé dans les travaux publics et les transports se porte acquéreur de la majorité de la société Latécoère. Le 11 avril 1927, la Compagnie générale d'entreprises aéronautiques devient la Compagnie générale aéropostale, propriété de Marcel Bouilloux-Lafont. Le 14 novembre, les lignes qui relient Rio de Janeiro à Natal et à Buenos Aires sont inaugurées par Georges Pivot et Paul Vachet sur Laté 25. Le 9 décembre, Jean Mermoz effectue son premier courrier entre Buenos Aires et Rio de Janeiro. Tout continue, tout recommence.

4

Le grand saut

Un obstacle, encore un : les Andes, juge de paix suprême. Mermoz et Collenot, naufragés intrépides, Guillaumet, rescapé magnifique, flirtent avec l'impossible.

De Buenos Aires à Santiago du Chili, du Venezuela à la Terre de Feu, l'Aéropostale tisse sa toile et construit sa légende. Elle suscite aussi des jalousies.

Toujours plus vite, toujours plus loin. Avions ou hydravions ? *Arc-en-Ciel* ou *Croix-du-Sud* ? Les politiques tergiversent, les industriels s'opposent, les polémiques s'installent.

JUSQUE-LÀ, ils ont vécu au-dessus des autres. En Amérique, ils vont vivre au-dessus d'eux-mêmes. Pendant cinq années ils vont tout réussir, jusqu'à l'effondrement de l'Aéropostale. Ils vont défier le ciel et l'eau, franchir l'océan et passer les Andes, devenir les condors des légendes, voler la nuit, aimer enfin. Lorsque la mort s'approche, ils la repoussent froidement, se battent toujours contre les éléments, les gouvernants aveugles, les pannes de moteur, les ronds de cuir et les petites lâchetés de la vie. Ils vont combattre la concurrence allemande et américaine, et en triompher. Ils vont devenir immenses avec ce luxe suprême : personne en France, ou presque, ne le sait. 12 mai 1930. C'est le grand jour de l'Aéropostale. Jean Mermoz, le pilote, Jean Dabry, le navigateur, et Gimié, le radio, franchissent l'Atlantique sud sur un Laté 28 à flotteurs, porteur de cent trente kilos de courrier. L'hydravion amerrit à 8 h 10 locale, à Natal, sur le rio Potingui. Cette réussite assure la pérennité du contrat argentin et prouve que l'Europe, l'Afrique ou l'Amérique peuvent être reliées régulièrement. Les trois hommes sont épuisés, de fatigue et d'émotion, comme hors d'eux-mêmes. Ils pensent à la foule, aux officiels, à la fierté, à la joie, à la musique qui les attendent. Que vont-ils penser au pays — mais ont-ils encore un pays, ces nomades magnifiques ? La vedette les rapproche du quai. Ils sont harassés, il va leur falloir supporter les allocutions, les embrassades, les tapes dans le dos et les poignées de main, les regards admiratifs, endurer la chaleur des hommes et celle du temps, les uniformes et les fracs, la vie qui vient de reprendre ses droits. Mais, dans le grand soleil d'un exploit inoubliable, une ombre s'est glissée. Jean Mermoz la voit, la sent. Il faut bien lui annoncer qu'il ne verra jamais plus Julien Pranville, jeune bras droit de Marcel Bouilloux-Lafont. Un accident d'avion, un sommet de romanesque, presque de romantisme, de savoir-vivre et de savoir-mourir. Le soir du 10 mai, ils sont cinq à prendre l'air : le pilote Élisée Négrin, le radio René Pruneta, l'ingénieur Julien Pranville et deux invités brésiliens, Siqueras Campos et Joao Alberta de Barros. Négrin choisit de passer sous les nuages — c'est un banc de brume ! Quand il aperçoit la mer, il est trop tard. Il redresse le Laté 28, évite le pire. L'avion coule et il n'y a que deux bouées de sauvetage. Les trois hommes de l'Aéropostale les donnent avec naturel à leurs passagers comme si mourir avec cette généreuse élégance était la moindre des choses. Seul Barros survivra et racontera leur geste.

On rapporte tout cela à un Jean Mermoz, au comble de l'exaltation et de la douleur. En cet instant, ils sont la France, les réjouissances commencent, mais ils ne peuvent vraiment pas les supporter. Alors, ils s'en vont ensemble. Ils fuient les robes claires et les voitures américaines, les cols empesés et les discours pesants, le banquet et les badauds. Mermoz, Dabry et Gimié voudraient être loin

Après Saint-Exupéry, après Mermoz, Henri Guillaumet (à gauche) devient l'un des principaux animateurs de la Ligne. En dominant les Andes plus d'une centaine de fois et en repoussant au-delà de l'imaginable les limites de son courage. En même temps qu'il s'imposait au-dessus des sommets enneigés, Pierre-Georges Latécoère, bientôt associé à Marcel Bouilloux-Lafont, s'attela à apprivoiser l'Atlantique sud. Pour réaliser ses objectifs, il finança la construction d'innombrables prototypes, comme ce Laté 18, imaginé en 1925, qui refusa obstinément de décoller (pages précédentes).

des officiels, se retrouver à l'office et dire l'office du ciel. Ils aboutissent en un lieu étrange, une cabane en planches, habité par un ancien bagnard qui les accueille simplement. L'homme n'a plus rien, que des souvenirs, probablement durs et tristes, rien qu'un gramophone antique et un 78 tours usé, rien qu'un mât taillé à coups de machette. Le bagnard alors pose son disque de cire sur le gramophone, d'un geste mécanique le remonte, place l'aiguille qui crachote. Puis, il se dirige vers le mât, et, tandis que s'élèvent les premières mesures de *La Marseillaise*, il hisse les couleurs, les leurs : le bleu du ciel, le blanc de l'âme, le rouge du cœur.

Pour préparer le raid, ce grand saut au-dessus de l'océan, Jean Mermoz — finalement préféré à Henri Delaunay, un pilote que Didier Daurat a jugé un peu trop malchanceux — essaie le Laté 28 près de Perpi-

gnan, sur le lac de Saint-Laurent-de-la-Salanque. Puis il passe son brevet de pilote d'hydravion de transport public. Ensuite, avec Jean Dabry, il pulvérise le record du monde de distance : quatre mille trente-huit kilomètres en trente heures. Pour avoir l'autorisation du ministère de l'Air, il lui fallait accomplir quatre mille kilomètres sans escale ! Mermoz sait que l'Atlantique sud est le sommet de sa carrière d'aviateur. Alors il revient à Paris pour voir sa mère et vivre, peut-être, les derniers jours de son existence. Le 18 avril, il apprend la mort du comte Henri de La Vaulx, président de la Fédération aéronautique internationale, dont l'avion a heurté une ligne à haute tension à Jersey City.

Ensemble, Mermoz, Collenot et cet aristocrate intrépide ont échappé aux Andes. C'était le 2 mars 1929, par un temps radieux, près de Concepcion. Le moteur

s'arrête, il leur faut se poser à mille cinq cents mètres d'altitude sur la première plate-forme qui se présente ; celle qui fait l'affaire, n'est longue que de trois cents mètres et large de six. Mermoz pose le Laté 25 sans fausser le train d'atterrissage, premier exploit. Mais l'avion continue de rouler. Alors, comme au cinéma, Mermoz saute de la carlingue, court pour rejoindre le Laté qui l'a dépassé, s'accroche à une roue de l'appareil, le freine puis s'arc-boute. Une lutte sans merci s'engage entre les muscles et le métal. L'homme parvient à stopper les trois tonnes de l'avion, Collenot et Henri de La Vaulx le calent à l'aide de pierres. Le carburateur est obstrué : Collenot répare en une heure et demie. L'élan est insuffisant, les trois hommes remontent l'avion le long de la pente. Enfin, Mermoz lance l'appareil dans le vide, plonge dans le ravin, paraît se poser sur l'air et reprend son vol. Au-

jourd'hui, Henri de La Vaulx n'est plus et Jean décide de baptiser le Laté 28 qui traversera l'Atlantique sud *Comte-de-La Vaulx*.

À Paris, Mermoz vit et s'amuse. Mais il aime Gilberte, restée en Amérique du Sud et qui va devenir sa femme. Il annonce autour de lui son prochain mariage. La veille de son départ pour Saint-Louis du Sénégal, une femme qu'il a aimée lui demande une dernière nuit. C'est une soirée étrange, un dîner où ils se parlent quand même, puis deux corps qui s'unissent une ultime fois et le sommeil qui vient. Dans la nuit, un froid soudain. Il se réveille péniblement : sa compagne est morte. Elle s'est suicidée à ses côtés tandis qu'il dormait.

Saint-Louis l'attend, tout est prêt. À quatre kilomètres de la ville, sur la lagune de Barbarie, au bord du fleuve Sénégal, Marcel Bouilloux-Lafont a fait construire

Initialement, le Laté 28.3 à flotteurs n'avait été prévu (et homologué) que pour le trafic fluvial. Mais en 1929, Pierre-Georges Latécoère proposa son emploi pour la traversée de l'Atlantique sud. Totalement opposées à l'utilisation d'un monomoteur sur ce parcours, les instances officielles refusèrent, dans un premier temps, toute autorisation à cet engin qui possédait des entretoises en dural et des haubans en fil d'acier (ci-dessus). Ce n'est qu'après avoir tenté et battu toute une série de records que le futur *Comte-de-La Vaulx* fut jugé apte au service.

une base d'hydravions rationnelle. Didier Daurat est tendu, la météo le préoccupe. Jean se sent fort, plus fort encore avec Jean Dabry, un navigateur comme l'aviation en possède peu ; il vient de la marine, où il était officier des Messageries maritimes. Et Gimié est un radio en qui Mermoz a pleine confiance. La veille de l'envol, avec sa mère Mangaby, il s'est isolé dans l'église de Saint-Louis, il a prié et communié. Il souhaite partir en règle.

L E 12 mai au matin. Le Laté 28 est bercé par le fleuve Sénégal. Toute la colonie française est là et fleurit les trois hommes comme s'ils avaient déjà réussi. À 10 h 56, les six cent cinquante chevaux hurlent. Malgré un léger déséquilibre dû au flotteur gauche, Jean Mermoz arrache le *Comte-de-La Vaulx* à la lagune, direction plein ouest. Deux avisos peuvent leur porter secours dans leur traversée : l'un, le *Phocée,* se tient à mille kilomètres de Dakar, l'autre, le *Bemtevi,* navigue à la même distance de Natal. Jusqu'à cette date, ces bateaux transportaient le courrier entre les deux continents en mettant quatre jours. Le vol est sérieux, sans histoires, jusqu'au Pot-au-Noir, barre gigantesque large de six cents kilomètres, haute de cinq, faite d'éclairs et d'orages, de pluie et d'obscurité. Là se heurtent les alizés du sud et ceux du nord, le chaud et le froid, là, tout se joue dans l'affrontement ancestral de l'homme et des éléments. Avant de s'engager dans les ténèbres, Mermoz reçoit ce message de Mangaby : « Mon Jean, je suis avec toi. Maman. »

Il vole maintenant au ras de l'eau, dans une moiteur étouffante, si bas que Gimié lui crie de remonter : l'hydravion n'était plus qu'à trois mètres des vagues. Le Laté est aveugle ; engagé dans un cauchemar de cent kilomètres, il progresse dans une jungle noire, tourmentée, colérique, turbulente. Mermoz, torse nu, ruisselle, accroché aux commandes comme on s'accroche à la vie. Il cherche une éclaircie où s'engouffrer. Enfin il l'aperçoit, s'y précipite et entre dans un autre monde, un champ de lune, une lumière irréelle. Le temps est venu de déboucher le champagne : on vient de passer l'équateur. Gimié donne au pilote un sandwich et deux bananes. Mermoz, le premier, découvre le cap Saint-Roques, tout près de Natal. Oublié le problème de moteur à mi-chemin, négligée la fuite d'huile de la fin de la traversée. Ils ont réussi. Ils ont parcouru trois mille cent soixante-treize

Avion ou hydravion ? "Au point de vue vitesse pure, l'avion a toujours été en tête du progrès aéronautique. L'avion va plus vite et plus haut et plus loin que l'hydravion. Il l'a prouvé dans maintes expériences, par maints records." (Jean Mermoz, *Mes vols*).

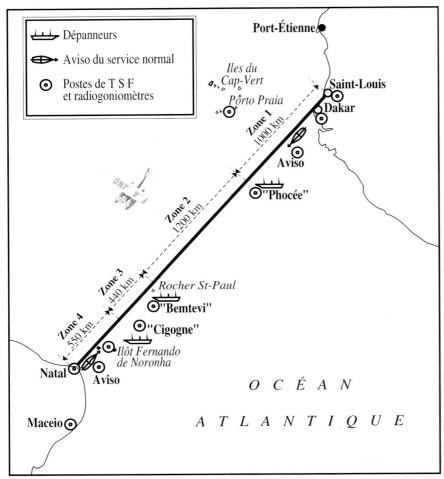

La Ligne, c'est exactement cette nécessaire modestie, cette immédiate clairvoyance. À Saint-Louis du Sénégal, Mermoz avait embarqué le courrier amené en huit heures de Toulouse par Beauregard, Emler et Guerrero. À Natal, Vanier se pose à 12 h 30, charge le courrier, part pour Rio. Trente-sept heures de vol, six escales, un changement d'appareil. À Rio, Reine lui succède, s'envole pour Buenos Aires. Guillaumet enfin assure le dernier relais, franchit les Andes, se pose à Santiago à 15 h 30, le 15 mai 1930. Quatre jours et demi après son départ de Toulouse, le courrier est distribué dans la capitale du Chili.

Le retentissement mondial de cette première traversée commerciale de l'Atlantique sud laisse Mermoz insatisfait. Parti d'Afrique, il entend revenir à Saint-Louis du Sénégal avec le même avion, le même équipage et le courrier. Mermoz, Dabry et Gimié se sont installés à Natal. La ville n'a rien de séduisant, l'hôtel est repoussant. La nuit, ils se battent contre les punaises, le jour, contre les colonies de fourmis. Le 3 juin, ils émigrent dans une villa vide, la peuplent de leur bonne humeur revenue, la meublent de quelques caisses, tendent leur hamac et dorment enfin. Devant la villa, une vieille Chevrolet veille sur eux. Si elle fut rutilante, c'était dans une autre vie. Le mardi 3 juin, ils sont prêts. La nuit est tombée sur le rio Potingui, les pêcheurs l'ont déserté, ils rejoignent le *Comte-de-La Vaulx*.

Tout se présenterait bien s'il y avait du vent ; si, surtout, le flotteur gauche n'avait décidément tendance à s'enfoncer. Il en faut beaucoup plus pour faire douter Jean Mermoz. À 23 heures, il tente de décoller pour la première fois. Échec. Au huitième essai, il doit renoncer. Il est 2 heures du matin quand le bateau les ramène au quai. Le 10 juin, ils recommencent. Le 11 juin, nouvelles tentatives. Le 12 juin, les conditions sont exécrables : orage, pluie violente, chaleurs brutales. Mermoz essaie à douze reprises sans succès. Pour la première fois depuis longtemps, il est tenu en échec. Il lui faut trouver une solution. Sur le Laté 26 de réserve, il plonge vers le sud et explore la côte. Son but est de trouver un lieu plus propice au décollage, où le vent soit plus régulier et bien orienté. Son choix se porte sur la Laguna Bonfim, à une soixantaine de kilomètres de Natal. Un plan d'eau de bonnes proportions : trente kilomètres de long, quinze de large. Mermoz reprend espoir, lorsqu'un câble en provenance de Toulouse ordonne le renforcement des attaches des flotteurs. Même si cette exigence est justifiée, il s'en irrite : c'est encore du temps perdu. Le 8 juillet enfin, le *Comte-de-La Vaulx* est

La traversée victorieuse de Dabry, Mermoz et Gimié (à droite), le 12 mai 1930 sur le *Comte-de-La Vaulx* s'est faite au prix d'une organisation sans faille. Les vedettes de sauvetage telles celles utilisées en Méditerranée (ci-dessous) ne suffisaient plus. C'est toute une chaîne d'avisos croisant au gré de zones bien définies qui fut mise en place entre Saint-Louis du Sénégal et Natal (ci-dessus).

----

kilomètres en vingt et une heures et dix minutes, nouveau record du monde de distance en ligne droite. Deux semaines plus tard, Jean Mermoz écrit à sa mère : « Ce que nous avons fait, Dabry, Gimié et moi, d'autres le feront bientôt. Nous eûmes simplement l'honneur d'être les premiers désignés pour mener à bien cette tentative. Nous n'avons fait que parcourir une des étapes de la Ligne Europe-Amérique du Sud. »

conforme aux exigences administratives. Il peut, théoriquement, prendre l'air.

MAIS le sort s'acharne : le vent, qui souffle vingt-huit jours par mois dans la même direction sur la Laguna Bonfim, change d'orientation. Mermoz n'en a cure ; il essaie le jour même, à onze reprises de faire décoller le Laté. Le lendemain, six fois. Il a visité et revisité la lagune, tracé son sillon en tous sens. Daurat s'en mêle. En lui ordonnant de porter le courrier au premier aviso et de rentrer par bateau, il ajoute à l'humiliation. Cet ordre, Jean Mermoz le lit, mais ne l'entend pas. Le vent, brusquement, se met à souffler du sud-est. Enfin ! Habilement, Mermoz câble à Marcel Bouilloux-Lafont qu'il effectue une ultime tentative. La cinquante-troisième. C'est la bonne.

Le *Comte-de-La Vaulx* s'arrache au Brésil, les trois hommes hurlent de fierté, de soulagement, de puissance retrouvée. Quatre cents kilomètres déjà. Ils essaient de contacter Fernando de Noronha, mais bizarrement la station radio ne répond pas. Une mutinerie s'est dé-clenchée sur l'île et ils ne le savent pas. Deux mille kilomètres maintenant. Mermoz est en passe de réussir, contre le vent maudit, le ministère et l'avis de Daurat. Une fuite d'huile, importante, trop importante se déclare. Il faut se rapprocher du *Phocée* et tenir soixante-dix kilomètres avec cette huile qui a envahi le pare-brise, se répand maintenant dans la cabine de pilotage. Ils colmatent avec ce qu'ils ont sous la main et même avec le superbe foulard de Jean Dabry. Le navigateur est le premier à apercevoir l'aviso.

La mer est forte, mais Jean Mermoz reste très calme. Il lui faut plaquer le Laté sur le mur d'une vague. Parce qu'il est Mermoz, il y parvient. Une baleinière se porte immédiatement à leur secours. Les marins du *Phocée* transbordent immédiatement le courrier puis Gimié, Dabry, Mermoz les rejoignent. Le *Comte-de-La Vaulx* est pris en remorque. Parvenus sur le pont, les trois hommes regardent l'avion, l'auscultent du regard, comprennent, le cœur serré, que sa structure et, évidemment, le flotteur gauche n'ont pas résisté à l'accumulation d'efforts imposés par le pilote. L'hydravion penche de plus en plus, hésite, s'enfonce, et sombre. L'aventure se

termine bien puisqu'ils sont vivants, puisque le courrier arrivera à destination.

En Amérique du Sud, les héros, les espoirs, le courrier, Jean Mermoz et ceux de la Ligne ont un nouveau patron, Marcel Bouilloux-Lafont. L'homme est tout aussi visionnaire que Latécoère. Comme lui, il aime le risque mais prise moins les mondanités et sa destinée, par choix personnel, va progressivement se confondre avec celle de la Ligne. Bouilloux-Lafont et Mermoz ne font connaissance qu'en décembre 1928, dans des circonstances mémorables qui, jusqu'au bout, marqueront leurs rapports de respect et d'affection partagés. Le pilote, ce jour-là, doit convoyer son patron. Il l'attend, s'impatiente, s'exaspère jusqu'à l'altercation. Heurt de deux caractères. Vient enfin le décollage. Ce vol de dix-huit heures les rapproche. À l'arrivée, Bouilloux-Lafont demande à Mermoz de lui apprendre à piloter.

Rien ne prédispose ce fils de famille, né à Angoulême le 9 avril 1871, à choisir cette étrange carrière au-delà des mers, à s'y bâtir un empire. Le plus jeune avocat nommé à la cour d'appel de Paris renonce aux prétoires pour intégrer la banque créée par son père en 1855. En 1907, il fonde la Caisse commerciale et industrielle de Paris, dont la vocation est d'investir à l'étranger. Le président des docks de Bahia souhaite construire un port, Marcel Bouilloux-Lafont se rend au Brésil. Entre cet homme encore jeune et ce pays en friche débute une histoire d'amour, pour le meilleur et pour le pire.

Marcel Bouilloux-Lafont et son groupe construisent les ports de Bahia, de Rio et de Niteroi, les chemins de fer de l'Est brésilien, fondent le Crédit foncier du Brésil et la Companhia Brasileira de Imoveis, qui bâtit la plupart des quartiers neufs de Rio de Janeiro. Quand Pierre-Georges Latécoère, aux abois, lui demande son aide, Marcel Bouilloux-Lafont, qui connaît le pays et ses pratiques, intercède en sa faveur à plusieurs reprises. Il ne croit pas encore à l'avenir d'une aviation commerciale, mais, commence à s'interroger. Il entrevoit l'effet de synergie qu'entraîneraient pour son groupe les nécessités de l'acheminement du courrier. Peu à peu son intérêt grandit, puis la passion le gagne. Et lorsque Latécoère, se sentant perdu, est près de renoncer, Bouilloux-Lafont rachète au prix fort quatre-vingt-treize pour cent de ses parts.

EN Amérique du Sud, tout est à faire. Le 16 juin 1927, Bouilloux-Lafont commence par obtenir du gouvernement argentin le contrat pour le transport du courrier à destination de l'Europe. D'autres accords suivent, avec le Chili, le Paraguay, le Venezuela, la Bolivie ou le Pérou. Une infrastructure formidable est nécessaire pour que vive l'Aéropostale. Il la construit. Rien qu'au Brésil, onze aérodromes sont aménagés. Il faut aussi équiper ces pistes, bâtir un système radio fiable, créer des routes d'accès... En moins de trois années, Marcel Bouilloux-Lafont et son fils André, jeune polytechnicien, mettent sur pied une organisation moderne et efficace, couvrant huit pays sud-américains. L'aviation, ses hommes et leur folie magnifique se sont emparés de l'entrepreneur, au point, qu'il s'endette plus que de raison, et passe outre à certains principes économiques fondamentaux. Il a démultiplié ses affaires, sa puissance et donc sa fragilité ; et il lorgne vers le transport du courrier en Amérique du Nord. Pour réussir dans son entreprise, Marcel Bouilloux-Lafont sait qu'il peut compter sur des hommes d'exception.

Si Pierre-Georges Latécoère s'est retiré — il conçoit des hydravions et les fait tester sur l'étang de Biscarrosse — Beppo de Massimi reste directeur général, et Didier Daurat directeur d'exploitation. Pour dominer

l'Amérique du Sud, vaincre les plages marécageuses et les tempêtes tropicales, la forêt vierge et la neige des Andes, ces meneurs d'hommes ont besoin des meilleurs pilotes. Un à un, ils vont tous venir. Certains ont pris les devants : Vachet, Deley, Rozès, Thomas, Bédrignans. Parmi ceux-ci, Paul Vachet est un pilote et un homme extraordinaire. Entré à la Compagnie Latécoère le 11 juin 1921, Vachet peut être considéré comme le vrai défricheur du continent, qu'il sillonne de la Patagonie à la Guyane. Repérant les terrains, auscultant les pistes, assurant les premières tractions, ce Bourguignon de Chalon-sur-Saône se taille un rôle à sa mesure, tenant à la fois de l'explorateur et de l'ambassadeur.

Le 28 novembre 1927, Jean Mermoz débarque à Rio de Janeiro. Il a fallu toute l'autorité de Didier Daurat pour qu'il consente à accepter le poste de chef pilote de l'aérodrome de Buenos Aires. Mermoz redoute en effet

par la Sud-Américaine de travaux publics du groupe Bouilloux-Lafont, elle va du nord d'Asuncion, au Paraguay, à la Patagonie. Saint-Exupéry est comblé par cette promotion. Elle lui permet, avec ses trois cents mille francs annuels, d'offrir à sa mère un séjour l'hiver sur la Côte d'Azur et l'été à Saint-Maurice-de-Rémens. En quinze mois d'Argentine, Saint-Ex écrit *Vol de nuit,* qui lui vaut la gloire littéraire. Le 18 mars 1930, il reçoit la croix de chevalier de la Légion d'honneur. Il a vingt-neuf ans.

Ils sont tous là, dans la fragile éternité de la jeunesse, de Collenot le mécano génial à Reine qui vide le chargeur de son pistolet les soirs de fête. Ils vivent fort et vite car ils ne peuvent être sûrs de leurs lendemains. Parfois, il y a un vide à la table du père Esch, la pension qu'ils fréquentent. Antoine de Saint-Exupéry n'aime pas Buenos Aires. Le centre ville est d'architecture très française, avec des boulevards inspiré d'Haussmann, des contre-allées,

Pavillon Chef mécanicien   Pavillon du personnel   Pavillon Chef escale   Hangar   Grue de mise à l'eau des Hydros

L'utilisation initiale et exclusive des hydravions pour la conquête de l'Atlantique sud nécessita la mise en service de diverses hydrobases. Trois furent totalement aménagées et équipées : celle de Saint-Louis, celle de Natal et celle de Porto Praia, installée sur Sao Tiago, l'une des îles de l'archipel du Cap-Vert.

d'être enseveli sous les rapports et la paperasse, d'être submergé par la vie de bureau, de troquer le ronflement des moteurs pour le cliquetis des machines à écrire. Il craint de ne plus voler mais apprécie à leur valeur les quatorze mille francs de son nouveau salaire. Il obtient rapidement de Pranville l'assurance qu'il continuera à effectuer des vols de reconnaissance vers le Chili, la Bolivie, le Paraguay. Très vite, il fait venir Guillaumet et Reine. La belle équipe se reconstitue à Buenos Aires. Il y a là Rozès et Delaunay, Vachet, bien sûr, et Guerrero, Négrin et Vanier. Saint-Exupéry les rejoint le 12 octobre 1929.

Après un stage de navigation à Brest, Saint-Ex est nommé directeur d'exploitation de l'Aeroposta Argentina. Compagnie sœur de l'Aéropostale, également financée

des grands magasins. Tout autour pointent les gratte-ciel et l'influence américaine domine. Saint-Exupéry réside au quinzième étage d'un de ces buildings, calle Florida, un appartement avec terrasse. Jean Mermoz, lui, s'est installé au neuvième et dernier niveau des Galeries Guemes, dans un appartement qu'il partage avec Victor Étienne, un pilote de la Ligne qui bientôt ne sera plus, et Nogaret, le vice-consul de France. Les trois célibataires se partagent également les faveurs d'une bonne et d'une cuisinière. Ils se vantent d'en changer souvent. C'est une vie flamboyante, le jour dans le soleil, la nuit sur le bitume, où le spleen succède à l'exaltation.

Buenos Aires est la ville de tous les brassages, où affluent les gauchos des pampas et les Européens sans fortune, où se croisent les émigrants du monde entier. Comme d'habitude ceux de la Ligne débutent la soirée au Richmond Bar, rue Florida. L'un d'entre eux évoque la personnalité de Noé Trauman, juif anarchiste, proxénète excommunié et fondateur de la Warsavia, première société de prostitution légalisée. Un autre raconte que les voyous de Pigalle appellent l'Argentine le « grand marché » ou l'« empire aux trois mille bordels » et évoque celles qui se disent françaises, les Franchutas, ou les métisses aux fesses couleur de miel.

Mermoz et les autres sortent dans la nuit et, avant de rejoindre le Tabaris, une boîte qu'ils fréquentent tellement qu'elle va finir par leur appartenir, ils lèvent les yeux et regardent la Croix du Sud. Ils sont prêts à entendre une musique qui parle d'amour, de trahison et de mort, prêts pour le tango, cette pensée triste qui se danse. Marcel Reine, sans doute, fredonne : « Nostalgie

L A Ligne ne progresse plus, bloquée par la nuit, bloquée par les Andes. Le directeur général d'exploitation Julien Pranville et le chef pilote Jean Mermoz en parlent un soir, attablés dans un night-club. Dans la chaleur, le vin et la fumée, ils remarquent à peine les filles qui passent et évoquent leur raison de vivre et de mourir. La raison l'emporte chez Pranville, la passion chez Mermoz. Brusquement, Jean propose un vol direct de Rio de Janeiro à Montevideo, soit deux mille cinq cents kilomètres, il vient de dire l'impossible. Son voisin croit avoir mal entendu, Mermoz précise : « Je volerai de nuit. » Pranville est fasciné. Il sait que le vol de nuit est redouté de tous, c'est le grand danger puisque c'est le grand mystère. Les avions ne sont pas adaptés, les aérodromes encore moins. Contre les ténèbres, il n'y a guère que Mermoz et sa lumière intérieure, avec pour tout bagage un brevet de na-

Vedette de remorquage — Station radio — Pylones TSF

des choses qui sont passées / Sable que la vie a emporté / Regrets des quartiers qui ont changé / Et amertume du rêve disparu. » Ils prennent un taxi cassé, dont le chauffeur chante *En vivo* et vante Suzanna Rinaldi. Ils en prennent un autre et découvrent, à la place d'une vitre manquante, un portrait de Carlos Gardel, le grand maître du tango. Le chauffeur ne les écoute pas, il chante *Mi noche triste*, paroles de Pascual Contursi, musique de Samuel Castriota. Alors ils disent qu'ils sont de France et de Toulouse, comme Gardel, fils d'une repasseuse de là-bas. Leur nuit vraiment commence, les tangos sensuels et mélancoliques s'enchaînent ; celui-là raconte l'histoire de deux virtuoses du billard qui se défient pour une belle et, tandis qu'ils jouent comme ils n'ont jamais joué, elle les abandonne pour un marin qui passe.

La fêlure de l'aube les surprend, tandis que jouent toujours le bandonéon, la guitare et la mandoline, le violon, le piano et le hautbois. Dans sa tête, Saint-Exupéry écrit déjà *Vol de nuit* : « Aimer, aimer seulement, quelle impasse... Rivière eut l'obscur sentiment d'un devoir plus grand que celui d'aimer... »

vigateur et une lointaine expérience du vol de nuit avec son escadrille. Cette fois, ses camarades ne sont pas sûrs de souhaiter sa réussite. Car, après, ce sera leur tour.

Jean Mermoz s'envole dans la nuit du 16 au 17 avril 1928. L'avion suit la côte, il ne voit que les étoiles et quelques lumières égarées, il file vers Santos. On a balisé le terrain de trois feux d'essence, c'est suffisant pour qu'il se pose. Mermoz repart, cap sur l'Uruguay. Le jour entier défile, voici Montevideo, il se pose avec la nuit puis repart pour Pacheco. Trois lumières là-bas, trois feux à nouveau, Mermoz atterrit. Il a réussi. Chacun sent que rien n'arrêtera plus la Ligne. Bien sûr, les journaux, la concurrence et certains pilotes avancent que le temps était beau, que Mermoz a eu de la chance, qu'un unique exploit ne signifie rien. C'est dans la tempête que Mermoz recommence. Il passe. Il écrit à sa mère : « Je donne tout ce que je peux donner ; je finis par trouver que la vie est bien belle et que plus je la risque, plus elle a de valeur. Je suis heureux, tout simplement. » Il a triomphé de l'obscurité. En Amérique du Sud, l'Aéropostale avait gagné l'estime, elle vient de gagner du temps.

Toutes les aventures ne sont pas héroïques, certaines sont même extravagantes. À la suite d'une défaillance mécanique, Mermoz doit se poser sur une plage, Collenot s'apprête à réparer, la routine. Tandis qu'ils s'affairent, des hommes, dans un grand silence, se rapprochent. Lorsque Mermoz et Collenot prennent conscience de l'encerclement, ils regardent mieux et comprennent qu'ils ont atterri en enfer : ce sont des lépreux ; les malheureux sont persuadés qu'ils guériront en frottant leur peau suppliciée sur une chair saine. Les moulinets d'un bâton ne les troublent pas. Mermoz saisit son revolver et tire en l'air. Ils reculent enfin, certains prennent la fuite. Vite, ils bondissent dans l'avion et décollent. Pourvu que la réparation de Collenot tienne ! Elle tient.

Au fil des années, la logistique de la Ligne, bientôt baptisée Aéropostale, s'est petit à petit améliorée. À Montaudran on expérimente des projecteurs pour un atterrissage de nuit (en haut). À Pacheco, en Amérique du Sud, on installe un service radio itinérant (en bas). Les équipages se soudent, jusqu'à devenir indissociables. Antoine de Saint-Exupéry et le radio Néri se reposent avant de s'envoler à nouveau (à droite).

DANS son appartement des Galeries Guemes, Mermoz est un habitué des pensionnaires surprenants. Lors d'un atterrissage forcé le long du rio Paraguay, il manque d'être fusillé pour espionnage, ramène finalement un sanglier et un perroquet. Dans la baignoire, il héberge un phoque et un petit caïman ! Pour Jean, chaque aventure, grande ou petite, est le meilleur prétexte à un dîner magnifique où son appétit étonne l'assistance. À la suite d'un pari, quand il débutait sur la Ligne, il avait absorbé deux douzaines d'huîtres, un homard, un poulet et ses légumes, un camembert, deux douzaines de crêpes et quelques fruits pour faire passer...

Pour boucler l'unique tronçon de la ligne France-Amérique du Sud, il reste à atteindre Santiago du Chili et donc à franchir les Andes avec un avion inadapté : le Laté 25 à moteur Renault de 450 ch plafonne à quatre mille mètres. Vaincre les Andes... Almonacid, l'Italien Locatelli, les Chiliens Godoy et Cortinez puis Adrienne Bolland, le 1er avril 1921, sur un Caudron G. 3, y sont parvenus. Pour Mermoz, c'est le grand défi. Le 20 novembre 1928, le Laté F-AIEH, numéro 603, traverse les Andes par le sud, en suivant la voie du chemin de fer transandin. Jean Mermoz est associé au mécanicien Alexandre Collenot. Mais Mermoz veut franchir l'obstacle par sa partie la plus haute, par le plus court chemin.

Le 2 mars 1929, Mermoz, accompagné de Collenot et du comte de La Vaulx doit poser son appareil en panne d'alimentation entre Concepcion et Santiago. Les trois hommes, on l'a vu, se tirent de ce mauvais pas. Le 9 mars, Mermoz décide de passer par la route du nord, en plein cœur de la montagne. Brinquebalé par des vents violents, le Laté a mis une heure pour monter à quatre mille mètres. La montagne s'élève, selon l'endroit, de cinq mille à sept mille mètres. Mermoz explore, longe le mur, cherche un passage. Il prend ses marques. Soudain, il aperçoit une trouée à quatre mille cinq cents mètres d'altitude. C'est encore trop haut. Alors, au risque de s'écraser sur la paroi, il décide d'utiliser les courants as-

cendants. À la quatrième tentative, le Laté « prend l'ascenseur » et passe. La joie est aussi intense qu'elle est brève. Englué dans des courants rabattants, l'avion bascule, devient incontrôlable. Mermoz coupe les gaz, l'appareil heurte le roc, rebondit, retombe, saute de nouveau, s'affaisse, s'immobilise enfin. Le bilan est terrible : train faussé, béquille arrachée, pneu éclaté, longeron brisé, une partie de l'empennage arrachée. L'avion est irréparable.

Il fait moins 20 °C, Mermoz et Collenot n'ont rien, ni provisions ni vêtements chauds. Ils partent à pied, avec l'espoir insensé de franchir les cent kilomètres qui les séparent de la plaine chilienne. Le vent les transperce, ils marchent une heure, Mermoz se retourne : ils ont parcouru quatre cents mètres. Mermoz dit : « Collenot, il faut réparer. » Ils reviennent, travaillent tout le jour, toute la nuit. À l'aube, Collenot saigne du nez et des oreilles : le mal des montagnes. Ils travaillent. Une nouvelle nuit passe. Au matin, le moteur tousse, crache puis

tourne rond. Le gel fait éclater les canalisations. Ils colmatent avec des chiffons, du bois, des morceaux d'étoffe, du fil de fer, du chatterton.

Tandis que Collenot répare, Mermoz réfléchit au départ. Puisque la longueur de la piste improvisée est insuffisante, il ne reste qu'une seule solution, mais elle est complètement folle : se lancer dans la pente et au mètre près, rebondir successivement sur les trois plates-formes qui la prolongent. Il faut hisser l'avion le plus haut possible pour qu'il bénéficie du maximum d'élan. Ils l'allègent mais il pèse encore deux tonnes ; ils le déplacent en crabe, d'abord les roues, ensuite l'empennage, et ils mettent plusieurs heures à lui faire gravir cinq cents mètres. L'avion est face au précipice, Mermoz place ses repères. L'élan est encore trop court. L'aube s'est levée. Il relance le moteur, les tubulures cèdent de nouveau. Ils sacrifient leurs vêtements, Mermoz déchire sa veste de cuir. Ils n'ont pas mangé depuis cinquante heures. Leurs visages, ravagés par le froid, sont couverts de plaies. L'avion

roule maintenant, Collenot ne veut pas voir l'abîme. L'appareil rebondit sur le premier tremplin, puis sur le deuxième, le train ne cède pas, enfin sur le troisième. Le Laté 25 file dans le vide, Mermoz redresse, frôle la montagne, les canalisations explosent. C'est en vol plané, hélice calée, que Jean Mermoz descend sur Copiapo où il se pose vers midi. Il doit réveiller Alexandre Collenot, endormi. Le miracle des Andes s'est produit.

Cette montagne ne rend pas ses prisonniers. On écoute Mermoz, on ne le croit pas tout à fait. Un mois plus tard, il faut qu'une caravane atteigne le plateau des Trois-Condors et récupère, sur ses indications, un réservoir d'essence, un cric, une banquette, pour qu'on admette l'invraisemblable. Pour Mermoz, c'est la gloire. Son portrait est partout, dans les journaux, sur les bouteilles d'apéritif et les paquets de cigarettes. Un grand café de Buenos Aires sert le cocktail Mermoz.

Les Andes sont franchies mais, pour que la victoire soit durable, il faut remplacer les Laté 25 sur ce tronçon de la Ligne. Didier Daurat achemine lui-même les nouveaux Potez 25 à moteur Lorraine de 450 ch. Dès le 14 juin, Daurat, piloté par Mermoz, s'envole vers 10 heures de Buenos Aires, franchit la Cordillère sur un Potez 25 et se pose à Mendoza en milieu d'après-midi. Le lendemain matin, porteurs de quarante et une lettres, ils repartent pour Santiago, suivent le tracé du Transandin et atterrissent sur le terrain de Copiapo.

Une semaine plus tard, Daurat charge Guillaumet d'assurer les vols hebdomadaires entre Buenos Aires et Santiago. Le lundi 15 juillet 1929, le Laté 26 F-AIHL piloté par Mermoz, avec Guillaumet à son bord, décolle de Buenos Aires avec le premier courrier officiel France-Argentine-Chili. À Mendoza, ils changent d'avion. Jean, aux commandes du Potez 25 F-AJDY, montre le chemin à son ami : vallée de Las Cuevas, Uspallata, vallée du rio Mendoza, la frontière chilienne au col du Christ-

Rédempteur, l'Aconcagua, la Laguna de Los Incas. Au sud, c'est Santiago, le vol a duré une heure et quarante-cinq minutes. Le 18 juillet, Mermoz et Guillaumet traversent la montagne dans l'autre sens avec, dans le Potez 25 F-AJDX, cinq cent quatorze lettres postées à Santiago. Maintenant, c'est au tour de Guillaumet de devenir le héros des Andes.

Vendredi 13 juin 1930. Guillaumet n'est pas superstitieux. C'est pourtant lors d'un autre vendredi 13 qu'il a connu son unique accident d'aviateur. La veille, le 12 juin, il a déjà essayé de passer les Andes. Son Potez 25 quitte Santiago vers 14 heures. Une tempête de neige, un vent soufflant à plus de cent kilomètres à l'heure l'obligent à faire demi-tour. À 15 h 10, il se pose sur le terrain de Colinas. Sa 92e traversée attendra le lendemain.

Le 13 juin, à l'aube, Henri Guillaumet consulte la météo fourni par Mendoza : « Ciel couvert avec trous. » Il va lui falloir se faufiler entre les nuages. Depuis près d'un an, il effectue le trajet aller et retour. Il connaît la Cordillère par cœur. 8 heures : il y a beaucoup de vent encore, trop de vent pour Massier, le chef de piste. Guillaumet décide de partir quand même et de suivre la voie de chemin de fer du Transandin. La routine. Le Potez n° 1522, immatriculé F-AJDZ, décolle.

AUTOUR de Guillaumet tout est blanc, cotonneux, invisible, jusqu'à huit mille ou neuf mille mètres. Il ne passera pas par là, il lui faut se dégager. Il choisit une autre route, par la Laguna Diamante, un grand lac perdu au milieu des Andes. Guillaumet longe la montagne vers le sud, calculant sa dérive. Le Potez 25 vole à six mille cinq cents mètres d'altitude. Le brouillard se fait plus dense, le pilote n'aperçoit plus l'extrémité des ailes du biplan, sa concentration est extrême. Les remous se multiplient, les secousses s'accentuent. Brusquement, il sent l'avion aspiré vers le bas. Il veut faire demi-tour, trop tard, la perte d'altitude s'accélère, les commandes sont molles, la neige pénètre partout, le gifle, le griffe ; Guillaumet aperçoit maintenant une masse noire, la Laguna Diamante. En deux ou trois minutes, il a perdu trois mille cinq cents mètres. Guillaumet parvient à stabiliser le Potez et se met à décrire des cercles pour attendre une éclaircie. Le carburant vient à manquer. Il lui faut atterrir, quels que soient les risques. Il cabre son Potez 25, coupe les gaz, l'avion file, la neige le freine, il la creuse, l'entasse et, dans l'impossibilité de franchir l'obstacle qu'il a lui-même accumulé, se renverse. Guillaumet détache les courroies, se laisse glisser dans la neige. Le

train du Potez est faussé, les hélices sont tordues, le vent est si puissant que le pilote manque d'être renversé. Guillaumet lève les yeux : il est prisonnier des Andes, à trois mille mètres d'altitude. Il est 11 h 35.

Il arrache la trappe de visite du palonnier et s'en sert comme d'une pelle. Il creuse, tasse la neige, déploie son parachute tel un drap, se construit un abri. Il dispose les sacs de courrier tout autour de lui pour se protéger du vent puis compte ses vivres et son matériel de survie : une demi-bouteille de rhum, deux boîtes de sardines, une de corned-beef, deux boîtes de lait, plus une boîte d'allumettes, un réchaud à alcool, une boussole, un couteau, une lampe électrique. Il allume le réchaud, boit un peu de lait tiédi, s'enfonce dans sa cachette et attend. La tempête dure deux jours et deux nuits. Henri Guillaumet ne dort pas. Blotti dans son parachute, il se raconte des histoires, les siennes, il s'y réchauffe. Il voit Bouy, son village natal de Champagne, non loin de Châlons et de Bar-le-Duc, le hangar d'Henry Farman, le grand aviateur qui s'était installé tout près. Il prend son portefeuille, en extrait la photo de sa femme Noëlle, une Suissesse rencontrée à Dakar, et ferme les yeux. Il somnole. D'autres souvenirs l'assaillent, se mêlent au vent hurlant, celui de Charles Nungesser, l'As de la Grande Guerre aux quarante-trois victoires, qui l'a formé à l'école d'Orly. Guillaumet sait que les avions de recherche ne peuvent pas décoller, il attend, il prend des forces.

DIMANCHE. La tempête s'est apaisée dans la nuit. Il fait froid et sec. Guillaumet est persuadé que ses camarades seront bientôt là. Il branche les accumulateurs aux fusées et attend. Vers 9 heures, il perçoit le ronronnement caractéristique d'un Potez 25. Le cœur bondit, Guillaumet est debout ; il est inutile d'agiter les bras car le Potez va le dépasser. Il faut vite utiliser les fusées. Deux mille mètres au-dessus du pilote naufragé, Deley n'a rien vu et s'éloigne. Guillaumet reste prostré de longues minutes. Que faire la prochaine fois, mettre le feu à l'appareil ? Peu à peu, il comprend qu'il n'a qu'une solution : marcher vers l'Argentine, parcourir une soixantaine de kilomètres en haute montagne, sans équipement spécialisé. Après cette tempête, il peut compter sur trois ou quatre jours de beau temps et sur cinq jours de vivres. Sur le fuselage du Potez 25 renversé, Henri Guillaumet écrit : « N'ayant pas

été repéré par l'avion, je pars vers l'est. Adieu à tous. Ma dernière pensée sera pour ma femme. »

À l'ombre du volcan Maïpn, qui frôle les sept mille mètres, il marche dans la neige, parfois s'enfonce d'un mètre, s'extirpe, refait un pas, puis un autre. Il a mis son pardessus sur sa combinaison, des chaussons fourrés sur ses chaussures basses. Ses vêtements trempés l'alourdissent. Il lui faut passer un col culminant à quatre mille mètres avant la nuit. Il dérape, redescend de quelques mètres, repart obstinément. Il ne pense à rien, l'escalade est trop pénible. Soudain, il perd l'équilibre, et dévale la pente sur trois cents mètres, la neige molle le bloque, il n'a pas lâché sa valise. Il remonte. Quand il tourne la tête, il voit son avion presque à portée de main. S'il arrête, s'il dort, il sait qu'il va mourir de froid. Alors il continue, souffle de temps en temps, assis sur son bagage. Henri Guillaumet passe le col au petit matin.

Avec des sommets culminants à plus de six mille mètres, les Andes ont posé maints problèmes aux pilotes de la Ligne (pages précédentes). Le 13 juin 1930, Guillaumet fut victime d'un accident près de la Laguna Diamante. Il survivra au terme d'une incroyable marche forcée.

Lundi. Dans une vallée étroite, il se retrouve face à un mur infranchissable. Il doit revenir sur ses pas, longer la montagne, trouver un passage. Il se décide pour un pic de trois mille mètres. Vers 16 heures, le moteur d'un Potez se fait entendre. C'est Saint-Exupéry, il en est sûr. Le temps infime d'espérer et il se retrouve seul, absolument seul. La nuit vient. Il se réchauffe les pieds dans une chemise sèche sortie de sa valise, les entoure de son cachenez. Il allume la lampe électrique, contemple la photo de sa femme et se remet en marche, la lumière accrochée à un bouton de sa combinaison. Il pense que, si son corps n'est pas retrouvé, sa femme devra attendre quatre ans pour toucher le capital de son assurance. Il gravit l'obstacle très lentement, s'arrête, les pieds en sang, boit une gorgée de rhum. Le temps d'allumer le réchaud, il enlève un gant que le vent emporte. Le jour se lève quand il arrive au sommet.

Mardi. Pour toute l'Amérique du Sud, Henri Guillaumet est mort. Dans les bureaux de l'Aéropostale, sa photographie est encadrée d'un crêpe noir. Sa femme, Saint-Exupéry, Mermoz espèrent. Guillaumet, lui, marche jusqu'à une gorge aux parois abruptes. Sur les rochers, le long du torrent, il s'essaie à une marche cahotique, trébuche sur les éboulis, multiplie les chutes douloureuses. Alors, il entre dans l'eau glacée du rio et continue enfin sa progression. Tout est si lourd, ses vêtements et ses pas. Le froid l'a envahi, son esprit dérive vers son enfance, les peupliers de la Vesle, la pêche à la truite, le beau nom de l'instituteur, monsieur Gentil. Il marche en pensant à sa mère morte en mettant au monde son quatrième garçon quand il avait deux ans, à ses courses à la récréation, cette délivrance du corps, car le petit paysan n'appréciait guère l'école. Il songe aussi à la joie pure du premier vol, un vrai baptême, revoit le visage du pilote

Après de nombreux essais, le Laté 300 devint opérationnel en 1933. En juillet, il reçut son nom de baptême : la *Croix-du-Sud*. Le commandant Bonnot avait lui-même conçu son signe particulier : un goéland survolant la mer avec en arrière-plan la constellation de la Croix du Sud. Cet hydravion de vingt-trois tonnes nécessitait des aires de décollage imposantes (pages suivantes, au départ de Buenos Aires).

qui l'avait emmené sur son Voisin : c'était pendant la guerre, les soldats étaient partout en Champagne, il était radieux, il avait quatorze ans. Sa femme, ses copains lui donnent tant de forces. Il a la tentation d'en finir, mais s'il se laisse glisser maintenant dans l'eau glacée, il n'est pas digne de leur confiance, il est un salaud. Henri Guillaumet marche. Sa combinaison est trop pesante, il l'ôte et la jette. Malgré le froid qui mord, il est soulagé. Ses bourdonnements d'oreilles sont de moins en moins supportables. Pour les oublier, il pense au bruit d'un moteur, celui de son avion le jour de son brevet de pilote, quand il a fièrement survolé son village. Au souvenir de l'atterrissage raté, il sourit malgré ses lèvres crevassées. Le visage de Seitz, son moniteur, le premier vol en solo, lui reviennent en mémoire. Guillaumet a parcouru trois kilomètres en vingt-quatre heures.

MERCREDI. Le passage s'est adouci. La vie à nouveau l'envahit. Il dérape sur une plaque de glace, dégringole dans un ravin ; il lâche la valise, perd la lampe électrique, s'arrête brutalement sur un gros rocher. Il a dévalé cinquante mètres. À demi assommé, Guillaumet ne bouge plus. Plusieurs heures passent. Il se relève. Il n'a plus de forces, il est au bout du voyage. Tout son corps le fait souffrir, surtout le côté droit; il a les chevilles en sang, ses pieds ont tellement enflé que, d'un coup de couteau, il fend ses chaussures, ses genoux ne sont que des plaies. Il se remet en route. La vallée s'élargit. Il veut traverser le rio, chute lourdement dans l'eau, le courant l'emporte, il s'agrippe à un rocher, atteint l'autre rive. Le soir vient, il marche toujours.

Jeudi. La neige a disparu. Il se désaltère dans le rio et aperçoit une piste. En bon paysan, Henri reconnaît du crottin de mulet. Il abandonne son manteau. Malgré sa faiblesse, il progresse vite maintenant. Il est euphorique, mange de l'herbe, repart, s'effondre, se relève. Il n'est plus seul : des chèvres, des chiens ; une femme le regarde. Il dit : « *Aviador* ! » Elle s'enfuit, Guillaumet s'écroule. Elle revient sur ses pas, parvient à le hisser sur

le mulet. Quand il reprend connaissance, elle est penchée sur lui. Il comprend qu'il est dans une maison de garde du rio Laucha, à mille mètres d'altitude. Dans cette pièce unique vivent cette femme, ses deux enfants, le mari qui n'est pas encore rentré. Il boit du lait de chèvre mélangé à de l'eau-de-vie. Il voudrait dormir, n'y parvient pas, se lève, s'installe près du feu. Le mari, stupéfait, incrédule, comprend que c'est l'aviateur que l'on recherche. Dans l'hiver austral, il a marché depuis la Laguna Diamante. C'est impossible, incroyable. Il se précipite au village

pour prévenir la police de San Carlos.

Vendredi. Antoine de Saint-Exupéry déjeune dans un restaurant de Mendoza, il vient de se poser, il va reprendre l'air, la porte s'ouvre : « Guillaumet est vivant ! » Saint-Ex se précipite sur le terrain, décolle avec Lefebvre et Abry, les mécanos. De son côté, Guillaumet a quitté le rancho à cheval. Une quinzaine de kilomètres et il rejoint la voiture de la police. Saint-Exupéry vole depuis trois quarts d'heure, lorsqu'il aperçoit cette auto solitaire, Guillaumet est dedans, il en a la certitude, il se

pose sur la route. C'est Henri, c'est lui. Henri ! Ils pleurent en silence. Antoine de Saint-Exupéry accompagne Henri Guillaumet à Mendoza, le couche, le veille. Le lendemain, il organise la fête au Plaza Hotel.

Le 7 juillet, Guillaumet est dédommagé de sept cent quatre-vingt-quatorze pesos, somme couvrant la perte de : « une valise, deux costumes de ville, un manteau, un chapeau, un chandail, deux chemises, deux caleçons, une ceinture de cuir tressé, une paire de gants de cuir, un pyjama, deux cravates de soie, une trousse de toilette en

Entré chez Latécoère en 1915, Marcel Moré a gravi plus d'un échelon avant
d'être nommé chef de l'aéroplace de Pelotas. Souvent, il allait au devant
des avions récupérer le courrier qu'il apportait en ville dans son Amilcar.

cuir jaune, une paire de guêtres-chaussures basses, une paire de lunettes de vol, une montre bracelet or, deux paires de chaussures basses ». Quelques mois plus tard, l'été venu, une expédition menée par Jean-René Lefebvre retrouve le Potez 25 d'Henri Guillaumet sur les rives de la Laguna Diamante. L'avion, démonté, est descendu à dos de mulet, et le courrier, récupéré, est distribué.

Ils ont échappé à tout. Et ils ont vieilli. Un jour, à Bahia Blanca, en Argentine, Jean Mermoz rencontre Gilberte Chazotte. Elle lui plaît beaucoup, il lui plaît énormément. Jean écrit à sa mère, Mangaby : « Il s'agit d'une jeune fille de dix-neuf ans, française, passant six mois ici, six mois en France, en tout cas une vraie jeune fille, pas pédante quoique bachelière, pas garçonne quoique moderne. Je l'aime, maman, vraiment comme je suis capable d'aimer... » Mermoz vole et pense à Gilberte. Il connaît d'autres femmes mais pense à elle. Il sait que, s'il se marie, il lui faudra moins voler, que le père de la jeune fille, ancien consul de France, souhaiterait qu'il y renonce une bonne fois pour toutes. Alors, il survole Buenos Aires de nuit avec toute la famille étonnée, épanouie puis conquise. Jean et Gilberte se marient à Paris, le 23 août 1930 à la mairie du 15ᵉ arrondissement, le 25 août en l'église Saint-François-Xavier.

Cinq jours plus tard, en fait de voyage de noces, Mermoz essaie dans les Pyrénées le Laté 28 modifié. Le fuselage se tord, l'appareil tombe en vrille. Mermoz essaie de se dégager mais la trappe se révèle trop étroite pour les

épaules de cet athlète de quatre-vingt-sept kilos. L'aile gauche est arrachée, l'essence jaillit, l'avion se disloque. Mermoz ouvre enfin son parachute, la toile est déchirée par les morceaux du Laté. Il percute le sol à la vitesse de quatorze mètres seconde. Il n'a aucune fracture mais passe quand même trois jours à la clinique de Toulouse, avec, comme infirmière, sa femme Gilberte.

Antoine de Saint-Exupéry rencontre Consuelo Suncin de Sandoval en septembre 1930 à Buenos Aires. Elle vient d'arriver de France par bateau. Elle a vingt-huit ans, elle est brune, élégante, très séduisante. Curieusement, elle n'avoue jamais qu'elle est née au Salvador, d'ailleurs elle est souvent entre vérité et mensonge. Consuelo est veuve. À dix-sept ans, elle a épousé Gomez Carillo, alors âgé de soixante ans, consul de plusieurs pays sud-américains à Paris, qui fut l'un des séducteurs de la Belle Époque : Mata Hari comptait parmi ses intimes. Saint-Exupéry se prend à aimer cette femme libre, sensuelle et singulière. Quelques mois plus tard, ils sont en France. André Gide les reçoit et porte ce jugement : « Grand plaisir de revoir Saint-Exupéry à Agay... il a rapporté de l'Argentine un nouveau livre et une fiancée. L'ai beaucoup félicité ; mais du livre surtout ; je souhaite que la fiancée soit aussi satisfaisante. » Dans l'après-midi du 11 avril 1931, Antoine et Consuelo se marient civilement à Nice. Elle est très belle et très émue sous sa mantille. Quelques semaines après, elle s'enfuit dans les Alpes. Elle reviendra.

LES héros sont mariés. Une vie prend fin. Bientôt, la Warsawia, pourtant devenue personnalité juridique, sera dissoute grâce à l'action conjuguée de Raquel Liberman, prostituée, Julio Alsogaray, commissaire, Rodriguez Ocampo, juge d'instruction. Bientôt Carlos Gardel chantera son dernier tango et trouvera la mort à Medellin, dans un accident d'avion. On lui élévera une statue dans le cimetière de Chacarita, à Buenos Aires, et ses fidèles renouvelleront éternellement la cigarette allumée glissée entre les doigts de pierre. Bientôt, l'Aéropostale, n'existera plus. Bientôt Marcel Bouilloux-Lafont, effondré, ruiné, finira tristement ses jours dans un pauvre hôtel de Rio de Janeiro.

C'est un roman policier, une formidable affaire politico-financière, un complot, une machination peut-être, à coup sûr un scandale comme la France de l'époque sait les inventer et s'en délecter. Plusieurs affaires s'entrecroisent, mêlant l'économique et le politique, l'intérêt général et les intérêts personnels, les visions d'avenir et les vœux utopiques, les voyous et les responsables de tous bords, les renseignements généraux, le deuxième bureau, la Sûreté nationale et les élus du peuple. Pour l'Aéropostale, le groupe Bouilloux-Lafont s'est à l'évidence lourdement endetté. On ne construit pas quinze aérodromes dans toute l'Amérique du Sud, plus une vingtaine d'aéroplaces, on ne crée pas le service maritime entre Dakar et Natal, on ne modernise pas les escales africaines sans prendre des risques financiers. Heureusement, il peut compter sur la banque familiale d'Étampes... Le jeudi noir d'octobre 1929 à Wall Street bouleverse tout. L'économie sud-américaine est ébranlée. En octobre 1930, la révolution éclate au Brésil. Marcel Bouilloux-Lafont vient de signer avec le Portugal un contrat d'escale aux îles du Cap-Vert et aux Açores. Il peut dorénavant dicter ses conditions à la Pan Am et aux Imperial Airways. C'est son plus beau succès de patron de l'Aéropostale mais une victoire inutile, une victoire pour l'honneur.

La conjoncture s'alourdit, l'argent devient rare, les subventions gouvernementales tardent. Le 28 mars 1931, la banque Bouilloux-Lafont dépose son bilan. L'Aéropostale est déclarée en cessation de paiement et demande à bénéficier d'un moratoire. Le 31 mars, elle est mise en liquidation judiciaire, tandis qu'à Oran, Jean Mermoz bat un record du monde en circuit fermé. Son équipier, Antoine Paillard, victime d'une crise aigüe d'appendicite, refuse d'interrompre la tentative et meurt quelques jours plus tard. La suite de l'histoire de la Ligne est extrêmement complexe et lamentable. Pour beaucoup, les intérêts du pays ne se situent pas en Amérique du Sud mais en Afrique et en Extrême-Orient où se trouvent les colonies françaises. Pour d'autres, ce sont parfois les mêmes, il est temps de regrouper l'ensemble des compagnies françaises, que domine l'Aéropostale, la plus prestigieuse et la plus importante d'entre elles, en une seule société, privée ou publique. Sur ce fond théorique se greffent des luttes de clans et des jalousies, des ingratitudes, des tromperies et des incompréhensions. Beppo de Massimi démissionne le 15 juin 1931. La convocation discrète de Didier Daurat par le ministre de l'Air provoque la colère de Marcel Bouilloux-Lafont qui crie à la trahison. Daurat est d'ailleurs bientôt licencié, accusé d'ouvrir certaines enveloppes ! Jean Mermoz et Antoine de Saint-Exupéry, dans une lettre virulente adressée aux administrateurs provisoires de la société, prennent sa défense. Ceux de la Ligne se divisent, il faut cependant assurer l'essentiel et continuer à voler. Les contrats de l'Aéropostale sont remis en cause, puis dénoncés. Ne subsiste plus que la ligne principale Toulouse-Buenos Aires.

En février 1932, un second scandale éclate. André Bouilloux-Lafont fait expertiser certains documents puis les remet au ministre de l'Air Paul Painlevé. Ceux-ci mettent en cause plusieurs hauts fonctionnaires et notamment Emmanuel Chaumié, en charge de l'aviation civile. L'industriel Paul-Louis Weiller, soupçonné de liens avec l'Allemagne, serait à l'origine de chèques délictueux. Painlevé demande une contre-expertise et, le 2 août, dépose plainte contre X. Le procès se déroule à Paris en octobre 1932 et tourne à la confusion et au désavantage d'André Bouilloux-Lafont du fait des aveux d'un indicateur des renseignements généraux, Lucien Collin dit Serge Lucco, qui lui aurait fourni les faux. Interrogé par le juge d'instruction Brack, Mermoz dépose en faveur d'André Bouilloux-Lafont, en pure perte.

Propriétaires ou administrateurs de nombreuses sociétés, les Bouilloux-Lafont auraient pu user de transferts de trésorerie, quand l'Aéropostale s'est trouvée en difficulté. Ils prêtent ainsi le flanc aux accusations de malversation. Maurice Bouilloux-Lafont, vice-président de la Chambre, député radical de gauche et frère de Marcel, a lui-même été la cible d'une virulente campagne de presse dès février 1932. L'étau se resserre de plus en plus. En 1933, la SCELA, qui deviendra bientôt Air France, rachète l'actif de l'Aéropostale pour soixante-dix-sept millions et deux cent cinquante mille francs, une somme probablement trois fois inférieure au prix réel. Pour Marcel Bouilloux-Lafont, cela équivaut à une spoliation. Les 18 et 23 décembre 1933, la Pan Am et les Imperial Airways dénoncent vivement le contrat signé avec l'Aéropostale. L'aventure se brise.

Dix ans après que Jean Mermoz s'est évadé des Andes, Joseph Kessel marche dans Santiago et voit : Bar Mermoz. Il entre, commande sans doute un *pisco*, l'alcool blanc du pays. Il demande : « Vous avez connu Jean Mermoz ? » Dans la pénombre, le patron lui répond : « Oh! non... Mais avant que je prenne la maison, il est passé un jour ici, très vite, pour manger quelque chose, debout. Alors... Vous comprenez, c'était un tel honneur...»

5

La chute des anges

Le devoir n'a pas de prix. L'un après l'autre, les héros jouent leur jeunesse à la roulette de la vie, perdent pied ou se brûlent les ailes.

Pilote sans reproche, leader exemplaire, Jean Mermoz vole toujours à contre-courant. Plus haut, plus fort. Comme pour mieux anticiper l'issue fatale de sa quête.

Ses compagnons pouvaient-ils connaître d'autres destins ? Parce que la Ligne n'est déjà plus qu'un souvenir, Guillaumet et Saint-Exupéry disparaissent, eux aussi, au-delà de l'horizon.

APRÈS la mort de Jean Mermoz, Antoine de Saint-Exupéry écrit : « On ne se crée pas de vieux camarades. » Ils vont tous mourir, comme meurt peu à peu l'Aéropostale, comme s'estompe l'esprit de la Ligne : à l'époque héroïque succède l'âge industriel, les fous volants sont remplacés par les administratifs et les politiques. Des grands personnages de cette aventure immense, Alexandre Collenot, le mécanicien préféré de Mermoz, le compagnon des Andes, est le plus humble. La mort le prend le premier, comme dans un scénario parfait, pour que monte l'angoisse, pour que l'on comprenne que les acteurs principaux, que les héros eux-mêmes ne sont pas éternels.

Le 31 décembre 1935, Collenot ose parler à Jean Mermoz. Il dit : « Monsieur Mermoz, je ne voudrais plus faire la traversée qu'avec vous. J'ai deux enfants… » Il dit aussi : « Cette fois-ci, je ne reviendrai pas. J'ai usé avec vous mon contingent de chance, et puis le matériel n'est plus à la hauteur. Nous y passerons tous, monsieur Mermoz. Oui, j'en ai la conviction, nous y passerons tous ! » Il dit encore : « Si vous ne deviez pas revenir, monsieur Mermoz, je voudrais être avec vous… »

10 février 1936, à 15 h 10, heure de Paris, l'hydravion F-AOIK *Ville-de-Buenos-Aires* envoie son dernier message : « Ciel entièrement couvert, visibilité mauvaise, volons à cent cinquante mètres d'altitude. » Il se situe à cet instant au large du Brésil, aux environs du rocher Saint-Paul, où, quelques mois plus tard, sur la foi d'une folle rumeur, on croira Mermoz et son équipage de la *Croix-du-Sud* retrouvés.

Jean Mermoz remonte les Champs-Élysées en compagnie du journaliste Jean-Gérard Fleury. Un pressentiment l'assaille : il téléphone pour être rassuré. La nouvelle l'anéantit. Il ne reverra jamais ni Collenot, ni Ponce, Parayre, Marret et Salvat. Jean Mermoz pleure. Il va pleurer Alexandre Collenot comme un frère, un camarade, un compagnon, un frère d'armes. Il dira à Saint-Exupéry : « Collenot n'aurait dû disparaître qu'avec moi. La fatalité n'a pas été juste en divisant cet équipage… »

S'il croit en la justice, il n'est pas sûr que Jean Mermoz croie, dans ce cas précis, en la fatalité. Le 13 février, il décolle de Dakar sur le *Ville-de-Santiago,* un autre Laté 301, identique dans sa conception au *Ville-de-Buenos-Aires.* Ses sensations sont déplorables. Ses conclusions, sans équivoque, vont même l'opposer à Henri Guillaumet. Son rapport reste lettre morte. Sa démission est refusée. Le destin est en marche. Quinze mois auparavant, il a déclaré : « Pourquoi nous l'aimons, notre Ligne ? C'est parce qu'elle vit. Elle vit de tout ce que nous lui avons donné de nous-mêmes. Quand elle a débuté, nous étions dix-huit jeunes voués à son succès, de toute notre âme. De ces dix-huit, nous sommes quatre aujourd'hui et tous ceux qui manquent sont

Vainqueur de l'Atlantique, rescapé du désert et des Andes, Jean Mermoz fut, sans conteste, la figure de proue de l'aventure de la Ligne. Il s'opposa souvent à ses employeurs et ne partagea pas toujours leurs choix stratégiques, mais il jouissait, en échange, d'un immense crédit et d'une popularité équivalente au sein de l'opinion. Son combat se terminera bien avant terme : l'Archange eut les ailes brisées le jour où la *Croix-du-Sud* perdit le nord (pages précédentes).

Tout au long de sa carrière météorique, Jean Mermoz a flirté avec la mort. Le 21 février 1932, le CAMS 56 F-ALCG fut victime d'une fuite d'huile. Mermoz et Régnier furent contraints à un amerrissage forcé à cent huit milles nautiques au nord d'Alger. Ils seront secourus par le paquebot *Timgad* (pages précédentes). L'appareil et le courrier furent néanmoins perdus.

morts à leur poste, en pleine lutte, pour que la Ligne vive. […] Vous comprenez bien que, pour nous, leurs voix ne se sont pas tues. Elles commandent ! »

Et Collenot est mort. Mermoz s'est soudain durci : « Je veux bien tout risquer, même sur une brouette, mais à une condition, c'est qu'elle soit solide. Si on doit y rester un jour, que ce soit au moins avec une satisfaction de pleine confiance dans le matériel. » Mermoz, soudain fataliste ajoute : « Mon ambition ? … Voler, travailler dans la paix de nos luttes à nous, et crever comme Collenot, dans la mer, à cinq cents kilomètres de Paris, de ses arrivistes mesquins… »

Tout au long de l'année, les alertes vont se multiplier. Le 17 novembre, l'hydravion Latécoère la *Croix-du-Sud* échappe de peu à la catastrophe. Malgré les efforts du mécanicien Jean Lavidalie, l'hélice ne parvient pas à se mettre en drapeau. L'avion et une partie de l'équipage ont répété leur propre anéantissement à moins qu'ils aient voulu attendre, et le destin avec eux, que Mermoz soit à bord.

Janvier 1933 : Hitler prend le pouvoir en Allemagne. C'est la fin d'un monde. La Société centrale pour l'exploitation des lignes aériennes (SCELA) qui regroupe Air Orient, la CIDNA, Farman et Air Union, rachète l'Aéropostale le 31 mai 1933. 7 octobre : la SCELA devient Air France. La Ligne, telle que l'ont conçue et fait vivre Daurat, Mermoz, Saint-Ex, Guillaumet, n'existe plus. Il reste aux héros du désert, de l'Atlantique sud et de la cordillère des Andes, à s'effacer. Ils sont de trop. D'ailleurs, en cette année 1933, tous les Potez, ces avions qui faisaient des miracles, vont être envoyés à la casse, sauf un, racheté par les Argentins. Le légendaire Potez F-AJDZ, que pilotait Guillaumet le 13 juin 1930, est rayé des cadres le 23 juin.

Avant de mourir, il faut bien vivre. Les routes de Mermoz, Guillaumet, Saint-Ex divergent parfois, se croisent, se séparent à nouveau. Jamais ils ne sont loin les uns des autres. Simplement, après avoir vécu une aventure unique et collective, ils en vivent plusieurs, individuelles, chacun la leur, l'apprentissage de l'ultime solitude : celle de la mort. Henri Guillaumet vole. Jean Mermoz vole et devient le porte-parole de ses camarades de la Ligne, milite aussi pour les Croix-de-Feu, une ligue d'anciens combattants. Antoine de Saint-Exupéry essaie de voler ; il séduit, devient une star mondiale de la littérature. Il plonge dans une autre vie, à côté des nuages, à côté du ciel, puisque le bleu est si loin, puisque le bleu s'assombrit.

Jean Mermoz ne place rien au-dessus de l'aviation, en fait une mystique au point de se heurter sans retenue à Louis Allègre, directeur général d'Air France. Il s'oppose au ministère de l'Air, à toutes les administrations, aux autorités, en prenant fait et cause pour les avions terrestres contre les hydravions, trop lourds et trop lents. Au point de risquer sa place, sa réputation, son argent même, il soutient René Couzinet, un ingénieur de génie. Celui-ci souffre de deux handicaps majeurs : il n'a pas trente ans et il ne fait pas partie de l'establishment aéronautique. Cependant, il imagine et crée les plus rapides et les plus beaux multimoteurs du moment. Seules les autorités françaises n'en sont pas persuadées. Comment Mermoz, ce pilote, cet artiste, pourrait-il résister à un avion appelé l'*Arc-en-Ciel* ?

Puisque, croient-ils, il suffit de prouver, Mermoz et Couzinet décollent pour Buenos Aires le 16 janvier 1933. L'*Arc-en-Ciel* franchit les trois mille deux cents kilomètres en 14 heures 27 à la moyenne de 227 km/h. Tous les records sont battus. 15 mai : vol retour vers

Dakar. Une fuite se déclare, puis une seconde. On les colmate comme on peut, avec un cache-col, des chiffons… Il faut injecter cent vingt litres d'huile. Insuffisant, alors, on ajoute de l'urine et du champagne ! À trois cents kilomètres de Dakar, Mermoz est obligé de descendre à neuf cents mètres. L'*Arc-en-Ciel* et son pilote ne tiendront jamais. Ils tiennent. Huit mille personnes les acclament sur le terrain d'Ouakam : la moitié de la population de Dakar ! Le 18 mai, ils repartent pour le Bourget… Malgré l'arrêt du moteur central, ils atteignent finalement Paris sans encombre. L'accueil est à la mesure de l'exploit. L'équipage vogue de l'Élysée au Sénat, de la Chambre des députés à l'hôtel de ville. Pourtant, le certificat de navigabilité de l'*Arc-en-Ciel* n'est délivré qu'un an plus tard.

DES le lendemain, Mermoz, Dabry, Gimié, Collenot s'envolent sans attendre d'Istres pour le Chili. À bord du Couzinet 71, cent soixante dix kilos de courrier. Le 28 mai, l'avion est à Natal. Le 4 juin, l'équipage veut repartir. Impossible : le terrain est détrempé par les pluies. Mermoz obtient des autorités brésiliennes l'aménagement d'une piste sur l'île de Fernando de Noronha. Fraicheville, représentant d'Air France, certifie que tout doit bien se passer. En fait, la piste n'est absolument pas adaptée. C'est un miracle si l'*Arc-en-Ciel* ne capote pas. Guillaumet, si calme, jaillit de la carlingue, clé à molette à la main et se rue sur Fraicheville ! Pour sauver l'appareil du désastre, l'intervention de deux cents bagnards est nécessaire. Enfin, le 31 juillet, Mermoz s'arrache à la boue brésilienne. C'est le dernier exploit de ce pilote d'exception. Pour sa traversée record de l'Atlantique sud, il reçoit le Grand Prix de l'académie des sports d'un montant de vingt-cinq mille francs. Il en donne dix mille à son équipage, dix mille à la veuve du pilote Maurice Finat, et le reste à une souscription pour un monument à la mémoire de ceux qui ont laissé leur vie afin que vive la Ligne en Amérique du Sud. Mermoz est ainsi.

Tout se brouille. À Dakar ou à Buenos Aires, à Villa Cisneros ou à Santiago, c'était beaucoup plus simple : on risquait sa vie, on passait ou l'on mourait. Professionnellement, Mermoz s'adapte, à sa manière : plus il monte dans la hiérarchie d'Air France, plus il accumule les conflits. En 1934, il est nommé expérimentateur des avions terrestres. Il devient le second de Maurice Noguès, le Mermoz des lignes d'Orient. Les deux hommes s'estiment. Ils ont un langage commun : l'amour du métier. Au retour d'un raid, Noguès s'écrase dans le Morvan. Mermoz, Pichodou, Lanata, trois des acteurs de l'ultime aventure de la *Croix-du-Sud,* le portent en terre en Bretagne. Le 15 avril 1935, Jean Mermoz est nommé inspecteur général d'Air France. Il a trente-trois ans.

Il vient d'adhérer aux Croix-de-Feu, la ligue d'anciens combattants que dirige le colonel François de La Rocque, auquel va vite le lier un sentiment filial ; il incarne peut-être le père qu'il n'a pas eu. D'ailleurs, c'est sa mère, Mangaby, qui sert d'intermédiaire. Les certitudes de Jean Mermoz sont une dérive. Il croit à l'engagement social de la ligue. Il la respecte parce qu'en refusant de marcher sur l'Assemblée nationale lors des événements du 6 février 1934, en ne s'associant pas en cet instant aux organisations d'extrême droite prêtes à renverser la « démocrassouille », La Rocque a peut-être sauvé la République. Le 14 juillet 1935, Jean Mermoz, membre de la VIIIᵉ section parisienne et vice-président de la fédération nationale, est le porte-drapeau des Croix-de-Feu au pied de l'Arc de triomphe.

Écœuré par les politiques, par le démantèlement de l'œuvre accomplie en Amérique du Sud, par le sort injuste fait à Marcel Bouilloux-Lafont, par le projet de fusion entre Air France et la Lufthansa, à ses yeux scandaleux, presque irréel, par l'incompréhension des autorités devant les merveilles de Couzinet, habité par l'idée de la France, Jean Mermoz s'engage, et se fourvoie. Dans *Le Flambeau,* organe officiel de la ligue, il publie des récits d'aviation. Il écrit aussi : « Il faut que la jeunesse puisse retremper et affermir son esprit… Pour cela, elle doit se transformer immédiatement en une jeunesse aéronautique. Dans cette école sociale qu'est l'aviation, elle trouvera l'équilibre, la santé morale […], elle comprendra qu'il est possible de créer une atmosphère saine. »

Lorsque le mouvement est dissous par le gouvernement du Front populaire, La Rocque et Mermoz fondent le Parti social français. Le 12 juillet 1936, salle Wagram, discours de Jean Mermoz : « Je n'ai jamais fait de politique et n'aime pas cela. Seules les questions sociales me passionnent et m'intéressent. […] J'ai eu à en souffrir. D'autres en souffrent. Voilà pourquoi j'entre au Parti social français. Parce que ce n'est pas un parti de partis… » Plus loin, il ajoute : « Voyez-vous, moi, j'aime la mystique du chef. Je ne connais que le chef. Un chef d'équipage est le maître à bord après Dieu. En France, nous crevons de manque de chefs et quand nous en avons un, nous passons notre temps à le critiquer et à le juger. […] Ne critiquez pas votre chef, suivez-le. » Plus loin encore : « Les chefs commandent et la masse suit. »

Jean Mermoz est invité deux fois en Italie où il est reçu comme un héros. En mai 1932, il rencontre le ministre et aviateur Italo Balbo, qui est de ceux qui ont marché sur Rome avec Mussolini. En mai 1935, au cours d'une seconde visite, il doit être présenté au Duce lorsqu'un incident l'oppose au général Denain, ministre de l'Air : Mermoz n'a pas d'habit, il ne peut donc se rendre, selon le protocole, à la réception donnée par le Duce. Réaction de celui-ci, lorsqu'il constate l'absence de l'aviateur : « Mermoz peut aller partout en veston ! »

7e ANNÉE. · 3e SÉRIE. — N° 90.   HEBDOMADAIRE   SAMEDI 16 JANVIER 1937.

LE FLAMBEAU

40 C^mes   ORGANE DE LA RÉCONCILIATION FRANÇAISE   40 C^mes
DIRECTEUR : Lt-COLONEL DE LA ROCQUE

MERMOZ

« ... Une civilisation qui ne décrit servir qu'au progrès humain ».
MERMOZ.

« Il n'y a pas de plus grand amour que de donner sa vie... » J'ai toujours cru que la valeur réelle d'un homme se mesurait au pouvoir de se donner. Je ne dis pas : au goût du risque. Des garçons risquent tout, souvent, par manque d'imagination, par vanité, par bêtise.

Un Mermoz, lui, connaît le prix de cette vie qu'il sacrifie. Il ne cherche pas la mort, il se prémunit contre elle dans la mesure où la téméraire tentative le lui permet. Mais il ne tient plus compte de sa menace, une fois les précautions prises, et il part...

L'aviation, qui a élargi jusqu'aux étoiles l'empire de la Mort et qui trouble parfois avec des mitrailleuses le silence éternel des espaces infinis, a devant Dieu une excuse, une magnifique raison d'être : c'est d'avoir ouvert une route nouvelle à cette impatience de se dépasser soi-même qui fait toute la grandeur de sa créature — et quand une Nation est près de douter d'elle-même, c'est à ces audaces, à ces héroïsmes, qui lui font reconnaître sa vertu la plus haute, sa vocation de Fille de Dieu.

FRANÇOIS MAURIAC
de l'Académie Française.

Que ces pages consacrées à Mermoz apportent aux pilotes, aux mécaniciens, aux ingénieurs aéronautiques, l'expression de notre douleur, de notre foi, de notre espoir. L'aviation, école d'héroïsme, a la mission sublime et quotidienne de rapprocher les peuples, d'établir entre eux des rapports incessants : la seule ligne Dakar-Natal, du point de vue économique et diplomatique, obtenu en peu d'années des résultats éblouissants qui feront l'objet d'un article spécial.

C'est à ce rôle pacificateur, c'est à cet enrichissement spirituel et matériel de la Nation que nous avons voulu rendre hommage en célébrant son plus pur serviteur : Jean Mermoz.

LA ROCQUE.

Appel de Vie
PAR LA ROCQUE

Quand la communion des âmes a pu atteindre à un certain degré, rien ne saurait la rompre. J'en avais déjà eu l'éclatante certitude après la plus déchirante des douleurs paternelles. Voici que la disparition de notre Mermoz m'apporte une preuve nouvelle de ce triomphe de la Vie, quand elle s'est alimentée aux sources spirituelles.

Nos chemins se sont pour la première fois croisés voici moins de deux ans. J'ai connu, seulement par quelques confidences, quelques commentaires par ses émotions fugitives, par ses silences attendris ou tristes, le climat de sa jeunesse, le sens de sa vocation. Nos entretiens ne portaient guère sur nos passés respectifs. Il ne mentionnait le sien, il ne le profilait pas pour expliquer le présent, esquisser l'avenir. Presque jamais de déjeunes ou de dîners — une dizaine au maximum depuis 1935, dont la plupart chez lui ou chez moi — pas une : seule rencontre « mondaine » ; rien que des conversations à la fois sérieuses et sereines, au calme du bureau ; rien qu'un voyage à son bord depuis la Provence jusqu'en Algérie. M'a-t-il vraiment quitté ? Je ne le ressens pas.

Si précise est restée dans ma mémoire l'expression ardente et recueillie de sa physionomie, la vivacité de son regard rayonnant d'intelligence et de bonté que je perçois mal un changement réel entre nos relations d'hier et celles d'aujourd'hui. Aucune déception ne déforme l'image pure que je me suis fixée de lui. Nul obstacle matériel ne voile sa silhouette énergique et droite. M'a-t-il vraiment quitté ? Je ne le ressens pas.

Sa pensée ne saurait évoquer en moi que la Vie elle-même. Elle me requiert de transmettre cette évocation à qui veut bien me suivre.

☐ ☐ ☐

Son attitude coutumière était le plus souvent grave, parfois mélancolique. Notre but réconciliateur, la tâche sociale, l'œuvre pour l'enfance et la jeunesse, son métier d'aviateur étaient ses raisons d'enthousiasme. La tendresse réciproque entre son admirable Mère et lui était sa douceur suprême.

S'il a jamais vibré de colère, c'est devant la stupidité des sectarismes, devant la méconnaissance des solidarités civiques, devant l'indifférence, l'injustice à l'égard de ses « signes » et de leurs admirables pilotes, radios, mécaniciens. Sa joie éclatait subitement dès l'approche du « terrain » à l'ascension vers la limpidité et le mystère de l'espace. Je n'oublierai jamais notre rencontre à Marignane, avant l'envol vers Alcudia. C'était déjà un autre Mermoz, presque enfant dans sa gaîté, dans sa gaminerie pourrait-on dire. Puis ce fut le départ : explosion de bonheur, Mermoz chantait, respirait à pleins poumons, délivré, semblait-il, à tout donné, il a tout dominé. Conscient de notre dette immense, il avait fraternellement ressenti la grandeur et la vérité du vers d'Horace : « Os homini sublime dedit... » Il a donné à l'homme un visage tourné vers le Ciel !... »

☐ ☐ ☐

Si exceptionnels fussent son indulgence et sa générosité, il ne pardonnait ni à l'égoïsme, ni au snobisme, ni à l'apathie. Son horreur du matérialisme soviétique, des complots entretenus chez nous par le Komintern trouvait une exacte mesure dans son mépris des « immobilismes » et des « modérantismes », introducteurs, justificateurs, de révoltes populaires. Sa foi indestructible dans nos hautes disciplines françaises du Travail, de la Famille et de la Patrie le portait aux curiosités sympathiques vis-à-vis de qui prétendait les servir par des moyens différents des nôtres. Il accordait volontiers sa confiance : la duplicité lui causait une douleur physique, un insurmontable dégoût. Ses observations sur les hommes étaient toujours marquées d'une bienveillance naturelle ou d'une inflexible farouche suivant que la franchise des convictions lui en blair probable ou douteuse. Je ne suis pas près d'oublier le récit qu'il m'apporta de sa dernière entrevue avec un ministre ; il m'avait fraternellement questionné sur l'opportunité de cette rencontre ; il m'avait filialement consulté sur l'expédience de son renouvellement.

« Il avait le culte du Chef, mais le voulait « travaillant », servant ; il n'avait qu'éloignement pour les titres et respect pour la fonction. Son courage héroïque et simple condamnait le risque improductif, réprouvait le danger inutile, détestait le sacrifice des existences, des libertés d'autrui pour des fins personnelles, publicitaires.

Vivre sa vie, immoler son prochain à l'épanouissement, au rendement de sa propre valeur lui apparaissaient comme des monstruosités. Il pratiquait seulement le don de soi-même.

☐ ☐ ☐

Mermoz ne nous a pas quittés. Son envolée merveilleuse l'a jeté en avant de nous, non point vers une Éternité lointaine et inaccessible, mais au sommet du Présent. Il nous désigne impérieusement la direction de l'Avenir. Suspendre notre marche vers le progrès, vers la réconciliation serait le renier. C'est alors qu'il nous perdrait.

Je ne lui parlerai jamais comme à un Mort ni dans la louange, ni dans l'affection, ni dans la tristesse. Car il demeurera Vivant.

MERMOZ...
MERMOZ...
MERMOZ...

Mermoz... Mermoz!... Les syllabes de son nom, nous voudrions en faire une ombre vivante. Ce n'est plus possible !

Mermoz n'est plus. Et ma mystère de sa fin sort un autre Mermoz, plus Mermoz que lui-même.

L'éternité, le change en un exemple étonnant... Il semble que son départ est encore affiné, fondu, forgé, le métal de cet homme.

Nous qui le suivions vivant, saurons-nous encore le suivre, mort, écouter les ordres et les conseils qu'il nous adresse encore...?

Mermoz de chair et de sang, adieu !

Mermoz, symbole et drapeau, salut !

Il nous avait donné sa vie, il nous donne sa mort. Il a tout donné.

Conscients de notre dette immense, nous multiplions les raisons de prononcer son nom... Nous aurons une rue Jean Mermoz. Nous aurons un timbre Jean Mermoz. Nos lettres voleront à Natal sur la ligne Jean Mermoz. Nous allons ériger des monuments Jean Mermoz. Il y aura quelque jour, dans une école, une promotion Jean Mermoz.

Certes, par là, nous honorons sa mémoire, mais bien davantage, nous multiplions le don qu'il nous fit de lui-même... En vérité, cette rue, ce timbre, cette ligne, cette promotion, c'est à nous que nous les offrons.

Comment alors nous acquitter si peu que ce soit ?

En continuant la tâche qu'il avait commencée.

En établissant chez nous, autour de nous, pour nous, l'ordre, la discipline et l'honnêteté.

Au nom de la fraternité et de la compréhension, par la vertu de la force et de la volonté.

Didier POULAIN
(Suite page 3)

Le destin des Aigles

Ainsi, Mermoz aura connu jusqu'au bout le destin des aigles. Pendant les années de mon aventure africaine, au cours de mes longues randonnées à travers ce continent noir où vivent volontiers les grands oiseaux épris de pure liberté, j'ai rencontré souvent des cadavres de bêtes que la maladie, les serpents, la foudre ou la chute d'un arbre avaient tuées ; je n'ai jamais vu de cadavre d'aigle, ni même recueilli de ces plumes orgueilleuses qui échappent aux petits voraces. La nature, semble-t-il, se dérobe aux souillures de la mort.

Mermoz a été frappé en plein vol, au milieu de son équipe si courageuse et si dévouée, l'océan a effacé la trace de sa chute... pleurons, mais relevons la tête. Il nous a donné un grand exemple de noblesse, à une époque où la haine, l'égoïsme et la passion partisane tiennent lieu de sentiments élevés, à une époque où l'enthousiasme a été tourné en ridicule.

Je ne connaissais pas beaucoup Jean Mermoz et je le regrettais souvent. Mais je suivais chacun de ses envols, chacune de ses tentatives. Car il était de ceux qui exaltaient notre âme, qu'une civilisation trop matérielle, malgré son progrès, tend à priver de ses élans les plus désintéressés.

Passionné des premiers pour l'aviation dont je ne voyais pas encore les menaces, j'admirais, j'enviais secrètement l'ardeur qui brûlait Mermoz au cours de cette lutte exaltée contre les périls de l'espace et les joies si pures que lui donnait son altitude solitaire.

Ces périls, il les connaissait, car il n'était pas de ceux dont le courage est fait d'insouciance. Et la vertu qu'il affermissait chaque jour par ses expériences renouvelées n'excluait pas, chez lui, un étonnant sens de l'ordre, une pratique de l'organisation, qui donnaient aussi confiance à ses équipiers, à ses collaborateurs.

Dans notre monde moderne, les Lasalle ne gagnent plus de batailles. Or, la bataille que livrait Mermoz à toutes les heures de sa vie d'homme-volant, il voulait la gagner pour son pays, pour cette France qu'il voulait grande en tous lieux, même sur les mers et au-delà des mers. Et il savait bien que les morts inutiles ne grandissent pas une collectivité humaine, qu'elle s'appelle race, nation ou pays.

Le ciel lui avait imparti des dons remarquables : la force physique et la délicatesse qui lui permettaient d'arracher du sol des tonnes de matériel sans à-coups, le sens de l'air et des éléments qui stupéfiaient les professionnels des vents et des nuages, le goût des responsabilités qui lui fournissait des décisions irréprochables, un enthousiasme naturel qui l'enlevait par-dessus les obstacles redoutés des âmes timorées, des âmes soucieuses, avant tout, de faire aviser leur signature.

André Demaison
(Suite page 2)

Photographie de la lettre qu'écrivit Mermoz le 27 juin au colonel de la Rocque au lendemain de la dissolution, des trahisons...

(Suite page 3)
(Suite page 2)

François de La Rocque, le plus jeune commandant de l'armée française en 1918, fut élu président des Croix-de-Feu, association d'anciens combattants d'extrême droite, en 1931. Jean Mermoz soutint son action avec conviction durant plusieurs années. Au lendemain de la disparition du célèbre pilote, *Le Flambeau*, l'organe du mouvement, lui rendit un vibrant hommage.

Tout se trouble. Antoine de Saint-Exupéry essaie d'ouvrir les yeux de son camarade, son frère. Ce sont des discussions interminables, parfois violentes. Les deux hommes argumentent mais Tonio ne peut convaincre Jean. Alors Saint-Ex écrit. Sur le colonel de La Rocque, symbole de « la faillite de la dignité humaine chez les droites qui se choisissent de tels chefs et doivent être bien pauvres pour se satisfaire d'un tel chantre ». Mermoz répond : « Social d'abord ! » Et : « Ce sera ma seule excuse si l'on me reproche de faire de la politique. Il y a des jugements qui ne peuvent plus me faire mal. » Très vite, le Parti social français est fort de quatre cent mille adhérents. Et Jean Mermoz se rapproche de Doriot, qui se vantera de son amitié. Il propose même la création d'un Conseil national des jeunesses aériennes qui, rêve-t-il, résoudrait tous les problèmes.

Octobre 1936, il lui reste deux mois à vivre. Devant le parc des Princes, quarante mille Croix-de-Feu et vingt mille communistes s'affrontent. Mermoz, qui est l'un des trois vice-présidents du mouvement, est inculpé de « délit de provocation à l'attroupement et reconstitution de ligue dissoute ». Le 8 octobre, la police judiciaire perquisitionne chez lui. Quelques jours plus tard, il est à Rio où on lui fait un triomphe. Quel aurait été l'avenir de Jean Mermoz, dans les années de feu qui approchent et qui vont anéantir l'Europe, engloutir un monde ?

Dans ces années trente, celles de la célébrité, Mermoz vit comme il vole, le plus vite et le plus haut possible. Comment Gilberte, sa femme, pourrait-elle l'accompagner ou même le suivre ? Le couple se distend. La jeune femme a reçu une éducation classique et bourgeoise qui l'a formée à la vie mondaine mais elle n'est guère préparée aux visites impromptues de la « bande à Mermoz », menée par Jeff Kessel, l'éditeur Gaston Gallimard et Marcel Reine, un aviateur qui pourrait être un chansonnier. Gilberte rêvait de la vie de salons, elle fait antichambre. Comment vivre avec un homme qui reçoit si jeune, il n'a pas trente-trois ans, les insignes de commandeur de la Légion d'honneur ? Joseph Kessel n'assiste pas à la cérémonie du 4 août 1934, au Bourget. Néanmoins, il écrit dans *Le Temps* : « Je vois ses épaules héroïques rai-

dies par l'émotion, ses traits doux et fermes fixés dans une sorte de lumière profonde, recueillie, rayonnante. Je sens toute cette indomptable bravoure, cette patience inépuisable, cette foi que rien ne peut réduire, dénoncées pour un instant et fondues dans une timidité d'athlète triomphant qui touche au but parce que seule une force intérieure l'y pousse et qui s'étonne de voir couronner des exploits qu'il considère comme indispensables et naturels. » Cette statue, ce monument, est-ce l'homme qu'elle aime et qu'elle émeut, le même homme qu'elle fait rire, qu'elle caresse ?

Gilberte et Jean Mermoz vont se séparer bien avant le 72e courrier sur l'Atlantique sud fatal au commandeur. Un enfant les eût réunis. Elle n'est pas prête pour la maternité. Et Mermoz, le risque-tout, avoue : « C'est le seul grand désir qui me reste, mais je n'ai pas le droit. » Une histoire d'aviation, forcément, provoque la déchirure. Édouard, le jeune frère de Gilberte, veut suivre les traces de Mermoz, ou tout au moins essayer, ne serait-ce qu'une fois. Il se tue à Istres. Elle ne pardonne pas, même si c'est injuste.

Août 1935. Jean Mermoz emménage près du parc Montsouris, rue de la Cité-Universitaire. Il est seul. Il est à nouveau célibataire, mais a-t-il jamais cessé de l'être ? Il lui reste Kessel et Saint-Ex, l'aviation et Couzinet, la fierté d'avoir mis Rio à deux jours de courrier de Toulouse grâce à l'*Arc-en-Ciel,* là où les Allemands mettent quatre jours et demi. Cependant, les progrès de la Lufthansa et de la Pan Am l'inquiètent. Il participe au financement du nouvel avion de Couzinet, le *Petit-Arc-en-Ciel.* Il écrit à l'ingénieur : « En cas d'échec de ce programme, je vous confirme que je ne demanderai aucun remboursement. » Mermoz est toujours tel que le décrit Guillaumet : « Notre porte-drapeau à tous. » Jean Mermoz n'aura jamais trente-cinq ans. Il disparaît le 7 décembre 1936, deux jours avant son anniversaire. Il disait à Guillaumet : « L'accident pour nous, c'est de mourir de maladie. » À Kessel : « Tu sais, je voudrais ne jamais descendre. » Il écrivait : « Tout est fini, tout est terminé. Et cette impression d'agonie de tout ce qu'on avait de jeunesse, de fraîcheur en soi, à jamais disparu… »

COMMENT raconter Jean Mermoz ? Marcel Reine en a le pouvoir : « Il faisait comme les copains et ce n'était pas pareil. La foirinette, bien sûr, il aimait ça. Les poules, bien sûr... il était de ciment armé. Les bêtises, il n'en avait pas peur. Mais, je ne sais pas, moi, il était tout de même meilleur que nous. Il s'enfermait chez lui. Il pensait. Il bouquinait des vers. Il était sérieux, quoi ! » Antoine de Saint-Exupéry, sans doute, en a le droit : « Je me souviens d'une nuit de Paris où Mermoz et moi ayant fêté avec quelques amis je ne sais quel anniversaire, nous nous sommes retrouvés au petit jour au seuil d'un bar, écœurés d'avoir tant parlé, d'avoir tant bu, d'être inutilement si las. Mais comme le ciel déjà se faisait pâle, Mermoz brusquement me serra le bras, et si fort que je sentis ses ongles : "Tu vois, c'est l'heure où à Dakar..." C'était l'heure où les mécanos se frottent les yeux et retirent les housses d'hélices, où le pilote va consulter la météo, où la terre n'est plus peuplée que de camarades. »

Il passe sa dernière nuit parisienne avec Joseph Kessel, qu'il rejoint au cabaret L'Abbaye de Thélème. C'est long, une nuit, c'est bon aussi quand on a, comme Mermoz, la mort dans l'âme. De lieu en lieu, de bar en bar, ils refont le monde. Mermoz parle des Croix-de-Feu, se justifie comme si Saint-Ex était à ses côtés, évoque cette femme qu'il aime, cette femme avec ces enfants qui ne sont pas de lui, il le voudrait tant pourtant, ces enfants qu'il aime déjà. La vodka, les rires rythment leurs nuit, leur vie qui va, leurs « tu te souviens ? » De la môme Piaf, par exemple, découverte ensemble à La Cloche d'Or et qui les a bouleversés, de ces femmes qui sont passées, belles ou moins belles, offertes toutes, de Gilberte dont Jean Mermoz a fini par se séparer, parce qu'à vingt-trois ans « une enfant refait sa vie ». Ils parlent d'amour, se vouent une admiration virile, Kessel le conteur, l'ancien pilote de la Grande Guerre, et Mermoz, le Grand, le personnage de conte, pour tant de Français d'alors, le héros absolu, celui que l'on rêve d'inviter, d'écouter, parfois d'entendre, pour pouvoir répéter ensuite, toute sa vie : « J'ai passé une soirée avec Mermoz... »

Ils rient, Kessel et Jean. Ils évoquent Mangaby, si présente, leurs copains, si absents ; la nostalgie sans cesse les rejoint, la mélancolie souvent fige les traits du héros, visage de cire au sortir de sa dernière nuit de noctambule, lui qui jamais ne donne l'impression d'être en-

---

Les aéroplaces d'Amérique du Sud laissaient souvent à désirer. L'*Arc-en-Ciel* éprouva plus d'une fois des difficultés à décoller. En juin 1934, à Natal (deux premières photos, en haut à gauche), il fallut préparer une bande de terrain spéciale. On étudia aussi la possibilité de démarrer la traversée à Fernando de Noronha. En vain. L'avion s'enlisa et une cinquantaine de forçats furent utilisés pour le dégager (en haut à droite et ci-dessous).

dormi puisque tous et toutes parlent de lui.

Ils se séparent, ils se reverront dans le rêve des mots, dans le songe de l'écriture, mais aucune phrase ne rendra exactement ce que fut Mermoz, que l'on osa surnommer « l'Archange » pour des raisons probablement estimables. Ils se séparent, peut-être parce que Mermoz évoque son ami Gaston Génin qui s'est écrasé au mois d'août sur la Montagne Noire. Mermoz a les yeux brillants, des yeux de nuit, l'aube tarde tellement. Il rappelle la pluie du Tarn, cette expédition improbable pour ramener trois corps qui ne sont plus, et ce dilemme glacé : il n'y a que deux brancards. Alors Mermoz place le corps de Génin sur une bâche et, d'un geste de tendre haltérophile, le pose sur ses épaules comme on prend un enfant. Il marche, Mermoz, alourdi et fragile, il descend vers la vallée. Et maintenant il est seul dans Paris.

Jean Mermoz a dû lutter, un combat qu'il ne pouvait perdre, tant l'issue pour lui est douce contre la volonté de sa mère. Mangaby, ardemment, désirait que son Jean renonce à ce vol pour Dakar à sa vingt-quatrième traversée de l'Atlantique sud. Le 5 décembre, au Bourget, il est passager jusqu'à Toulouse, sur un trimoteur Wibault. Il va embarquer lorsque sa mère lui tombe dans les bras. Mangaby n'a jamais peur de rien ni de personne mais elle vient de recevoir un appel anonyme, un de plus, lui certifiant que cette fois Jean n'en reviendrait pas. Mermoz rassure sa mère, monte dans le Wibault et prend ses aises : il a du sommeil en retard.

À Toulouse, il se rend place du Capitole où l'attend la chambre numéro 20 du Grand Balcon. La routine, l'habitude, presque une famille. Le lendemain 6 décembre, le Wibault décolle de l'aérodrome de Francazal dans la matinée. On évite l'Espagne en guerre, on survole la Méditerranée, voilà Oran, l'escale. Nouveau départ pour Casablanca dans un autre avion, un Dewoitine 33 blanc, qui, avec ses trois moteurs Hispano, arrache l'Afrique à son silence. Mermoz dort.

Le 7 décembre à 2 heures du matin, le Dewoitine se pose à Ouakam, l'aéroport de Dakar, rempli d'odeurs et de senteurs de l'Afrique. Henri Guillaumet est là qui va lui servir de taxi. Il n'y a pas de temps à perdre. L'automobile de Guillaumet ronfle dans Dakar endormie, remonte route de Rufisque vers Bel-Air. Voilà le bureau de la compagnie. Mermoz oublie l'apaisement de revoir Guillaumet, la quiétude de la nuit africaine, ce sentiment grisant d'invulnérabilité ressenti lorsqu'on traverse une ville la nuit à la vitesse du vent. Il redevient autoritaire, il sait l'être, et récuse Lanata, un nouveau sur l'Atlantique sud, le second pilote prévu. Les deux amis vont réveiller Alexandre Pichodou, trente-huit traversées, endormi auprès de sa femme, dans l'appartement neuf de l'avenue de la République. Puis ils rejoignent l'hydrobase. Une vedette les conduit jusqu'au ponton

de la *Croix-du-Sud*. Les deux cent quatre-vingt-deux kilos de courrier ont déjà été embarqués. Du bon travail : la Ligne. Poignée de main d'Henri Guillaumet, qui regagne la terre.

La *Croix-du-Sud*, un Latécoère 300, est un hydravion de quarante-quatre mètres d'envergure, à moteurs Hispano Suiza, un zinc inquiétant. Trois ans plus tôt, le prototype vole pour la première fois. Et coule dans l'étang de Biscarrosse. Renfloué, il est immatriculé F-AKGF. Aux côtés de Mermoz : Alexandre Pichodou le second, Jean Lavidalie le mécanicien, Henri Ezan le na-

À la suite de sa nouvelle traversée victorieuse, aux commandes de l'*Arc-en-Ciel*, Mermoz (avec Jousse, Mariault, Couzinet et Carretier ci-dessus) fut fêté comme un roi (pages précédentes).

vigateur, Edgar Cruveilher le radio. La belle équipe. L'équipage.

La météo est bonne. Lavidalie répare un clapet de démarrage : une demi-heure de perdue. Les quatre moteurs Hispano rugissent. Il est 4 heures quand le Laté F-AKGF s'arrache à la baie de Dakar, laissant derrière lui un sillage étincelant : l'écume des jours. Cinq cents kilomètres jusqu'aux îles du Cap-Vert puis cap sur Natal. Guillaumet peut aller dormir. À 6 heures, il est réveillé. La *Croix-du-Sud* revient. Guillaumet arrive à temps pour entendre Mermoz crier : « Une hélice à pas variable ne passe pas au grand pas… S'il y a une autre machine prête, transbordez immédiatement le courrier ! » Mais le Farman *Ville-de-Mendoza,* c'est incroyable, est hors service avec deux moteurs démontés. Alors, Lavidalie répare, aidé du mécanicien de l'hydrobase. Enfin, il fait ce qu'il peut. Il y a une fuite d'huile, il change le réducteur de vitesse, toujours la même pièce défectueuse sur ces Laté 300. Trois quarts d'heure plus tard, il a fini. Mermoz lance : « Vite, ne perdons plus de temps ! » Ses dernières paroles connues. Il est 6 h 53 quand il décolle de nouveau, cap au sud.

Régulièrement, le radio Cruveilher transmet «TVB» (tout va bien). A 10 h 40, il communique le point et l'altitude. A 10 h 47, Dakar capte ces mots : « Coupons moteur arrière droit… » Puis plus rien, même pas un SOS. Le silence. Guillaumet, évidemment, a compris. Plus tard, on avancera l'hypothèse que l'hélice du moteur endommagé a dû se détacher et sectionner le fuselage. Vingt-trois tonnes tombant de deux cents mètres de haut…

À Dakar comme à Paris, au siège d'Air France, rue Marbeuf, on espère contre toute raison. Car l'un des deux postes émetteurs de bord, en cas d'amerrissage forcé, a été conçu pour pouvoir continuer les émissions à la surface de l'océan. Dernière position de la *Croix-du-Sud* : 11°08' de latitude nord et 22°40' de longitude ouest. Les avions décollent, les avisos les plus rapides forcent leurs chaudières jusqu'à les faire éclater, même le *Graf-Zeppelin*, le grand rival allemand, se déroute. Il faut retrouver Mermoz !

Guillaumet vole et vole encore. Il confiera à Kessel : « Le temps était si beau, la mer si belle… » Il jugera ainsi l'équipage de la *Croix-du-Sud* : « Eux, ils ont de la chance, ils sont morts avec Mermoz. » On pense à l'exergue du *Petit Prince* : « Je crois qu'il profita, pour son évasion, d'une migration d'oiseaux sauvages. » Jeudi 10 décembre. Dans *L'Intransigeant*, Antoine de Saint-Exupéry écrit : « À chaque drame semblable, il m'a semblé que l'on mourait, non de l'accident, mais du silence. Il ensevelit mieux qu'une pluie de cendres. De huit jours de silence, on ne revient pas… »

Vendredi 11 décembre. Sur la foi d'un câble de Rio de Janeiro, on croit Mermoz retrouvé. L'hydravion flotterait à cent trente milles à l'est du rocher Saint-Paul, pas très loin de la côte brésilienne. Les théâtres interrompent leur spectacle, on s'embrasse dans les rues, on pleure de joie. Ce n'est qu'une fausse nouvelle, un bavardage, une inconséquence du ministère de la Marine au Brésil qui, en fait, avait fait reprendre les recherches à la demande de René Couzinet, alors à Rio. Bien entendu, le navire hydrographique *José Bonifacion* ne trouve rien. Mermoz meurt une seconde fois.

13 décembre, Saint-Exupéry toujours dans *L'Intransigeant* : « Les hommes se découragent vite. Mermoz a disparu depuis quatre jours et déjà on ne parle plus de lui qu'au passé. [...] On accepte ainsi l'irréparable et, dans ce climat singulier, les recherches risquent de se détendre. Il faut conserver beaucoup de confiance pour qu'elles soient fertiles. Ce n'est pas l'amitié qui me fait protester. Les amis, hélas ! sont mortels aussi. »

21 décembre, Henri Guillaumet rend à Jean Mermoz le seul hommage qui, sans doute, aurait compté à

ses yeux. Pour le premier vol transatlantique après l'accident, il transporte quatre cent trente kilos de courrier, record de la Ligne. À côté des quatre-vingt-six mille lettres, un homme recroquevillé. Louis Allègre, directeur général d'Air France, qui avait refusé de prendre en considération les rapports alarmants de Jean Mermoz. Une vie s'est achevée, un héros s'en est allé.

LA mort de Jean Mermoz est une fin, la vraie fin sans doute d'une aventure inouïe qui reliait trois continents, qui unissait des êtres d'exception, qui rapprochait les hommes. Mermoz était l'action, ses amis lui offrent leurs mots. Saint-Exupéry : « Il était de la belle race : celle qui affronte le monde de toute sa carrure. [...] Jean Mermoz offrait de la prise au vent, comme un arbre. » Jeff Kessel : « Aucun homme autant que celui-là n'a été attiré par la route céleste. »

Fin décembre, le record de Mermoz sur l'Atlantique sud, établi sur l'*Arc-en-Ciel,* est amélioré par Maryse Bastié sur un Simoun rebaptisé *Jean-Mermoz*. Conférence de Saint-Exupéry : « Mermoz nous manque. Nous lui devons un sentiment mélancolique et inconnu, qui déjà nous surprend nous-mêmes : le regret secret de vieillir. » Pour Antoine de Saint-Exupéry, les années trente sont celles de sa métamorphose. Il a vécu jusque-là en équilibre instable entre l'action et le verbe. Malgré lui sans doute, le verbe va l'emporter. 1931 : il reçoit le Fémina pour *Vol de nuit*. 1938 : le Grand Prix du roman de l'Académie française le récompense pour *Terre des hommes*. Il est traduit dans le monde entier, jusqu'au Japon. Saint-Ex est si jeune pour un tel triomphe. Mais sa jeunesse ne s'est-elle pas enfuie en même temps que le pilote prenait « un coup de vieux » ? Il est d'abord mis à l'écart puis il échappe à plusieurs reprises à la mort. Saint-Ex rêve de tours du monde, il fait des tours de carte. Au moins, à ce jeu, il est merveilleux.

Son rêve d'aviation devient un cauchemar. De tous les aventuriers fondateurs de la Ligne, il est la principale victime. La machination qui a raison des Bouilloux-Lafont le laisse sans emploi. Et lorsque Air France est créée, la direction ne met aucun empressement à réembaucher un pilote qui, contre elle, a pris publiquement fait et cause pour Didier Daurat, lui aussi écarté avant d'être réintégré. Le 26 avril 1934, une lettre d'Air France lui est adressée : « Comme suite à nos récents entretiens, nous vous confirmons qu'il n'est pas possible de vous affecter sur nos lignes régulières, compte tenu de l'effectif actuel de notre personnel navigant… Nous envisageons de vous attacher au service de la propagande, en vous confiant, notamment, des missions en France et à l'étranger. » Ce poste, qui lui interdit la Ligne, est un crève-cœur et un moindre mal. Car, pour qu'il lui soit proposé, Jean Mermoz et Antoine Gallimard ont dû,

Jean Mermoz fut plus qu'un bon vivant. Il aimait la vie nocturne, les soirées interminables, les amitiés tapageuses, les voitures rutilantes et les jolies filles. Il épousa Gilberte Chazotte, française née en Argentine, qui se remariera trois ans après sa mort avec René Couzinet.

sans l'en avertir, user de toute leur influence. Tonio participera donc à des films publicitaires, fera des conférences… Il effectuera aussi des vols de démonstration, les seuls, apparemment, qu'il soit encore capable de mener à bien.

OCTOBRE 1933 : il devient pilote d'essai pour Latécoère. Deux accidents en deux mois. Lorsque survient le troisième, le 21 décembre, il est renvoyé. Et peut s'estimer heureux d'être encore en vie. En amerrissant dans la baie de Fréjus, Saint-Ex, le distrait, lève la dérive. L'eau glacée envahit le prototype Laté 293, qui se retourne. Prisonnier de l'hydravion monomoteur, il s'en sort par miracle. 29 décembre 1935, Le Bourget. Consuelo, les Werth, Henry de Ségogne, l'ami de toujours, regardent Antoine, accompagné du navigateur et copilote André Prévot, décoller sur un Simoun rouge et blanc flambant neuf, curieusement privé de radio pour gagner du poids. Leur objectif : battre le record de Japy qui, début décembre et sans changer d'appareil, a relié Paris à Saigon en quatre-vingt-sept heures. S'ils y parviennent avant le 1er janvier 1936, le ministère de l'Air et Air Orient leur verseront une prime de cinq cent mille francs.

Après une escale à Marignane en raison d'une fuite d'huile, la routine s'installe. Tunis, Benghazi. Ils repartent. Dans trois heures et demie, ils seront au Caire. Mais la nuit tombe sur le désert, et la brume, et le vent de sable. Saint-Exupéry et Prévot sont perdus, ils n'ont pas de radio, ils se croient près du canal de Suez. Un seul moyen pour trouver son chemin dans cette obscurité mouvante : voler toujours plus bas. Le Simoun égaré finit par percuter une dune à trois cents à l'heure. Les deux hommes sont indemnes. Leur trésor : quelques oranges. Ils n'ont pas d'eau, pas de vêtements chauds. Ils restent deux jours auprès des débris de l'avion puis marchent vers l'est. Saint-Ex pense probablement à Guillaumet dans les Andes. Le miracle de nouveau s'accomplit : une troupe de bédouins les recueille. Quelques heures après cette rencontre providentielle, l'épouse suisse d'un chef de chantier lit ce message apporté par un bédouin : « Pourrions-nous compter sur votre très grande obligeance et vous demander de nous recueillir le plus tôt possible en auto ou en canot ? » Du style, en toutes circonstances !

Pour le dernier grand raid d'Antoine de Saint-Exupéry, Jean Mermoz n'est plus. C'est d'ailleurs en partie pour célébrer le premier anniversaire de sa disparition que Tonio veut relier New York au cap Horn. Même cette commémoration, il va la manquer. Les préparatifs traînent. Pierre Cot, redevenu ministre de l'Air sous le Front populaire, l'oblige à tenir de nombreuses conférences. Le 14 février 1938, Saint-Exupéry et Prévot, sur

leur Caudron-Simoun F-ANXK, décollent enfin de Newark. Voici Atlanta. Et Houston. Le 16 février, c'est Vera Cruz puis Guatemala City, où l'on fait le plein. La demande est faite en litres, le personnel au sol l'interprète en gallons américains. Trois fois et demie plus lourd ! Au décollage, le Simoun déséquilibré fait deux tonneaux à cent cinquante à l'heure. Prévot a la jambe brisée et une hanche déplacée. Saint-Ex est dans le coma. À l'hôpital, on dénombre huit fractures : coccyx, omoplate et, quel symbole pour ce pilote écrivain, poignet droit... Antoine de Saint-Exupéry, croit-on, ne pilotera jamais plus.

IL écrit donc, pas aussi vite qu'André Gide le souhaiterait, pas aussi vite que lui-même le voudrait. Entre *Vol de nuit,* qu'on s'arrache et *Terre des hommes,* qui sera un triomphe, sept années passent, durant lesquelles Saint-Exupéry noircit des cahiers et joue au journaliste, empochant au passage des cachets considérables qu'il dilapide avec l'insousiance d'un très jeune homme, la constance légère d'un dandy inspiré. Il est si élégant, Tonio ! Et lorsqu'il prend la parole dans les dîners, surmontant sa timidité, il subjugue son auditoire par ses mots à lui qui sont leurs aventures à eux, ses amis, ses frères de la Ligne. En plus, il mime.

Saint-Ex est fier lorsque est inauguré, le 5 janvier 1936, le premier service France-Amérique du Sud totalement aérien. Mais puisque cette aventure lui échappe, il se rend en URSS et en Espagne. Un de ses rêves est de piloter le Tupolev géant *Maxime-Gorki.* Un grand reportage à Moscou pour le *Paris-Soir* de Pierre Lazareff lui en donne l'occasion. L'avion s'écrasera le lendemain... Six articles sont publiés, à la gloire de l'Union soviétique : les enquêtes du journaliste Saint-Exupéry sont souvent sommaires.

En août 1936, dès le début de la guerre civile, il se rend en Espagne pour *L'Intransigeant.* Dans le même avion : André Malraux. Saint-Ex titre un de ses papiers : « Ce n'est point une guerre, mais une maladie. » Il y revient un an plus tard, mais cette fois pour *Paris-Soir.* Et manque d'être fusillé. Le pilote écrivain s'occupe. Entre deux reportages très attendus mais guère convaincants,

---

Entre juillet et décembre 1936, la *Croix-du-Sud* effectua six traversées aller-retour de Saint-Louis à Natal. Après un incident, l'hydravion ne fut remis en service qu'en octobre pour boucler un nouvel aller-retour avec Guillaumet et Mermoz. L'équipage de Rouchon accomplit une nouvelle rotation en novembre. Puis ce fut le 7 décembre...

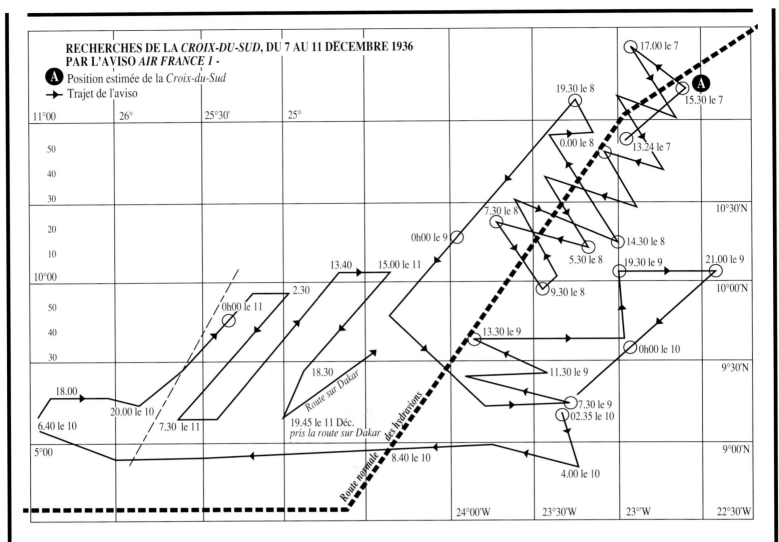

RECHERCHES DE LA *CROIX-DU-SUD*, DU 7 AU 11 DÉCEMBRE 1936
PAR L'AVISO *AIR FRANCE 1* -

A Position estimée de la *Croix-du-Sud*
→ Trajet de l'aviso

Dans un premier temps, personne ne voulut admettre la disparition de Mermoz et de son équipage. Les recherches, orchestrées par Henri Guillaumet, se poursuivirent durant plusieurs jours. Jean Mermoz eut droit à des funérailles nationales aux Invalides (à droite).

entre deux raids insuffisamment préparés et donc manqués, il s'essaie au cinéma. Ressort de ses cartons un vieux scénario, *Anne-Marie,* que tourne en 1936 Raymond Bernard. L'occasion pour Tonio de faire la connaissance d'Annabella, vedette française d'Hollywood. Et de tomber sous le charme. Puis Pierre Billon tourne *Courrier Sud* avec pour vedette Pierre-Richard Wilm et pour script-girl Françoise Giroud.

Au sein des lettres françaises, il occupe un espace que seul André Malraux, dans ce même domaine de l'action, peut lui contester. On oppose alors beaucoup les deux hommes. Malraux sort souvent vainqueur de ce duel singulier. Il obtient le prix Goncourt pour *La Condition humaine.* Le journaliste aviateur Malraux ramène le scoop de la découverte du royaume de la Reine de Saba, photos aériennes à l'appui. Malraux le pilote participe à la guerre d'Espagne au sein des Brigades internationales. Malraux réalise *L'Espoir* en Espagne même,

film tiré de son roman sur la guerre civile, ambition quelque peu différente d'un scénario pour Annabella ! Malraux, enfin, fait de Louise de Vilmorin sa maîtresse. Loulou que Tonio n'a jamais cessé d'aimer. Louise, le pur amour de sa vie.

Et il y a Consuelo. Antoine et Consuelo de Saint-Exupéry s'aiment et se déchirent, se supportent et s'embrasent, se trompent et se retrouvent. Ils mènent une vie de bohème, la belle vie, celle des grands hôtels et de la Côte d'Azur, où l'argent n'est qu'un accessoire un peu vulgaire. Leur couple est trop instable pour vraiment s'installer. Alors, ils déménagent et trouver la bonne adresse de Saint-Ex, celle du moment, est parfois aussi difficile que d'espérer le joindre quand il était à Cap-Juby ou à Villa Cisneros. Au gré de la fortune et de leurs désirs, ils habitent 10, rue de Castellane, près de la Madeleine. Ils filent à Casablanca puis à Alger. Ils reviennent à Paris, résident au Lutécia ou au Pont-Royal. Les voilà sur la Côte. Paris de nouveau, rue de Chanadeilles dans le septième arrondissement, un quatre pièces dont ils craignent parfois de ne pouvoir règler le terme. Avec l'argent que Tonio a gagné grâce au cinéma, ils choisissent un superbe duplex face aux Invalides. Chacun son étage : pour les visites, c'est plus pratique. Pour oublier les amants de Consuelo, pour retrouver Jean Mermoz, sortir avec Léon-Paul Fargue et Jean Prévost, pour parler de Pascal et de Rilke, ses écrivains de chevet, jouer aux échecs ou fasciner par ses tours de cartes, Saint-Ex allume une Craven A et saute dans sa Bugatti qu'il malmène autant qu'un Breguet 14 d'il y a longtemps. Alors, dans cet équipage magnifique, il rejoint ses amis aux Deux-Magots ou chez Lipp, dans la loge de Louis Jouvet ou dans l'atelier de Dunoyer de Segonzac. À moins que le bolide ne l'amène au Bourget, direction le terrain d'Ambérieu où Léon Werth vient le chercher et le conduit à Saint-Amour, soixante kilomètres d'amitié, à parler peut-être de *Danse, danseurs, dancings,* ce bouquin de Werth qui a tant plu à Saint-Ex. Le premier dira à propos du second : « J'avais égaré ma jeunesse. il m'a fait cadeau d'une autre. »

Un jour de 1935, Antoine de Saint-Exupéry rencontre Hélène de Vogüé. Le nom est celui d'une des plus illustres familles françaises. La fortune s'appuie sur la compagnie de Saint-Gobain. La femme a vingt-six ans. Grande, blonde, libre puisqu'elle s'estime délaissée par son mari, elle est passionnée par Saint-Exupéry, son intelligence, le parfum d'aventure qui l'entoure. Ils vont s'aimer d'un bel amour, celui où l'on partage tout, les mots et les choses, l'aviation et le risque, la tendresse et la vie. Et si Nelly de Vogüé offre un Caudron-Simoun à Tonio comme elle lui choisirait une cravate, si, après qu'elle lui eut présenté Pierre Lazareff, elle le fait profiter de ses prestigieuses relations des deux côtés de l'Atlantique, Saint-Ex lui donne en échange ce dont elle a toujours rêvé : l'harmonie entre le corps et l'esprit, l'excitation apaisante des voyages en avion, la compagnie d'un héros au dîner.

La guerre. Elle est si proche. L'écrivain Saint-Exupéry change de style, le succès demeure : *Terre des hommes* fait l'unanimité. Saint-Ex n'a pas vraiment respecté le contrat : l'édition française paraît la première chez Gallimard, il lui faudra rédiger un chapitre supplémentaire pour l'édition américaine. La traduction est une épreuve, presque un drame. Relatif, car embarquer à bord du *Normandie,* puis résider à New York au Ritz-Carlton, y rencontrer Charles Lindbergh, revoir sa femme Ann

Morrow, sont aussi de purs plaisirs.

La guerre est déclarée le 3 septembre 1939. Tout juste rentré de New York, le capitaine de réserve Antoine de Saint-Exupéry est affecté à la base de Francazal. Décidément, c'est à Toulouse que lui donne rendez-vous son histoire personnelle. Le voilà moniteur sur les gros bombardiers, une tâche qu'il juge indigne de lui, qui lui devient vite insupportable. En butte à son entourage tellement rassuré de le savoir loin du front, Saint-Ex intrigue, insiste et parvient à ses fins. Le 2 décembre 1939, il rejoint la 33e escadre de reconnaissance en Haute-Marne, entre Saint-Dizier et Vitry-le-François. Contrairement à ses camarades, il choisit de loger chez l'habitant, une simple chambre dans une ferme, près d'Orconte. Il fait humide et froid, c'est une vie rude et cette rudesse lui plaît. Il est à nouveau pilote. Pour Antoine de Saint-Exupéry, l'honneur en temps de guerre ne commande pas d'écrire mais de risquer sa vie.

Peu de missions. Bientôt, à l'escadrille, le bimoteur Bloch 174 remplace le Potez 63. Kessel, Mac Orlan, Léon Werth lui rendent visite et agrémentent une existence morne. C'est l'hiver en Champagne. Saint-Exupéry, malade, est hospitalisé à Paris lorsque éclate l'offensive allemande. Il rejoint son groupe replié à Orly. Le 23 mai 1940, il s'envole pour Meaux puis pour Arras. Une heure et demie terrible, durant laquelle le Bloch 174 de Saint-Exupéry, Dutertre et Mot, traverse un déluge de feu, et qui deviendra *Pilote de guerre.*

17 juin, Pétain demande l'armistice. Le 20 juin, Antoine de Saint-Exupéry décolle de Mérignac pour Alger. Le 25 juin, l'armistice est signé. En Afrique du Nord, Saint-Ex, désœuvré, ne sait plus quoi faire. Un court séjour sur la Côte d'Azur, deux voyages à Vichy où, la première fois, il rencontre Pétain, et sa décision est prise : il refuse de vivre dans cette France-là. Il choisit l'Amérique. Là-bas aussi, il est un auteur à succès ! Deux jours chez Léon Werth, son ami juif qui se cache. Il passe embrasser sa mère à Cabris. Il prend le temps, en Afrique du Nord, de saluer tous ses amis. À Lisbonne, l'attend le *Siboney* qui l'emmènera à New York.

27 novembre 1940. Henri Guillaumet va mourir. Dans cinq jours, depuis sa chambre du Palace, un hôtel d'Estoril, Portugal, Antoine de Saint-Exupéry écrira : « Guillaumet est mort, il me semble ce soir que je n'ai plus d'amis. Je ne le plains pas, je n'ai jamais su plaindre les morts. [...] On vieillit donc si vite ! Je suis le seul qui reste de l'équipe Casa-Dakar. Des anciens jours de la

Ancien pilote lui-même, journaliste et écrivain, Joseph Kessel ne ménagea pas ses efforts pour alimenter et entretenir la légende de la Ligne. Il écrivit à son sujet de nombreux livres et articles. En compagnie de Reine, il effectua un pèlerinage dans le sillage des héros jusqu'à Santiago.

grande époque des Breguet14, Collet, Reine, Lassalle, Beauregard, Mermoz, Étienne, Simon, Lécrivain, Ville, Verneilh, Riguelle, Pichodou et Guillaumet, tous ceux qui sont passés par là, sont morts, et je n'ai plus personne sur terre, avec qui partager des souvenirs. [...] Et d'Amérique du Sud, plus un seul, plus un... Je n'ai plus un seul camarade au monde à qui dire : "Te rappelles-tu ?" [...] Je croyais que ça n'arrivait qu'aux très vieilles gens d'avoir semé sur leur chemin tous leurs amis, tous. »

En ce 27 novembre, tandis que commence le plus long hiver de la France, Henri Guillaumet est un jeune homme de trente-huit ans, pilote d'Air France et, ce jour-là, d'un Farman qu'il doit mener de Marseille à Beyrouth, via Tunis. Bien sûr, il fait beau. Mourir peut-être, mais en plein soleil ! Cinq mois que la France a capitulé. Deux mois que les pilotes des Spitfire et des Hurricane de la bataille d'Angleterre ont repoussé l'envahisseur, dans une furie joyeuse, dans un délire de fierté, dans la simple volonté d'être des hommes libres.

La plus grande bataille, la plus importante aussi, de l'histoire de l'aviation. Un mois que Pétain a rencontré Hitler à Montoire, trois semaines qu'il a appelé à la collaboration ! Et Guillaumet monte dans son dernier avion. Son équipage : Le Duff, Franques, Montaubin. Et Reine. Marcel Reine, qui a survécu à quatre-vingt-dix-neuf jours de captivité chez les R'Guibat, Reine le piloté, le rigolo qui invente des mots, Reine aux dix-sept maîtresses qui attendaient ensemble à Casa sa libération, Reine, l'homme de Rio.

Jean Chiappe est le principal passager du gros Farman. Le hasard... Jugé trop proche des Ligues d'extrême droite, on le destitue de son poste de préfet de police. Cette sanction est l'une des causes des émeutes du 6 février 1934 et donc indirectement l'une des causes du rapprochement entre Jean Mermoz et les Croix-de-Feu. Pour l'heure, Chiappe, devenu haut commissaire en Syrie et au Liban, va prendre ses fonctions à Beyrouth.

Pour Guillaumet, c'est presque un vol de routine. Bien sûr, il sait que la Méditerranée n'est plus une mer calme, un lieu de villégiature et de pure beauté. Mais quoi! Un homme qui a traversé trois cent quatre-vingt-seize fois la Cordillère, quatre-vingt-deux fois l'Atlantique sud, douze fois l'Atlantique nord, un homme qui a échappé au feu des Maures, au froid des Andes, qui a marché quand il ne pouvait plus voler, qui continue à voler parce que c'est sa vie : il est à lui seul l'aviation, et, malgré sa modestie, il est peut-être le meilleur de tous, meilleur même que Jean Mermoz. Henri Guillaumet dit « La Guillaume » dans les déserts africains et les bordels de Casa, Guillaumet l'élégant posant pour la photo en Amérique du Sud au pied de son Laté 28 dans cette tenue de gala qui était son costume de tous les jours, Guillaumet l'immortel ne peut redouter cette banale traversée de la Méditerranée. D'ailleurs, cet ancien pilote militaire, vainqueur dix-sept ans plus tôt d'un concours de tir à Cazaux, saura bien éviter les turbulences de la guerre. Mermoz disait : « Il ne faut pas douter. »

Tout va bien. Pourquoi Guillaumet ne penserait-il pas à sa femme, à sa maison près de l'étang de Biscarrosse ? Entre deux éclats de rire provoqués par Marcel Reine, deux anecdotes alourdies du rire des souvenirs, ponctués d'un : « Ah, les vaches ! », Guillaumet songe à cette fête donnée dans les Landes, dans l'hôtel de Parentis-en-Born pour son trente-septième anniversaire. Tous les amis étaient venus, sauf Mermoz, bien sûr, mais on avait tant parlé de lui ! Il avait suffi d'écouter Saint-Ex dans la nuit landaise et dans l'odeur des pins, avec sous les semelles ces grains de sable qui ne peuvent arrêter les légendes que l'on raconte en ces soirs inoubliables, si près du lac, si près de l'eau d'où décollent les hydravions géants, d'où s'envolent les rêves peuplés de certitudes et de dangers. C'est de là, de cet étang de Biscarrosse aux plages si rares, que Guillaumet avait accompli son dernier triomphe, avec pour témoins les travailleurs de Latécoère et quelques résiniers rêveurs, brusquement la tête en l'air, résignés à ce bruit féroce surpassant même dans l'infinie forêt des Landes le vent des grandes marées, quand les pins craquent et que les écureuils se cachent, c'est de cet étang serein à quelques kilomètres de l'océan, de ces vagues qui jamais ne finissent, dressées comme un avion au décollage, qu'Henri Guillaumet avait arraché l'énorme Laté *Lieutenant-de-Vaisseau-Paris,* le 16 mai 1939 et avait conduit ses trente-huit tonnes à bon port, jusqu'à New York. Sept mille cinq cents kilomètres en soixante-quatre heures !

Antoine de Saint-Exupéry, le malin Tonio, s'était glissé à bord, ami vieilli et superbe à défaut d'être le pilote sur qui Guillaumet aurait pu se reposer. Saint-Ex diminué par l'accident de Guatemala City… Tonio en tout cas l'avait distrait en lui contant une fois de plus, mais pas une fois de trop, comment dans cette capitale exotique, on avait rouvert son poignet blessé pour découvrir qu'une plante y prospérait, dans la chaleur de la main d'un poète, née peut-être d'un éclat du Simoun déchiqueté. Un triomphe, oui, aux États-Unis, qui avait fait de Guillaumet, enfin, l'égal des plus grands. Qui avait permis à Saint-Exupéry, par un brutal retour de légende, de doper la vente de *Wind, Sand and Stars,* l'édition américaine de *Terre des hommes.* Un double triomphe même puisque en juillet, le vol de retour, ponctué du ruban bleu de l'Atlantique, avait coïncidé avec le cent cinquantième anniversaire de la prise de la Bastille.

Pourquoi, dans le bleu de la Méditerranée et puisque Marcel Reine, le vieux compagnon, est avec lui, n'aurait-il pas songé à Jean Mermoz ? Le 7 décembre 1936, c'est lui, Henri Guillaumet qui accueille « le Grand » à l'aéroport de Dakar et le conduit à la *Croix-du-Sud.* C'est lui, Guillaumet, évadé des Andes et fidèle prisonnier de son amitié, qui annonce à Mangaby que jamais plus, elle ne verra son fils.

LE Farman d'Air France, ou plutôt le Farman de Guillaumet et Reine entre dans la zone dangereuse, Malte et ses parages. Tout est calme puis tout se déchire, on dirait un orage dans le Pot-au-Noir, un éclair dans la Cordillère frôlant l'aile alourdie par le gel. Brutalement, Guillaumet découvre deux porte-avions britanniques. Brutalement, Reine aperçoit des torpilleurs et des avions italiens. Brutalement, le Farman se retrouve au sein d'une bataille aéronavale. Guillaumet vire, très vite, trop tard. Un obus, peut-être britannique, touche le quadrimoteur. Le temps d'un ultime message : « Sommes mitraillés, avion en feu … » avant que le radio ne tombe sur son poste. Le temps pour Marcel Reine de lancer encore une fois, une dernière fois : « Bande de vaches ! » Le Farman se désintègre en heurtant la Méditerranée. Il n'en reste rien quand le torpilleur *Typhon* parvient sur les lieux d'une catastrophe alors si banale. Quelques débris, une ceinture de sauvetage sur laquelle on distingue « Air France », et la légende d'Henri Guillaumet, le vainqueur des Andes.

Antoine de Saint-Exupéry lui survit presque trois années et demie, décisives dans l'histoire du monde, si brillantes et si difficiles pour lui. Il a le temps d'écrire *Pilote de guerre* ; de dessiner et d'écrire *Le Petit Prince* , d'écrire encore *Citadelle,* qu'il ne finira pas, qu'il n'aurait peut-être jamais terminé, même si on l'a publié en l'état, une ébauche prometteuse ou exaspérante, vaine ou porteuse d'espérance, comme on voudra.

Saint-Ex a le temps de revoir Annabella à Hollywood ; de fréquenter Ann Morrow Lindbergh ; d'aimer Sylvia Reinhardt ; de vivre de nouveau avec Consuelo qui débarque, un jour, dans sa vie américaine. De s'organiser pour n'être jamais trop loin de l'une ou de l'autre. Tonio a le temps de vivre, encore, et de charmer. De gagner aux échecs, de capter l'intérêt et d'entraîner les

Même privés de leur amis, Guillaumet (en compagnie de Maryse Bastié, victorieuse de l'Atlantique
sud) et Saint-Exupéry (à droite
avec Consuelo) poursuivirent leur
quête pour "la gloire des ailes
françaises". Leur amitié n'en fut
que plus forte (pages suivantes).

rires par ses tours, ses mimiques, ses histoires insensées. De dévorer les œufs sur le plat que lui prépare Sylvia, d'habiter la somptueuse résidence d'été que lui choisit Consuelo.

Antoine de Saint-Exupéry a le temps de se tromper. Est-ce la phratrie disparue de la Ligne, cette liberté, cette égalité, cette fraternité enfuies ? Est-ce New York qu'il ne comprend pas puisqu'il ne parle pas l'anglais, s'y refuse même absolument ? Est-ce la situation politique qui le dépasse ou son statut d'exilé trop lourd pour ses vastes épaules ? Est-ce l'ambition de jouer un rôle dans une France libérée qui lui tourne la tête aussi sûrement qu'un looping de ses jeunes années ? Est-ce, plus prosaïquement, sa volonté que soit publié *Pilote de guerre* à la fois aux États-Unis et en France qui l'incite à ne pas condamner Vichy ?

Nommé membre du Conseil national sans que son avis, naturellement, ait été sollicité, il publie dans le *New York Times* un démenti sincère mais forcément de peu de poids. En fait, Antoine de Saint-Exupéry va mettre beaucoup d'obstination à se tromper, rejetant les gaullistes jusqu'au bout, réclamant publiquement l'intégration des soldats français à l'armée américaine, portant ce jugement sur Vichy : « Il fallait bien qu'un syndic de faillite négociât avec le vainqueur la cession à la France d'un peu de graisse pour nos wagons de chemin de fer. » L'idéologie le fatigue. Saint-Ex mène une vie mondaine, reçoit des avances mirobolantes – cinq mille dollars pour *Flight to Arras (Pilote de guerre)* – souffre de ses multiples blessures, essaie, sans trop d'entêtement, de

faire publier *33 Jours,* le manuscrit que lui a confié Léon Werth. Il est riche, aimé et célèbre. Un banquet de mille cinq cent couverts est donné en son honneur. La vie !

7 décembre 1941 : l'attaque de Pearl Harbor précipite les États-Unis dans la guerre. 8 novembre 1942 : les Américains débarquent en Afrique du Nord. Saint-Ex veut se battre, voler à nouveau dans un rêve de pureté, loin de ce qu'il prend pour des querelles, même s'il les épouse à l'occasion. Publié en France au printemps 1942, *Pilote de guerre* est finalement interdit par la censure allemande à l'automne, avant de renaître au printemps suivant dans les feuilles clandestines de la Résistance. À force de suppliques et sans doute parce que les Américains voient en Saint-Exupéry un excellent agent de la propagande, Tonio remporte son combat personnel : à la mi-avril 1943, il embarque pour Oran. Il va reprendre le combat, le seul qui vaille, celui où l'on risque sa vie.

Le 4 juin, il retrouve à Oujda, au Maroc, son groupe de reconnaissance, le 2/33, maintenant intégré au 3e photogroupe aérien. Il retrouve les héros de *Pilote de guerre*, Gavoille est le commandant de l'escadrille. Quelques accidents plus tard, il est interdit de vol. Saint-Exupéry voit dans cette sanction un complot des gaullistes puisqu'il a joué Giraud contre de Gaulle, Giraud qu'il traitera plus tard d'« épouvantail à moineaux », de « don du musée Grévin ». Mais il écrit aussi : « Je n'aime pas plus aujourd'hui le général de Gaulle. C'est ça la menace de dictature. C'est ça le national-socialisme, la haine politique, le credo du parti unique. Quand le national-socialisme meurt ailleurs, ce n'est pas vraiment raisonnable de le réinventer pour la France. » Il songe à se retirer à l'Abbaye de Thélème. Il ne vole plus, il déprime, il écrit et rature *Citadelle,* son état physique se dégrade. Le 15 mai 1944, il rejoint enfin le groupe 2/33 en Sardaigne. Le 29 juin, on fête son anniversaire. Sans lui. Son avion n'est pas rentré, on le croit mort, il réapparaît le lendemain. Il dit : « Si je suis descendu, je ne regretterai absolument rien. »

LE 31 juillet 1944, sur le terrain de Borgo, le Lightning P. 38 est sublime comme le ciel de Corse. Mourir peut-être mais en pilotant le plus bel avion du monde, mais en s'enfonçant dans la Méditerranée. Il est 8 heures et le commandant Saint-Exupéry surgit de nulle part, plus lourd, plus pataud que d'habitude : la nuit à Bastia sans doute, l'échappée… De Mermoz, il a dit : « Ce qu'il voulait, c'était ouvrir les bras, s'étirer à travers l'aube, saisir le monde. » De tout cela, il n'est plus capable. C'est sa dernière mission en haute altitude. On ne pilote pas un P. 38 au-delà de trente-cinq ans, Tonio en a quarante-quatre, ultime record. Pour l'arrêter avant qu'il ne soit trop tard, Gavoille, son chef d'escadrille, a

Les héros de la Ligne se sont-ils jamais pris au sérieux? Ils faisaient grand cas de leur mission, mais comme Guillaumet et Saint-Exupéry, égarés dans une baraque de photographe, ils savaient aussi rire de leur destin.

décidé de lui révéler la date et le lieu du débarquement en Provence. S'il était fait prisonnier, s'il était torturé… Saint-Ex sait que c'est la dernière fois. Qu'il ne volera plus jamais, que, plus jamais, il ne sera aussi près de Jean Mermoz, d'Henri Guillaumet, d'Alexandre Collenot, de Marcel Reine, de tous ses amis, les frères qu'il s'est choisis et qui, tous, ont disparu entre ciel et mer. Le pilote Saint-Exupéry a survécu à cette guerre qui n'est plus la sienne. Il est las, le devoir, Jean Mermoz, que ferais-tu aujourd'hui à ma place? Antoine de Saint-Exupéry a rangé et classé ses affaires. Tout est en ordre, enfin. Il a écrit deux lettres. À une femme, bien sûr. À Nelly. Tendresse, le bleu de l'amour même si c'est l'amour d'un soir si bleu, les mots pour le lui dire. À un ami architecte aussi, simplement pour dire que plus rien dans cette vie ne lui convient, peut-être ne le retient.

Le soleil de Corse. Le harnachement de vingt kilos. Ne rien oublier : le pistolet, les chargeurs ; les cartes et la planchette pour les notes, le whisky… Le miracle encore une fois s'accomplit : il parvient à caser sa carcasse immense, si raide de trop d'accidents, sa carcasse d'homme inapte à piloter, dans un cockpit fait pour, tiens! fait

pour Guillaumet. Sa dernière mission, c'est la France. La France de toujours, sa France. Il a écrit : « Je suis de France… Je suis de mon enfance. » Il lui faut photographier la zone de Grenoble-Chambéry-Lyon et revenir par la Côte d'Azur. Revenir sur sa vie en somme, cette adolescence qui jamais ne finit, les avions qu'il pose près des demeures des amis, ses randonnées en Bugatti parlant au vent, parlant à lui-même, inventant les mots de la réalité, chantant parfois dans le clair du jour, dans la lumière du Sud, de sa voix rauque, inoubliable et timide. Il va survoler, il le sait – le casque maintenant, les raccords de la radio et de l'oxygène – les lieux bénis d'autrefois, d'il y a si longtemps. Quatre ans maintenant qu'Antoine de Saint-Exupéry a quitté la France, presque huit ans que Jean, que la grande ombre de Mermoz a quitté ce monde. Oui, il va survoler le château de sa sœur Gabrielle. Là, il s'est marié avec Consuelo la fugueuse, cette femme si ardente. Il survolera aussi Saint-Amour, où Léon Werth, son grand ami à qui il a dédicacé *Le Petit Prince*, « À Léon Werth, quand il était petit garçon », l'a tant de fois accueilli pour des jours purs et des nuits sans sommeil, des discussions définitives rebondissant d'heure en heure sur la revue nègre et les ballets russes, la Guépéou, l'amour du cinéma et l'amour des actrices, le tragique et le dérisoire, la vérité, l'aviation, les hommes, Jean Mermoz. D'autres sujets leur tenaient à cœur : écrire, mourir, donner son argent, son amitié, sa vie, servir, boire, rire, dormir, rêver, se rappeler son rêve, sortir dans la nuit, vouloir entendre les cigales, écouter le bruit de la Bugatti, cette musique moderne, ce ronronnement docile de chat qui devient panthère quand la route s'ouvre devant les phares de la vie entre hommes, cette lumineuse fraternité de la Ligne qu'il aimait tant expliquer à Léon Werth : il lui racontait encore et toujours les cinq jours et cinq nuits que Guillaumet passa dans les Andes, seul avec le destin, seul sur ses pieds nus, écorchés, lamentables, seul avec son âme, un pilote qui serait un facteur, un facteur qui serait un combattant, un combattant qui irait au bout de lui-même, au bout de la nuit, au bout de tout et que lui, Saint-Exupéry, viendrait chercher sur la route de Mendoza, prendrait dans ses bras pour le bercer comme on berce un enfant, un prince, un petit prince. Guillaumet et Mermoz, le désert et la Cordillère, le sable et la glace, les Breguet 14 et l'*Arc-en-Ciel*, le Laté 28 et l'étang de Biscarrosse, les nuits de Paris, les femmes, la littérature, Jean Prévost, ils parlaient de tout cela, Tonio et Léon Werth à Saint-Amour.

Antoine de Saint-Exupéry vole maintenant. La côte de France déjà. L'azur, le bleu, la Côte d'Azur. Regarder. Voir. Deviner. Être attentif. Attention à ne pas s'assoupir, endormi ou presque par les gestes machinaux qu'effectue un pilote de reconnaissance, un pilote de guerre dans la paix du ciel, cette paix que connaissent Jean Mermoz, il l'espère, Guillaumet et les autres. Avant, dans les huit plus belles années de sa vie, Saint-Exupéry portait le courrier, maintenant il photographie et malgré les Messerschmitt, il n'est pas certain, Tonio, que le plus grand danger qu'il ait connu soit celui de ce 31 juillet 1944, dernier jour de sa vie.

Il accomplit sa mission avec tout le sérieux dont il est capable, cet étourdi magnifique. Il a survolé la Camargue et le mas de Charles Sallès, vingt-cinq ans d'amitié, on ne survole pas vingt-cinq années d'amitié, on s'y plonge, on s'y noie. Bientôt le Jura, bientôt Saint-Amour, bientôt Léon Werth. Souviens-toi, Tonio, souviens-toi de ce déjeuner de bord de Saône, que tu as décrit dans *Terre des hommes*, de ce bonheur inouï et simple, quand la vie est vraiment la vie, quand tu t'adressais ainsi à Léon Werth : « J'aime boire avec vous un Pernod sur les bords de la Saône en mordant dans du saucisson et du pain de campagne. J'étais bien content. Je voudrais recommencer. La paix n'est pas quelque chose d'abstrait. Ce n'est pas la fin du risque et du froid. Mais la paix, c'est que ça ait un sens de mordre dans du saucisson et du pain de campagne sur les bords de la Saône en compagnie de Léon Werth. Ça m'attriste que le saucisson n'ait plus de goût... »

C E n'est pas du saucisson que Saint-Exupéry a emmené dans son voyage dans les nuages, ce sont des barres vitaminées fabriquées en Amérique, tout comme l'oxygène qu'il respire, dans ce cockpit pour lui minuscule et qui, pourtant, en cet instant précis le contient tout entier, lui, Tonio et ses amis.

Voilà, il rentre. Tout est accompli. Sa mission et sa vie, sa vie qui si souvent fut mission. Il dépasse le Vercors où demain, 1er août, Jean Prévost, premier critique de sa première nouvelle, *L'Évasion de Jacques Bernis*, touvera la mort dans le maquis. Il a dépassé les Alpes, il est un vrai pilote puisqu'il ramène les informations et les photographies. Il n'y a pas un seul avion ennemi dans le ciel de France, pourtant les Allemands auraient pu repérer son P. 38 mais non, il a encore de la chance, toujours de la chance, il va survivre à cette dernière mission comme il a survécu à ses quatre terribles accidents et même à celui de Guatemala City, huit fractures, ce bras qu'il ne peut plus lever. Antoine de Saint-Exupéry se relâche. Il est un survivant. Il va se poser sur le terrain de Borgo, il sera 11 h 30, midi, comme prévu. Le héros, l'écrivain, le pilote descendra du Lightning, il le regardera, il le caressera peut-être, il sera fier et malheureux, il ne volera jamais plus. Alors, il prendra sa flasque de whisky en attendant que le chef d'escadrille le reçoive.

Le Lightning P. 38 survole maintenant la Méditerranée. Tout est si calme et beau, quel tumulte que la vie, quelle mélancolie que la gloire, quelle sérénité que de voler. Saint-Ex descend, pour ne plus voir que le bleu de la mer, ce bleu du tombeau de tous ses amis. Alors, que se passe-t-il ? Alors que s'est-il passé ? Un avion qui surgit ? Un accident mécanique, semblable à ceux qui ont tué Collenot et Mermoz ? Ou bien Tonio, l'homme à la Bugatti, l'homme de *Terre des hommes*, le chef d'aéroplace de Cap-Juby, choisit-il le bleu de la mer comme on choisit une femme, la dernière ?

Le Lightning descend. Saint-Exupéry se voit-il mourir, sait-il ce qu'est la mort qu'il a tant cherchée, pour les rejoindre tous, ceux de la Ligne, de l'Aéropostale, ceux de la jeunesse, de l'aventure, de l'insouciance, de la folle amitié ? L'avion du groupe 2/33 de reconnaissance va s'enfoncer dans la Méditerranée, on dit s'abîmer, pourtant Saint-Exupéry meurt intact s'il a le temps de penser, de voir, peut-être de murmurer. Jean. L'Aéropostale. Consuelo. New York. Cap-Juby. Daurat. Nelly. Loulou. Le courrier. Les Maures. La Cordillère. Buenos Aires. Santiago. Dakar. L'aviation. Saint-Maurice-de-Rémens, le château de l'enfance qu'il vient de laisser sous ses ailes. Reine. Collenot. Guillaumet. La Ligne. Mermoz. Jean ! Jean !

« Il faut nous faire à l'avarice des morts. »

En route pour l'Afrique à bord d'un Breguet 393 T.

DOCUMENTS

CHRONOLOGIE

1918

7 septembre : Pierre-Georges Latécoère remet à Jacques Dumesnil, sous-secrétaire d'État à l'Aéronautique, un mémoire exposant les principales composantes de son projet de ligne aérienne entre Toulouse, Dakar et Buenos Aires.

11 novembre : à 5 h du matin, les parlementaires allemands signent la convention d'armistice à Rethondes.

11 novembre : Pierre-Georges Latécoère dépose au greffe du tribunal de commerce de Toulouse les statuts d'une société d'étude et d'exploitation aéronautique intitulée : Compagnie Espagne, Maroc, Algérie (CEMA).
2 décembre : Pierre-Georges Latécoère complète son dossier à la demande de l'administration militaire. Il suggère la constitution d'une « Compagnie de navigation aérienne » sise 182, boulevard Haussmann, à Paris.
25 décembre : premier vol d'étude Toulouse-Barcelone. Pierre-Georges Latécoère a pris place dans un Salmson 2 A.2 piloté par René Cornemont.

1919

25 février : Beppo de Massimi, bras droit de Pierre-Georges Latécoère, est envoyé à Madrid afin de négocier le passage d'avions au-dessus du territoire espagnol.
3 mars : vol de reconnaissance Toulouse-Casablanca. Pierre-Georges Latécoère est piloté par Paul Junquet; Beppo de Massimi par Henri Lemaître. Les deux Salmson sont accidentés et stoppés à Alicante.
8-9 mars : après réparation des Salmson, Pierre-Georges Latécoère arrive à Rabat puis à Casablanca (piloté par Henri Lemaître). Il a parcouru 1 850 km en 28 h 15 de vol effectif.

3-16 mai : première traversée de l'Atlantique par étapes de Halifax (Canada) à Lisbonne (Portugal), réussie par l'Américain Albert Read, sur hydravion Curtiss NC.4.

24 mai : les Français Henri Roget et François Coli battent le record du monde de distance en ligne droite en parcourant 2 200 km depuis Vil-

lacoublay à bord d'un Breguet 14 « grand raid ».

Alcock et Brown
14-15 juin : première traversée de l'Atlantique sans escale de Saint-Jean de Terre Neuve (Canada) à Clifden (Irlande), réussie par les Britanniques John Alcock et Arthur Brown, sur Vickers-Vimy en 15 h 57.

7 juillet : Pierre-Georges Latécoère contresigne un contrat gouvernemental lui cédant pour cinq ans l'exploitation de la ligne Toulouse-Rabat.
16 juillet : Didier Daurat, ancien compagnon de Beppo de Massimi à l'escadrille C-227, est engagé par Pierre-Georges Latécoère.
28 août : le gouvernement espagnol entérine par décret royal l'accord de survol du territoire espagnol de Port-Bou à Cadix.
1er-3 septembre : avec Jean Dombray et Pierre Beauté, Didier Daurat ouvre officiellement la ligne Toulouse-Rabat grâce à trois Breguet 14. Pour la forme, ils transportent quelques sacs de faux courrier.
Décembre : Antoine de Saint-Exupéry échoue au concours de l'École navale.

1920

27 février : pour la première fois, l'Américain Schroeder dépasse les 10 000 m d'altitude (10 093 m) à Dayton (États-Unis) à bord d'un Lepere fighter.

26 juin : Jean Mermoz souscrit un engagement de quatre ans dans l'armée de l'air. Après quatre mois de classes au Bourget, il est envoyé comme élève pilote à Istres.
2 octobre : le pilote Jean Rodier et le mécano François Marty-Mahé se perdent en mer près de Port-Vendres. Ce sont les pre-

mières victimes de la Ligne.
5 octobre : le Breguet 14 de Charles Genthon et Léo Bénas est pris dans une tempête à la nuit tombante près de Valence. Les deux hommes périssent carbonisés.

20 octobre : premier vol à plus de 300 km/h (302,529) réalisé par le Français Sadi Lecointe sur biplan Nieuport (moteur Hispano-Suiza de 300 ch) à Villacoublay.

24 décembre : Jean Sagnot trouve la mort sur le terrain de Barcelone. Il pilotait un Salmson.

1921

29 janvier : après deux tentatives infructueuses, le soldat Jean Mermoz passe avec succès les épreuves du brevet de pilote sur Caudron G. 3.
15 février : le Breguet piloté par Henri Mérel, avec le mécanicien Garrigue, percute un rocher près de Gibraltar.

Adrienne Bolland
1er avril : la Française Adrienne Bolland traverse les Andes sur Caudron G.3. C'est une première mondiale.

2 avril : la société Latécoère devient la Compagnie générale d'entreprises aéronautiques (CGEA). Les statuts sont déposés, ce jour, chez Me Maciet à Toulouse.
9 avril : Antoine de Saint-Exupéry est appelé au service militaire. Il est affecté au 2e régiment d'aviation de Strasbourg-Entzheim.
8 mai : le Breguet de Marcel Stitcher s'écrase au sol près d'Alicante.
17 juin : Antoine de Saint-Exupéry est muté au 37e régiment d'aviation à Rabat (Maroc), où il passe son brevet de pilote civil.
11 août (14 août ?) : Roger Portal et François Gaye se tuent au-dessus de Toulouse au cours d'un vol d'essai à bord d'un Salmson.
10-16 septembre : Pierre-Georges Latécoère effectue un voyage de reconnaissance entre Casablanca, Fez, Oran, Alger et

Constantine.
14 septembre : les constructions aéronautiques Latécoère sont regroupées au sein d'une société indépendante, la SIDAL (Société industrielle d'aviation Latécoère).
4 décembre : Jean Mermoz est affecté à Palmyre (Syrie).
21 décembre : Antoine de Saint-Exupéry reçoit son brevet militaire (n° 19 398).

1922

Cago Coutinho
30 mars-5 juin : première traversée de l'Atlantique sud avec escales de Rio de Janeiro (Brésil) à Lisbonne (Portugal), réussie par les Portugais Sacadura Cabral et Cago Coutinho, sur hydravion Fairey.

Avril : en proie à des difficultés de trésorerie, Pierre-Georges Latécoère abandonne toutes ses sociétés n'ayant pas un rapport direct avec l'aéronautique. Il vend en particulier les forges de Bagnères-de-Bigorre à Lorraine-Dietrich et se débarrasse aussi de l'usine de construction de wagons de Toulouse.
2 avril : Jean Munar inaugure la profession de radio-navigant sur la ligne Palma-Barcelone.
26 juillet : le Breguet de Gaston Méchin s'écrase à Guadix (Espagne). Deux passagers trouvent également la mort.
1er septembre : la liaison Toulouse-Casablanca devient quotidienne dans les deux sens.
6 octobre : inauguration de la ligne Casablanca-Rabat-Fez-Oran.

1923

17 janvier : Victor Gay est pris dans une tempête de neige près de Barcelone. Incapable de contrôler son Breguet, il se tue.
3-22 mai : vol d'étude Casablanca-Dakar et retour, effectué par trois Breguet 14 (Delrieu, Roig, Lefroid ; Cueille, Louis, Bonnord ; Hamm). Pour la première fois une radio est utilisée d'une escale à l'autre.

23 mai : première traversée transcontinentale des États-Unis sans escale de New York à San Diego, par les lieutenants Kelly et Mac Ready, sur Fokker T.2 en 26 h 50 mn et 3 s.

14 juillet : Marseille devient une tête de ligne.

Maurice Noguès

2 septembre : premier voyage de nuit avec passagers entre Paris et Strasbourg, réussi par Noguès et Guidon, sur Caudron C.61.

1924
28 février : la liaison Alicante-Oran est établie pour la première fois. Elle sera fermée le 31 décembre 1927.

12 mars : premier service assuré par les lignes Latécoère entre Alicante et Oran.

6 avril-28 septembre : premier tour du monde réussi par les Américains Lowell Smith, Leslie Arnold, Erik Nelson et John Harding à bord de deux Douglas World Cruiser en cent soixante quinze jours.

30 juin : Jean Mermoz est démobilisé.
Octobre : arrivée de Jean Mermoz à Toulouse-Montaudran. Après quelques semaines d'atelier, il est affecté comme pilote sur le tronçon Toulouse-Barcelone. Il pilote en priorité des Breguet 14.

1925
14 janvier : – Jean Mermoz est affecté à Barcelone pour assurer la ligne Barcelone-Alicante-Malaga, toujours sur Breguet 14.
– début de la reconnaissance en Amérique du Sud des lignes Rio de Janeiro-Buenos Aires et Rio-Recife, menée par Joseph Roig, Étienne Lafay, Paul Vachet et Victor Hamm.
25 avril : Raoul Berjaud et Émile Lempereur se tuent à Alicante.
1er juin : premier service Casablanca-Dakar assuré par Émile Lécrivain et Edmond Lassalle (2 760 km en 23 h).
26 juin : deux nouveaux morts à Alicante : Louis Mingat et Joseph

Salvadou.
22 juillet : premier incident avec les Maures. Henri Rozès est obligé de se poser peu de temps après son décollage d'Agadir. Éloi Ville se porte à son secours. Les deux pilotes font usage de leurs armes avant de s'enfuir.

16 novembre 1925 -12 mars 1926 : première liaison Londres-Le Cap et retour réussie par Cobham, Elliott et Emmott à bord d'un Havilland DH.50.

25 décembre : Jean Mermoz reçoit la médaille de l'Aéro-Club de France pour avoir effectué le plus grand nombre de kilomètres de l'année : 120 000 en 800 h.

1926
Mars : Jean Mermoz est affecté au tronçon Casablanca-Dakar. Il s'installe à Casablanca.

1er avril : Antoine de Saint-Exupéry publie un premier texte (L'Aviateur) dans le Navire d'argent, la revue littéraire dirigée par Adrienne Monnier.

9 mai : premier survol du pôle Nord par les Américains Richard Byrd et Floyd Bennett à partir du Spitzberg et à bord d'un trimoteur Fokker.

22-25 mai : Jean Mermoz est contraint d'atterrir dans le désert trois heures après avoir quitté Agadir, suite à une panne de moteur. Il est fait prisonnier, ainsi que son interprète, par les Maures et libéré à Cap-Juby contre une rançon de 1 000 pesetas.

5 juillet : Antoine de Saint-Exupéry obtient son brevet de pilote de transport public (n° 0933).
14 octobre : Antoine de Saint-Exupéry entre à la compagnie Latécoère.
11 novembre : atterrissage forcé de deux Breguet. Henri Érable et Lorenzo Pintado sont tués par les Maures. Léopold Gourp est fait prisonnier. Il agonise dix jours durant avant d'être libéré contre 5 000 pesetas. Il décède le 5 décembre.
3 décembre : Pierre-Georges Latécoère se rend en Amérique du Sud et rencontre Marcel Bouilloux-Lafont, industriel influent, à Rio de Janeiro.

1927
11 avril : la CGEA devient la Compagnie générale aéropostale, propriété de Bouilloux-Lafont.
3 mai : mort de Louis Larmor à quelques kilomètres d'Alger.

8 mai : l'Oiseau-Blanc de Charles Nungesser et François Coli décolle du Bourget à destination de New York. Les deux pilotes seront portés disparus.

Charles Lindbergh

20-21 mai : premier vol transatlantique sans escale de New York à Paris, réussi par l'Américain Charles Lindbergh sur monoplan Ryan (Spirit of St. Louis) en 33 h 30.

1er août : Alexandre Bury, Georges Guyollot et Léopold Sirvin se tuent dans le massif des Pyrénées.
10-11 octobre : premier vol sans escale de Toulouse à Saint-Louis du Sénégal, réussi par Jean Mermoz et Élisée Négrin sur Latécoère 26. A la suite d'une avarie à l'atterrissage, le projet de traversée atlantique Saint-Louis-Natal est abandonné.

11-14 octobre : Dieudonné Costes et Joseph Le Brix relient Le Bourget et Saint-Louis-du-Sénégal puis réussissent la traversée de l'Atlantique sud de Saint-Louis à Natal sur Breguet 19 (Nungesser-Coli).

19 octobre : Antoine de Saint-Exupéry devient chef de l'aéroplace de Cap-Juby.
14 novembre : inauguration de la ligne Rio de Janeiro-Natal et Rio de Janeiro-Buenos Aires par Georges Pivot et Paul Vachet sur Latécoère 25.
9 décembre : Jean Mermoz effectue son premier courrier entre Buenos Aires et Rio de Janeiro.

1928
15 janvier : Hervé Santelli et Georges Francès s'écrasent à Minas (Uruguay).
27 janvier : Pierre Jaladieu est éjecté de son Breguet par les turbulences au-dessus de Roquetas (Espagne). Son harnais n'a pas résisté.

7-22 février : premier vol solitaire entre l'Angleterre et l'Australie de Londres à Darwin par l'Australien Bert Hinkler sur Avro Avian.

1er mars : premier service postal hebdomadaire France-Amérique du Sud (la traversée de l'Atlantique se fait sur aviso).

30 mars : premier vol à plus de 500 km/h par l'Italien Mario de Bernardi sur hydravion Macchi à Venise.

16 avril : premier service de nuit entre Rio de Janeiro et Buenos Aires (Jean Mermoz à bord d'un Latécoère 26 avec deux journalistes brésiliens).
30 juin : Marcel Reine, Édouard Serre et l'interprète Abdallah sont capturés par les Maures près du cap Bojador. Ils sont libérés le 12 août après de difficiles négociations.
Août : reconnaissance de l'itinéraire vers la Bolivie puis le Paraguay par Mermoz, Pranville et Collenot. Atterrissage forcé dans une clairière au retour.
21 septembre : Louis Vidal est capturé par les Maures et libéré cinq jours plus tard.
3 octobre : trois nouveaux morts, dont René Marsac, dans les Pyrénées.
15 décembre : création du ministère de l'Air. Laurent-Eynac devient le premier ministre en exercice.
25 décembre : Au Brésil, Jean Mermoz subit une grave panne et est contraint à un atterrissage forcé sur une plage.

1929
1er janvier : premier service Buenos Aires-Asuncion (Paraguay).
31 janvier : Émile Lécrivain et Pierre Ducaud se tuent au Maroc.
28 février : Jean Mermoz et Alexandre Collenot rallient la Patagonie sur Latécoère 25.
2 mars : Mermoz et le fidèle Collenot transportent le comte Henri de La Vaulx de San Antonio Oeste (Argentine) à Santiago (Chili) au-dessus de la cordillère des Andes, à bord d'un Latécoère 25.
9 mars : lors du voyage de retour, Jean Mermoz et Alexandre Collenot sont victimes d'une panne et contraints à un atterrissage de fortune à 4 200 m. Après deux jours et deux nuits de lutte et de privation, ils parviennent à atteindre Copiapo (Chili) à bord de leur Latécoère 25.

13-14 juin : traversée de l'Atlantique nord des États-Unis à l'Espagne, réussie par les Français Assolant, Lefèvre et Lotti… avec un passager clandestin (Arthur Schreiber) sur Bernard (L'Oiseau Canari), en 29 h 20.

14-15 juin : le Potez 25 F-AJDX, avec Jean Mermoz aux commandes et Didier Daurat comme passager, effectue la liaison Buenos Aires-Mendoza et traverse, un jour plus tard, la cordillère des Andes jusqu'à Santiago. L'appareil reste sur place pour réparation. Mermoz et Daurat reviennent en train.

3 juillet : la ligne se prolonge jusqu'au Venezuela.

15 juillet : premier service Buenos Aires-Mendoza-Santiago, assuré par Jean Mermoz et Henri Guillaumet sur Potez 25.

11 août : Clément Rolland, Louis Vidal et André Costa, sont prisonniers des Maures. Ils seront libérés contre rançon le 16.

13-16 août : deux accidents mortels surviennent à trois jours d'intervalle. Marcel Murier se tue à Toulouse, Ficarelli au Paraguay.

12 octobre : Antoine de Saint-Exupéry est chargé d'officialiser la ligne entre Buenos Aires et Punta Arenas.

28-29 novembre : premier survol du pôle Sud par l'Américain Richard Byrd sur monoplan Josephine-Ford.

1930

3 janvier : Paul Vachet arrive à Caracas, chargé par Marcel Bouilloux-Lafont d'organiser au Venezuela une annexe de l'Aéropostale pour le transport du courrier et des marchandises.

25 janvier : mort de Alphonse Bruyère et Aubry à Tanger.

9 février : Raynal, Languille et Traverse se perdent en mer.

11-12 avril : Mermoz, Dabry et Gimié battent le record du monde de durée et de distance en circuit fermé pour hydravion sur Laté 28.3 (4 308 km en 30 h 25).

10 mai : le Latécoère 28 de Négrin, Pruneta et Pranville (directeur de l'Aéropostale en Amérique du Sud) s'écrase dans le Rio de la Plata.

12-13 mai : première traversée commerciale de l'Atlantique sud entre Saint-Louis du Sénégal et Natal par Mermoz, Dabry et Gimié sur Latécoère 28.3 (Comte-de-La Vaulx).

13-20 juin : au cours de sa 92e traversée des Andes, Henri Guillaumet est victime d'un accident dans les parages de la Laguna Diamante. Après une semaine de recherche, il est retrouvé et sauvé.

8 juillet : après 52 essais infructueux, Jean Mermoz parvient à faire décoller le Comte-de-La

Vaulx et entame la traversée de retour en direction du Sénégal.

9 juillet : à 900 km des côtes africaines, Jean Mermoz est contraint de poser son hydravion près du Phocée, prévenu par radio, qui récupère l'équipage et le courrier.

30 août : Jean Mermoz essaie un Latécoère 28 modifié, destiné à l'Atlantique nord. L'avion subit une rupture en vol. Mermoz est sauvé par son parachute.

Dieudonné Costes

1er septembre : première traversée de l'Atlantique nord dans le sens est-ouest par Dieudonné Costes et Maurice Bellonte sur Breguet 19 (Point-d'interrogation), en 37 h 17.

1931

30 mars-2 avril : Antoine Paillard et Jean Mermoz battent le record du monde de distance en circuit fermé à Oran sur Bernard 80 (8 960 km en 59 h 14).

31 mars : liquidation de l'Aéropostale. Didier Daurat abandonne son poste de directeur de l'exploitation et, par solidarité, Saint-Exupéry décide d'interrompre son aventure sud-américaine.

9 décembre : Jean Champsaur et Albert Bourguignon se tuent aux Baléares.

1932

21 février : Jean Mermoz et son radio Régnier sont obligés d'amerrir lors d'une traversée Oran-Marseille à bord d'un CAMS 53. Après plusieurs heures d'attente l'équipage est sauvé par le paquebot Timgad.

27 février : le Latécoère 28 de Pierre Barbier, Victor Hamm et Georges Gourbeyre est frappé par la foudre en Amérique du Sud. Les trois hommes sont tués.

20-21 mai : première traversée de l'Atlantique nord de Harbour Grace (Canada) à Londonderry (Irlande) par une femme (Amélia Earhart) sur Lockheed Vega.

Juin : Didier Daurat est licencié

et remplacé par Édouard Serre.

1933

7 janvier : Jean Mermoz pilote le Couzinet 70 Arc-en-Ciel du Bourget à Istres en 2h 30.

16 janvier : Jean Mermoz (avec Carretier, Mailloux, Manuel, Jousse et Couzinet) traverse l'Atlantique sud à bord de l'Arc-en-Ciel en 14 h 27.

9 mai : Jacques Emler, René Riguelle et Guyomard se tuent près de Barcelone.

21 mai : retour triomphal de l'Arc-en-Ciel au Bourget.

31 mai : la Société centrale pour l'exploitation des lignes aériennes (SCELA) qui regroupe Air Orient, la CIDNA, Farman et Air Union, rachète l'Aéropostale.

15-22 juillet : premier tour du monde en solitaire par l'Américain Wiley Post sur monoplan Lockheed, en 7 jours 18 h 49.

7 octobre : la SCELA devient Air France.

1934

3 janvier : première traversée de l'Atlantique sud du Latécoère 300 Croix-du-Sud (Bonnot, Clonart, Gauthier, Émont et Durruthy).

15 janvier : disparition de Maurice Noguès sur le tronçon Saigon-Paris à bord du trimoteur Dewoitine D 332 Émeraude.

26 avril : Antoine de Saint-Exupéry est engagé par le service de propagande d'Air France.

24 juillet : Air France assure un service mensuel aller-retour sur l'Atlantique sud.

5 août : mort de Victor Étienne au Brésil.

1935

15 avril : Jean Mermoz est nommé inspecteur général d'Air France.

Jean Batten

11-13 novembre : première traversée de l'Atlantique sud de Lympne

(Angleterre) à Natal (Brésil) par une femme (Jean Batten) sur Percival Gull, en 13 h 15.

1er décembre : Jean Mermoz prend part aux essais en qualité d'inspecteur d'Air France du Latécoère 521 Lieutenant-de-Vaisseau-Paris et effectue plusieurs vols d'évolution avec cet hydravion géant hexamoteur (37 t).

29 décembre : après 15 jours de préparation seulement, Antoine de Saint-Exupéry et son mécanicien André Prévot s'envolent du Bourget pour battre le record Paris-Saigon sur Simoun. Dans la nuit, l'avion heurte un plateau de sable dans le désert libyen. L'équipage est récupéré le 1er janvier 1936.

1936

5 janvier : Air France assure un service hebdomadaire sur l'Atlantique sud.

10 février : – première traversée atlantique du Laté 301 Ville-de-Rio avec Henri Guillaumet aux commandes.

– disparition du Laté 301 Ville-de-Buenos-Aires : six morts, dont Alexandre Collenot, mécano de Mermoz, et Barrière, directeur en Amérique du Sud.

20 juillet : 100e traversée de l'Atlantique sud par Air France.

2 août : Génin, Savarit, et Aubert s'écrasent près de Mazamet.

7 décembre : disparition du Latécoère 300 Croix-du-Sud et de son équipage (Jean Mermoz, Alexandre Pichodou, Henri Ezan, Jean Lavidalie et Edgar Cruveilher), 4 heures après le décollage de Dakar.

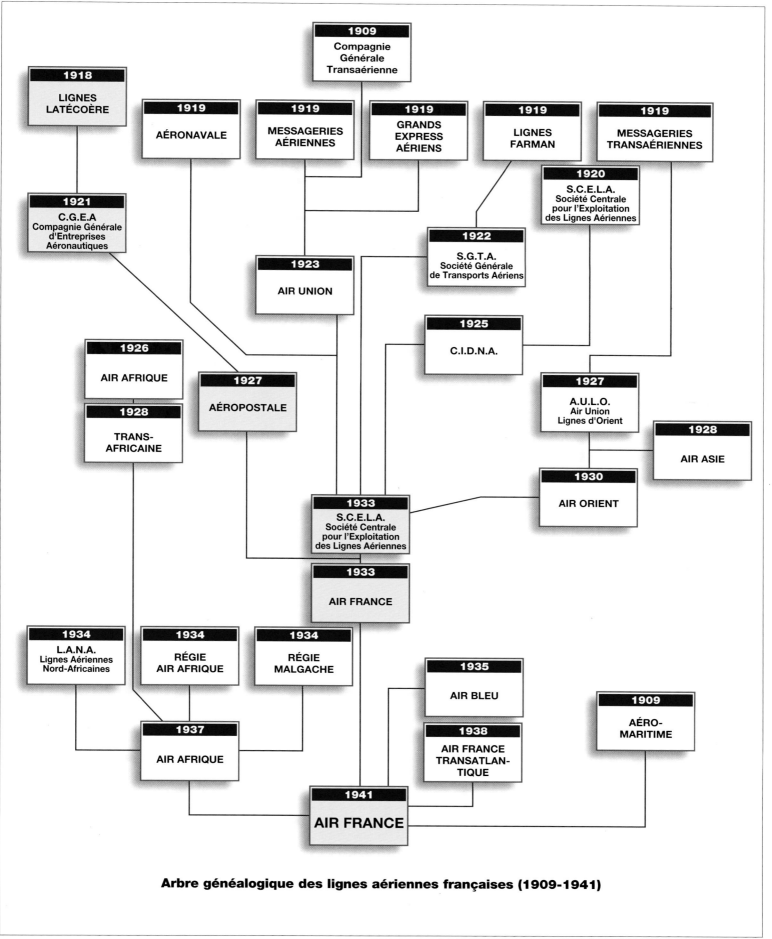

Arbre généalogique des lignes aériennes françaises (1909-1941)

COMPAGNIE G[ÉNÉRALE]
AÉROPOS[TALE]

ANCIENNEMENT : COMPAGNIE GÉNÉRALE D'[...]

SOCIÉTÉ ANONYME AU CAPITAL DE VI[...]

Statuts déposés chez Me MACIET, [...]

SIÈGE SOCIAL A PARIS, ACTUELLEMENT [...]

Registre du Commerce : Sein[e...]

Bon de Cinq Cents Fran[cs]

N° 048,111

FAISANT PARTIE D'UNE ÉMISSION DE 100,000 BONS DE 500 FRANCS, EFFECTUÉE SUIVANT AUTORISATION DE M. [...]
LA NAVIGATION AÉRIENNE, EN DATE DU 30 SEPTEMBRE 1927 ET EN VERTU D'UNE DÉLIBÉRATION DU CONSEIL D'ADMIN[...]

INTÉRÊT ANNUEL : 35 FRANCS, payable par moitié les 2 [...]

Ces Bons seront amortissables au pair en 6 ans, à partir du 1er Juillet 1928 par voie de tirages au sort semestriels [...]
suivant le tableau d'amortissement ci-contre.
Le premier remboursement aura lieu le 1er Janvier 1929 et le dernier le 1er Juillet 1934.

La Société se réserve la faculté d'amortir à toute époque par anticipation tout ou partie des Bons en circulation, soit
par voie de tirages au sort supplémentaires, moyennant un préavis de trois mois, soit par rachats en Bourse. Les Bons
amortis en excédent du nombre prévu au tableau d'amortissement seront imputés sur le nombre de ceux prévus au
remboursement suivant.

Les Bons cesseront de porter intérêt à partir du jour où leur remboursement sera exigible. Ils devront être munis de
tous les coupons qui ne seraient pas encore échus à la date fixée pour le remboursement. Dans le cas où il en manquerait
un ou plusieurs, le montant en serait déduit du capital à rembourser.

TABLEAU D'AMORTISSEME[NT]

Dates des remboursements	Nombre de titres amortis	Dates des remboursements	Nombre de titres amortis	Dates des re[...]
2me SEMESTRE 1928	6.848	1er SEMESTRE 1930	7.593	2me SEMES[...]
1er — 1929	7.088	2me — 1930	7.859	1er [...]
2me — 1929	7.336	1er — 1931	8.133	2me [...]

LE PRÉSIDENT DU CONSEIL D'ADMINISTRATION,

PARIS, LE 3 NOVEMB[RE ...]

NÉRALE
ALE
ÈPRISES AÉRONAUTIQUES
MILLIONS DE FRANCS
ire à PARIS
9, AVENUE MARCEAU
39

Droit de Timbre acquitté par abonnement. Avis d'autorisation inséré au JOURNAL OFFICIEL du 27 Octobre 1927

7 % au Porteur

TRE DES FINANCES ET DE M. LE MINISTRE DU COMMERCE CHARGÉ DE
DU 8 SEPTEMBRE 1927, PRISE CONFORMÉMENT A L'ARTICLE 24 DES STATUTS.
er et 1er Juillet de chaque année.

i ayant été autorisée par M. le Ministre des Finances et M. le Ministre du Commerce chargé de la
Suite de la Convention du 9 Juillet 1924 entre l'Etat et la Compagnie et de l'Avenant du 19 Août
17 Août 1924 et du 18 Septembre 1927) que le service de l'emprunt, intérêts et amortissements
le Compte d'exploitation de la Compagnie au crédit duquel sont portées les subventions versées

n nom de la Compagnie. — La dénomination de "COMPAGNIE GÉNÉRALE
AÉRONAUTIQUES" qui était la raison sociale de la Compagnie, est devenue "COM-
LE AÉROPOSTALE" à la suite de la décision de l'Assemblée générale extraordinaire du
l'approbation donnée par le Gouvernement à cette modification.

ES BONS 7 %

s	Nombre de titres amortis	Dates des remboursements		Nombre de titres amortis
1	8.419	1er	SEMESTRE 1933	9.334
2	8.713	2me	— 1933	9.660
2	9.018	1er	— 1934	9.999
		TOTAL. . . .		100.000

PAR DÉLÉGATION DU CONSEIL D'ADMINISTRATION,

7.

Entre 1927 et 1929, la Compagnie aéropostale séduit les investisseurs et les petits porteurs. Au total, elle lève quarante-cinq millions d'obligations semblables à celle-ci. Dans un premier temps, l'emprunt qu'elle suggère connaît un très vif succès. Mais, dans les premiers mois de 1930, les comptes de la société font apparaître un trou de quatre-vingts millions de francs.
Le 10 mars 1931, la Compagnie aéropostale est contrainte de déposer son bilan. Au grand dam des petits épargnants, qui lui avaient jusque-là fait confiance.

LA LIGNE VUE PAR...

Si la Ligne Toulouse-Santiago a marqué les esprits plus que toutes les autres initiatives aériennes en Europe, en Afrique ou même en Amérique du Nord, c'est qu'elle a profité du concours de propagandistes incomparables. Ils sont innombrables les écrivains, les journalistes ou les illustrateurs qui ont chanté la légende et entretenu le mythe. De Roy à Gide, quelques témoignages édifiants.

... JULES ROY

« Ce sont ces imbéciles-là que j'admire ! »

« Parler des hommes qui ont franchi l'Atlantique ou la cordillère des Andes paraît aujourd'hui aussi suranné que de décrire la traversée des Alpes par les éléphants d'Hannibal. Un brin de ridicule s'attache à l'entreprise de Blériot sautant les falaises de la Manche avec une libellule équipée d'un moteur de 25 ch comme à celle de Lancelot à la poursuite du Graal ou de Godefroi de Bouillon partant pour la croisade, et, dans quelques années, nos petits-fils que rien n'étonne déjà plus se demanderont aussi pourquoi nous avons attaché tant d'importance aux premiers hommes qui ont osé quitter leurs capsules pour flotter dans l'espace à côté d'elles. Ils oublieront que ces hommes-là risquaient de ne plus pouvoir rejoindre leurs machines et que, si le câble qui les retenait à elles s'était rompu, ils auraient alors, le sang en ébullition puis le corps grillé, été condamnés à tourner, à quelques centaines de kilomètres d'altitude, autour d'une planète encapuchonnée dans l'ouate des nuages. Une mort grisante et facile, peut-être, mais dont il fallait prendre le risque. Devenir de la poussière d'astres et avoir le ciel pour tombeau n'est pas d'ordinaire une tentation pour les hommes qui peuvent, le soir, allumer du feu dans leurs cheminées de campagne ou s'accou-der au zinc des bistrots des villes avec des amis.

« "La terre, de là-haut, paraissait nue et morte." Saint-Exupéry écrivait cela il y a quarante ans. "De là-haut" ... quelques centaines de mètres seulement. À cette époque-là, les avions râclaient l'écorce des continents et rôdaient le long des parois de montagnes sans pouvoir s'élever au-dessus d'elles. "Un ciel pur comme de l'eau baignait les étoiles et les révélait. Puis c'était la nuit. Le Sahara se dépliait dune par dune sous la lune." Un écrivain découvrait le monde aux commandes d'un aéroplane et nous livrait soudain le vent, le sable, les rivages dans l'attente de l'aube et un chef d'escale ou une femme craignant de voir un pilote gagné de vitesse par le cyclone.

« À présent aussi, une certaine commisération envahit le jeune critique et nos beatniks. Saint-Exupéry ne serait qu'un mécanicien venu à la littérature avec sa caisse d'outillage et son vocabulaire technique, et Guillaumet, qu'est-ce donc que Guillaumet ? Ah ! oui, ce type dont Saint-Exupéry a célébré la longue marche à travers les glaces. Allons, messieurs, on discerne ce qui vous agace : qu'on paraisse prendre au sérieux l'aventure d'une nation se jetant à la conquête des lignes aériennes, et qu'on s'y prenne au sérieux soi-même avec un certain ton qui exclut l'humour et le scepticisme. C'est à l'époque qu'on devait ça, et au lendemain d'une Première Guerre mondiale où des milliers d'hommes étaient morts avec gravité.

« Saint-Exupéry, Kessel, du bric-à-brac ? Leurs personnages, du moins, s'ils manquaient parfois de fantaisie, agissaient avec naturel, ce qui changeait de Paul Déroulède et, parfois, de Barrès. Et puis, on ne devient pas un héros si facilement. Il faut une sorte de connivence secrète entre l'événement et l'homme, les circonstances qui mettent un acte en lumière et les chefs de publicité de l'Histoire. D'autres pilotes tombés captifs aux mains des Maures ou engloutis dans l'Atlantique ne seraient jamais sortis de l'obscurité si Saint-Exu-péry ou Kessel n'avaient célébré leur aventure et si le public n'avait suivi. Sait-on de Guillaumet qu'il a traversé une centaine de fois l'Atlantique sud, une dizaine de fois l'Atlantique nord au poste de pilotage d'avions qui perdaient leurs hélices ou se désentoilaient dans les coups de bélier des orages ? De lui, on se souvient seulement qu'un jour, le 30 juin 1930, aspiré par une tempête au-dessus du massif de la cordillère des Andes dont les sommets dépassent quatre mille mètres, il eut son avion abattu et, alors qu'on le croyait mort, réussit, seul et à travers les glaces, à rejoindre les terres habitées.

« À sa femme qu'on voulait préparer au malheur et qu'on prenait pour une folle parce qu'elle répétait sans cesse : "S'il n'a pas percuté il reviendra" , il avoua que c'était sa faute. La veille, il avait dû revenir au terrain où les Américains étaient restés cloués par le mauvais temps. Il s'était obstiné et avait voulu passer par le sud pour prouver aux Argentins et aux Chiliens que les pilotes français valaient mieux. L'entonnoir géant de la Laguna Diamante l'avait englouti. Penser qu'il allait surgir de ce tombeau gigantesque était absurde comme la foi.

« Sur le fuselage de son Potez 25 retourné les roues en l'air dans la neige, il grava avec la pointe d'un outil son testament : son dernier souvenir à sa femme avec un "bon baiser", les circonstances de sa chute, sa direction de marche et ses adieux à tous. Au bout de quatre jours et de quatre nuits de marche, Guillaumet entendit des coqs chanter et des trains siffler. Il voyait des lumières dans la plaine. Tout n'était qu'hallucination. Quand il arriva enfin devant un rio sur l'autre rive duquel il aperçut une masure et une femme, la femme eut peur et s'enfuit avec son petit garçon. Il cria : "Aviador, mucho peso." Alors la femme revint. Il était tombé sans lâcher le léger sac de courrier qu'il ramenait sur son dos. Elle le releva. Il s'accrocha à son mulet pour franchir l'eau. Chez elle, la femme le coucha sous des peaux de bête et lui donna à boire de l'eau-de-vie. Le

soir, son mari rentra et Guillaumet s'expliqua. "C'est impossible que vous veniez de la Laguna Diamante, dit l'Indien. À cette saison un homme ne peut sortir de là." Cette phrase, c'était la gloire de Guillaumet, avec cette autre qu'il avait osé dire à son ami Saint-Exupéry, atterrissant en campagne, le long de la route où cheminait la caravane qui ramenait le rescapé : "Ce que j'ai fait, je le jure, jamais aucune bête ne l'aurait fait. "

« Parce que Saint-Exupéry participait aux recherches, qu'il a décrit cet exploit et fait de lui un héros de ces livres, Guillaumet

... PAUL LANGELLÉ

entrait dans la gloire. Cette photo où il pose, à Mendoza, au milieu des journalistes, quel extraordinaire document! Les yeux baissés, Saint-Exupéry, le seul à ne pas regarder l'objectif, entoure de son bras gauche l'épaule de son camarade. Il s'efface devant le vrai personnage du drame, son ami Henri Guillaumet, le visage encadré par le serre-tête, les joues mangées par la barbe et brûlées par le soleil, rapetissé comme une vieille femme et les pieds en sang. Par ce geste, l'amitié atteint des hauteurs sublimes. La discrétion de Saint-Exupéry quand il s'écarte encore, le feutre sur le nez, au moment où Guillaumet appelle Buenos Aires au téléphone pour dire à sa femme qu'il est vivant, c'est la contemplation amoureuse des camarades qui se sont crus perdus. Les chevaliers de la Table ronde devaient connaître cette passion des retrouvailles parce qu'ils jouaient leur vie. On ne s'aime plus comme ça de nos jours. La technique a tué le danger et l'absence de risque établit entre les hommes la banalité des relations entre ronds-de-cuir d'une administration.

« Quinze jours après son retour à Buenos Aires, Guillaumet repartait pour la cordillère des Andes. Cette fois-là, il dut encore revenir au terrain à cause d'une autre tempête de neige. Le lendemain il réussissait. Santiago, Mendoza, Général Soler, Mendoza, Santiago, on retrouve les mêmes noms sur son carnet de vol. Le 7 août il effectuait sa centième traversée. Ainsi le torero regarde le taureau qui peut le tuer et, à la minute de vérité, pense: "C'est moi qui t'ai eu, et pas l'inverse." Lieu commun? Peut-être. C'est avec ce genre de lieux communs qu'on franchit pour la première fois l'Atlantique ou la cordillère des Andes et que les philosophes, qui méprisent avec raison les lieux communs, peuvent à présent aller, dans un fauteuil de Boeing, donner des conférences dans les universités. Pendant des nuits, Guillaumet ne dormit pas parce qu'il souffrait de ses gelures et parce qu'il rêvait que des remous le retournaient sans qu'il pût se défendre, qu'il allait s'écraser contre une paroi, ou qu'il dégringolait dans des crevasses pendant sa marche à travers les glaciers. A présent installée à Mendoza, sa femme l'attendait. Quand les radios lui annonçaient le départ de l'avion de Santiago, elle l'entendait avant eux quand il débouchait dans la plaine et leur signalait son arrivée.

« Il est difficile de reprocher à Saint-Exupéry ou à Kessel d'avoir préféré la compagnie de Mermoz et de Guillaumet à celle des intellectuels. Il est difficile de reprocher à Mermoz et à Guillaumet de s'embrasser quand ils se retrouvent ou de souffrir de leurs amitiés disparues. Leur vertu à tous fut de s'attacher à des camarades plus qu'à des marchés commerciaux, de se jalouser pour des riens et de s'écrire des lettres qui, sous les formules du métier et les mots puérils, étaient des lettres d'amour. Qui pouvait les croire très futés ? Leur style d'écoliers appliqués, leurs fautes d'orthographe et de syntaxe, qui en souriait ? Quand Saint-Exupéry dédie *Vol de nuit* à son chef direct, Didier Daurat, ses camarades l'accusent de flagornerie, et il en souffre si démesurément qu'à un retour triomphal de Guillaumet avec l'*Arc-en-Ciel*, deux ans après la sortie du livre qui lui a valu la célébrité, il n'ose s'aventurer à subir un affront. "Alors toute la vie est gâtée si les meilleurs des camarades se sont fait cette image de moi et s'il est devenu un scandale que je pilote sur les lignes après le crime que j'ai fait en écrivant *Vol de nuit*… J'aurais aimé aller au Bourget, mais je n'en ai pas eu le courage. J'aurais eu peur de pleurer et cette rencontre avec le meilleur de mes amis m'a effrayé…"

« Leur amitié n'avait rien de métaphysique ni de désincarné. Elle s'exprimait par des bourrades et des plaisanteries de popote. Dans leur innocence, ils se partageaient les chambres, les filles, les montagnes, les déserts et les mers. Saint-Exupéry les appelait "mes chers enfants" et illustrait ses propres lettres d'aquarelles. Ils avaient peur de se manquer, s'attendaient, se rataient, manigançaient des rendez-vous à l'autre bout du monde, se fâchaient et se réconciliaient. Les mêmes noms d'escale sur des rivages les liaient pendant des années : Alicante, Cap-Juby, Cisneros, Saint-Louis du Sénégal, Dakar, Natal, Rio de Janeiro, Lisbonne, les Açores, les Bermudes, New York. En ce temps-là, ils mettaient de quinze à vingt heures pour venir à bout de l'Atlantique sud, vingt-quatre pour avaler l'Atlantique nord. De temps en temps, l'un d'eux faisait un

trou dans l'eau parce que la cellule avait craqué dans un orage, ou qu'une hélice, en quittant son arbre, fauchait un plan ou un empennage. Leurs risques, ils les couraient sur des machines et non à travers les idées ou la politique. Alors, quand un copain disparu était retrouvé vivant, quel ouragan de bonheur et de fêtes ! "Nous pleurions tous, nous t'écrasions dans nos bras…" Comme l'ailier qui vient de marquer le but qui fait gagner son équipe ? C'est autre chose. Il s'agit là aussi de sport, mais au sport s'ajoute une victoire sur la mort.

« Nous ne savons pas ce que les astronautes soviétiques et américains ont éprouvé quand leurs compagnons ont rejoint leur capsule après un petit tour au-dehors. Les confidences ne sont pas de mise si l'enjeu de la partie devient la possession du monde, et la voix d'un contrôleur de vol parlant devant son écran de télévision à des milliers de kilomètres de là n'a rien de bouleversant. La technique tue peut-être aussi les sentiments. Et pourtant Guillaumet, photographié par son passager au poste de pilotage de son Potez 25 dans le décor grandiose de la cordillère des Andes, caparaçonné de cuir comme un cheval de picador, paraît lui aussi suspendu dans l'immensité du cosmos. Il ne dirige pas une fusée mais une machine de bois, de toile et de ferraille grossièrement haubannée. Seulement il ressemble encore à un homme et son visage n'est pas dissimulé sous le casque d'acier à visière transparente d'un Martien. Il est plus proche de nous, parce qu'il est seul, sans radio de bord, sans guidage et sans directives, vraiment livré à son destin et maître de ses décisions. Alors, le mot de sa femme après son aventure nous émeut davantage et le grandit encore : "Si j'avais vu la Cordillère, j'aurais désespéré." Deux ans avant Guillaumet, Mermoz, tombé en panne au bord d'un gouffre, répara, jeta son avion dans le vide pour puiser la vitesse dont il avait besoin, et jaillit des abîmes comme un aigle.

« Plus de dix mille heures de vol, l'équivalent de quatorze mois passés sans désemparer à décoller des machines volantes à pleine charge et à les piloter dans les nuages, et la vie de Guillaumet s'achève à trente-huit ans

… JACQUES THEVENET

parce qu'un jeune Italien mitraille, en 1940, son avion de transport. Quatre ans plus tard, Saint-Exupéry trouvera, dans les mêmes parages, une mort semblable. Qu'elle vienne d'une panne d'oxygène, d'un canonnier ou d'un chasseur, la belle affaire ! Elle ne les a pas surpris dans leur lit pendant la lecture d'un journal du soir.

« "Mon plus gros travail fut de m'empêcher de penser", c'est ce que Guillaumet avoua pour expliquer comment il était sorti des neiges de la cordillère des Andes. Pour avoir la force d'avancer, il devait refuser de voir qu'il était condamné à périr enseveli. Quelle vérité à utiliser contre ceux qui font la fine bouche parce que Saint-Exupéry célèbre le courage de ses camarades avant l'intelligence des professeurs ! Guillaumet comme Mermoz étaient peut-être des imbéciles, comme Michel Vieuchange marchant vers la ville secrète de Smara et finissant par en mourir, mais ce sont ces imbéciles-là que j'admire et

que j'aime, même s'ils s'appellent Mao Tsé-Toung, Lin Piao ou Chu Teh traversant la rivière Ta Teu ou les marais des Grandes Prairies en 1935. Quand les circonstances conduisent au désespoir, et que le seul moyen d'échapper au désastre est de le défier plus follement, comment peut triompher la raison sinon par la déraison ? C'est ainsi que les héros peuvent à leur tour instruire les philosophes, les scribes et les pharisiens, parce qu'ils ont bravé le sort et conquis à jamais le cœur des hommes. »
(*Icare*, n° 67, 1966.)

Jules Roy. (1907-)

À l'égal d'un Kessel, Jules Roy s'est fait le chantre de l'aventure et des héros qui la servent. Militaire jusqu'en 1953, il a vécu les catastrophes indochinoises et algériennes et écrit plus d'un récit à leur propos (*La Bataille dans la rizière, Autour du drame*). Sa préférence allait aux aviateurs. On lui doit un magnifique *Saint-Exupéry* et un sublime *Guynemer*.

... LÉON-PAUL FARGUE

Sur les crêtes du quatrième élément

« On sait assez que je ne suis pas aviateur et que je ne le serai jamais : le temps me manque... Mais j'ai l'habitude de voyager, et même en rêve, sur des machines qui pourraient bien étonner les imaginations les plus folles de conquêtes. Il ne faut donc pas me confondre, en matière de vol, avec ces territoriaux de l'âme humaine à qui la jeunesse planante murmure en souriant : "Ne vous mêlez point de vide, de vents, d'infini ou d'escaliers sans fin, ce n'est pas votre cadre." Le 444 de moyenne atteint, si mes souvenirs ne sont pas trop confus, il y a dix ans, dans la coupe Deutsch de la Meurthe fit une sensation d'étoile filante que je dépassais déjà de l'œil quand je la tenais au bout de ma plume. Ceci dit, j'ai ma façon de parler de l'admirable Saint-Ex, car nous nous sommes connus à notre façon aussi, et je compris sur-le-champ qu'il n'était pas exclusivement aviateur. Bien des problèmes l'ont préoccupé, en dehors des plongeons dans l'espace et des ivresses que l'on éprouve, moitié homme et moitié machine, sur les crêtes du quatrième élément, autour de l'aigle invisible et fatidique.

« J'ai connu Saint-Ex à la parisienne, pour ne point dire à la hussarde, et tout simplement et en même temps à la brasserie Lipp et, rue d'Amsterdam, dans le musée aux fromages d'Androuet, une des maisons de Paris qui le mettaient le plus en verve, ainsi qu'un piquelard de l'avenue des Ternes où la douce patronne coupait des tranches de jambon d'York grandes comme les affiches de la mobilisation générale. Il était arrivé là un peu en retard, moins que moi, et nous fûmes à deux doigts de nous manquer, mais un grand disque de brie de Melun, quasi fumant de séductions sur sa paille chrétienne, et traversé de fétus comme de peignes une chevelure japonaise, ou quelque livarot en veste de cuir l'avaient retenu.

« Je l'aperçus soudain. Il était décoiffé, presque distrait, une main dans la poche de son pantalon, l'autre dans la poche de son veston où bâillait un livre. Il attendait, il admirait. Saint-Ex avait le regard étonné, le nez étonné, l'ovale étonné, et pourtant il se dégageait de son visage clair et sain une impression de grand sérieux, tantôt évangélique et tantôt scientifique... Dirai-je que nous devînmes amis tout de suite ? Il avait une façon d'attaquer les questions et les fremetons qui convenait à mes méthodes. C'était direct, adroit, sous d'impalpables nappes de fantaisie et de négligence. Il était abondant, rieur... et brusquement attentif, comme on l'est à ces moments où passe soudain, devant la façade de l'esprit, le côté d'une chose qui ne s'était jamais montré. C'est la "présentation", comme on dit en chirurgie. Alors, Tonio devenait l'écrivain qu'il fut, l'écrivain qui manque : quelque chose comme un Vigny plus "affranchi", mais tout aussi pur et strict, et qui aurait été pourvu, en excédent, de toutes les noblesses du caractère et de la continuité morale du sens de l'air. A ces moments, les zincs qu'il avait tués sous lui le servaient, et il s'élevait dans l'azur, vers le quartz céleste, sur les planeurs d'une très belle langue française.

« Saint-Ex pouvait parler de tout, de Karl Marx, qu'il lut avec acharnement pour ne rien ignorer de cette mare un peu stagnante, faite d'infiltrations françaises, comme on l'oublie trop. Il pouvait parler de Balzac, de la ménagerie fantastique du Moyen Age, de Toussenel, de Gérard de Nerval, du vieux fusil Chassepot ou de la Patagonie, avec la discrétion des hommes indomptables, mais à perte de vue, et sur un sol bien dallé de connaissances qui ne se dérobait jamais sous ses pieds. Saint-Ex était, à ce moment-là, pilote de l'Aéropostale et maître absolu des destinées d'un poste français piqué dans quelque zone africaine. Il avait pour amis et pour compagnons de ces gaillards qui font de la France ce qu'elle est, qui lui donnent ses sonorités profondes et son honneur d'assises : Mermoz, Guillaumet, Collenot, Édouard Serre, Daurat. Et d'autres amis qui, pour lui seulement, avaient des visages, des passions, des silhouettes : la Cordillère, le cône de l'Aconcagua, Cap-Juby, où il avait appris le langage des Maures et qui devait lui inspirer les permiers chapitres de son *Courrier Sud*.

« C'était, de pied en cap, un fils de grande famille française, un seigneur, et l'aventure, le service, l'audace, le calme avaient encore rehaussé cette attitude. Ses exploits, d'abord déconcertants, finirent par étonner vraiment, tant leur teneur en émotion et en dignité était riche.

« Dans sa courte vie rimbaldienne, où il entrait du chevalier et du romantique, il traversa la vie de Paris comme un aérolithe, et la connut toute, des turqueries de Lancret de la haute auberge mondaine à la molesquine lie-de-vin d'un café ou d'une brasserie où il faisait prendre parfois, par un domestique rapporté d'Égypte, une falourde de munster pour régaler ses amis quand il habitait rue de Chanaleilles. Il connut les bars racés du quartier Vendôme et les caboulots périlleux de Meknès ou de Jaguaro, le vide conventionnel des bureaux de ministres où il rendait compte de ses missions, et des grands journaux de Paris où il confiait, dans son langage serré à la Paul-Louis Courier, ses sensations de pilote. Je crois qu'en dix ans d'intimité je ne le vis que trois fois dans un véritable appartement, dans un chez-soi dont il payait le terme et où il tenait parfois compte des fauteuils et des polices d'assurances... Les chambres où nous nous retrouvions pour passer des heures ensemble étaient des hôtels, des nuits, des petits-jours, des gares. Que de fois il fallut attendre le harassement pour se quitter enfin devant l'aéroport de la Coupole ou dans le hall de l'hôtel Lutétia ! Que de nuits aussi j'ai passées à l'attendre, nerveux et tendu, non qu'il fût toujours en retard, mais parce que je le savais à Florianopolis ou en Cyrénaïque, et que la radio ne nous disait rien sur le régime de son moteur.

« Grand Saint-Ex à qui rien ne fut impossible, et qui laisse d'inguérissables blessures au cœur de ceux qui l'ont vu, même une seule fois, sourire. Car il souriait comme pas un. Non point de certitude, et parce que ses écrits l'ont fait comparer à un Conrad, à un Kipling. Non point parce que sa prose est drue et profonde et qu'on en parlait, ni parce que ses avis comptaient, ni parce qu'il portait un beau nom, ni parce qu'il eut presque à sa merci les plus nobles camarades que pût souhaiter un homme de sa trempe. Mais, tout simplement, parce qu'il était charmant, et qu'il avait, au fond de son cœur princier, des joyaux pour tout le monde. »

(*Souvenirs de Saint-Exupéry*, Dynamo-Pierre Aelberts éditeur, 1945.)

Léon-Paul Fargue (1876-1947)
Poète et écrivain, ami de Larbaud, de Gide et de Valéry, amoureux de Paris *(D'après Paris, Le Piéton de Paris)*, Léon-Paul Fargue s'est très tôt entiché de Saint-Exupéry dont il admirait le courage et partageait le goût pour les équipées nocturnes. Très introduit dans le monde littéraire et auprès de Gaston Gallimard en particulier, il recommanda plus d'une fois le futur auteur de *Terre des hommes*.

... JOSEPH KESSEL

« Ah ! les vaches ! »

« Les journaux, en 1927, étaient pleins d'une aventure étonnante. Deux aviateurs français, faisant route vers Dakar, avaient heurté, comme ils survolaient le Rio de Oro, une haute dune masquée par la brume de l'aube. La chance miraculeuse qui leur sauva la vie, ils l'avaient payée par des mois d'esclavage chez les R'Guibat, tribu maure jamais soumise du Sahara espagnol. Traînés de campement en campement par les nomades aux voiles bleus, les yeux rougis de sable, la gorge ardente de soif, saignant des pieds, des mains, meurtris tour à tour par un soleil de torture et par les nuits glaciales, affamés, couverts de vermine, de plaies et de crevasses, voués aux besognes pénibles dont ne voulaient pas les guerriers, menacés sans cesse du fusil, du poignard ou du cimeterre, ils avaient vécu, en plein XXe siècle, la vie sans âge du désert, le rythme de ses splendeurs, de ses tourments, de sa poudreuse férocité. Enfin, rachetés comme au temps des pirates barbaresques, ils avaient regagné Paris.

« Ces deux hommes s'appelaient Reine et Serre. Peu après leur retour en France, Le Brix me les fit connaître dans un petit bar de la place de l'Alma.

« Je pensais voir deux héros classiques de film d'aventure. Je découvris un savant doux et fragile, dévoré par les spéculations intellectuelles, comme d'autres le sont par les passions de la chair, et qui était Édouard Serre.

« Quant à Marcel Reine, je me trouvais en présence d'un enfant.

« Il portait sur son visage, comme un don sans prix, la lumière et le sourire de l'extrême jeunesse. Avec ses cheveux clairs, ses yeux bleus, ses joues roses, il semblait, malgré ses vingt-sept ans, sortir à peine de l'adolescence. Tout, en lui, décelait la fraîcheur, l'intrépidité, le désir de mordre aux fruits de la vie, l'insouciance de les perdre, l'amour et le dédain de vivre. Bref, il était pareil à un gamin audacieux pour qui ne comptent que son élan, et sa gaieté.

– Ah ! les vaches !

– De qui parlez-vous ? demandai-je complètement désemparé. Des Maures ?

– Mais non, dit-il, des officiels. Avec leurs réceptions, leurs banquets, leurs discours, ils nous mettent sur les rotules. Vivement le bled. Ah ! les vaches !

« Quelques semaines plus tard, un avion à moitié désemparé, perdu dans le vent de sable, luttait tragiquement le long des côtes du Rio de Oro. Tantôt rasant l'écume livide des vagues, tantôt jeté vers les falaises du rivage, tantôt noyé par la jaune et visqueuse poussière que des souffles ardents venus du désert étendaient à perte de vue sur la terre et les flots, l'appareil semblait jouer un jeu de cauchemar. Mais la main ferme et savante du pilote Émile Lécrivain posa enfin, comme venait le crépuscule, les roues de la machine volante sur le rouge promontoire de Villa Cisneros.

« Je sautai de la carlingue avec un sentiment de résurrection. J'avais eu peur, pendant trois heures interminables, comme je n'avais jamais eu peur encore, même pendant la guerre où le danger de l'air était brutal, rapide et actif.

« Or, pendant que je réapprenais à vivre avec incrédulité, un moteur gronda dans la nuit, des feux d'essence s'allumèrent et un avion vint se poser dans le triangle qu'ils délimitaient. Reine le menait depuis le Sénégal, courrier remontant, prisonnier lui aussi du vent du sable. Il jaillit du poste de pilotage, la figure maquillée par la poudre du désert et, désignant le ciel qu'il venait de traverser, il cria :

– Ah ! les vaches !

« Cette fois, je compris tout de suite à qui il s'adressait.

« Sur le terrain de Mendoza, j'achevais de déjeuner. En face de moi le radio navigant Pourchas montrait grand appétit. Nous ne nous étions pas vus depuis huit ans quand je débarquai en Argentine. Mais nous avions passé ensemble quelques belles nuits blanches à Casablanca et partagé les émotions du vent de sable. Ce sont des choses qui ne s'oublient point. Pourchas, maintenant, faisait équipage avec Reine. J'étais doublement heureux de traverser, en leur compagnie, la cordillère des Andes.

« Rien ne vaut pour moi en intensité, en profondeur, en pureté, le plaisir de ces haltes brèves, de ces rencontres imprévues, sur de vastes champs où tournent les moteurs et où se repose pour quelques instants, avant que de reprendre son voyage, la race des hommes de l'air. Syrie, Éthiopie,

... HUBINON et CHARLIER

MERMOZ MET PLEINS GAZ. CAHOTANT DUREMENT SUR SON TRAIN FAUSSÉ QUI VIBRE ET CRAQUE SINISTREMENT, LE LATÉ-25 DESCEND LA PENTE...

GARE, COLLENOT ! CRAMPONNEZ-VOUS !...

...PLONGE DANS LE VIDE PAR-DESSUS UN GOUFFRE VERTIGINEUX, RETOMBE LOURDEMENT SUR LA SECONDE PLATE-FORME REBONDIT COMME SUR UN TREMPLIN...

LE TRAIN A TENU !... POURVU QUE ÇA CONTINUE !...

...AU-DESSUS D'UN SECOND, PUIS D'UN TROISIÈME PRÉCIPICE, REBONDISSANT CHAQUE FOIS SUR LES PLATES-FORMES AVEC UNE PRÉCISION ET UNE LÉGÈRETÉ PRODIGIEUSES.

VICTOR HUBINON

J.M. 43

Mexique, Guatemala... De quels paysages prestigieux s'enveloppent dans mon souvenir ces escales ! Mais jamais encore ne s'était offfert à mes yeux un pareil décor.

« D'un côté, vers l'est, commençait la plaine infinie que, sur des centaines de kilomètres, nous avions survolée depuis Buenos Aires. De l'autre, et comme à portée de la main, se dressait un mur de sept mille mètres, vertigineux, titanique, dont la cime neigeuse touchait le ciel bleu : la Cordillère. La terre semblait buter contre cette sombre et monstrueuse paroi et s'arrêter à ses pieds.

« Depuis trois ans, après Mermoz, après Guillaumet, Reine la traversait deux fois chaque semaine. Les derniers mois avaient été particulièrement durs. La neige, la brume, le vent déchaîné l'avaient forcé à chercher passage au nord, au sud, à faire des détours immenses, à jouer sa vie entre les pics. Il était passé tout de même.

« Ce jour-là était beau. Et Reine s'en était réjoui singulièrement, moins pour lui que pour moi. Car il tenait à me montrer les splendeurs de « sa » Cordillère, ses glaciers, ses vallées, ses guanacos bondissants et la crête de l'Aconcagua géant. Pourchas et moi, nous allumions des cigarettes lorsque, à travers la porte vitrée de la cantine, nous vîmes Reine sortir du poste de radio et courir à nous. Il brandissait le poing vers l'ouest. Son visage rose et ses yeux bleus étaient enflammés de colère. Et, dès le seuil de la pièce, il eut ce cri saugrenu et magnifique :

– Morue de Cordillère !

« Puis, s'adressant à Pourchas :

– Figure-toi que de la station du Christ des Andes, ils viennent de passer : brume et nuages venant du Pacifique. Tout va être couvert de nouveau. On ne peut jamais être sûr de rien avec cette Cordillère. Ah ! la vache !

« Ainsi je vis que, à huit années de distance, Reine avait conservé l'habitude de traiter les éléments surhumains comme des êtres familiers et qu'il continuait à mettre son cœur, son amour et sa rage dans le commerce héroïque et trivial qu'il entretenait avec eux.

« Les personnages d'Homère n'agissaient pas autrement.

« Que ne pourrais-je dire encore de lui ! Quel livre merveilleux

de couleur, de vie, de gaieté enfantine, d'acrobatie épique serait le récit de ses folles années ! Ses "pannes de château" lorsqu'il était pilote militaire... Le "syndicat" de ses dix-sept maîtresses de Casablanca qui vint le saluer à son retour de captivité... Les seaux de champagne qu'il faisait boire à un cheval de fiacre traîné auprès d'un bar... Le carnaval dispersé par lui en rase-mottes sur la grand-place parce qu'on l'avait privé de la fête en le laissant de garde au terrain... Les nuits de Rio de Janeiro où l'on menait dans sa villa une telle bacchanale que les voisins essayaient de l'arrêter à coups de revolver...

« Et dans tout cela, l'œil innocent, le sourire clair et cette verdeur, cette admirable justesse d'expression, ces trouvailles de langage qui ont imposé un "vocabulaire Reine" des deux côtés de l'Atlantique, partout où passent et se posent les avions de la ligne Mermoz [...].

« Reine fut des premiers à la tracer. Il fut de cette phalange extraordinaire autour de laquelle, déjà, une légende se crée et dont si peu survivent. Trois... quatre hommes au plus subsistent de ceux qui, en pleine conscience, donnèrent leur jeunesse au Sahara, aux forêts du Brésil, à l'Atlantique. Et la liste des morts est tellement plus longue que celle des vivants !

« En treize années de ligne, Reine n'a pas passé trente mois en France. Partout, il a laissé le message de sa gentillesse, de son courage, de sa générosité, de l'inimitable joie de Paris. Partout on l'a aimé pour son regard limpide, pour son cœur d'enfant, pour sa modestie absolue. L'autre semaine, je suis allé le chercher comme il débarquait de Santiago du Chili en droite ligne. Il était frais, et ses joues roses, son œil bleu semblaient défier l'âge et la fatigue, après trois jours d'avion.

– Eh bien ! salopard, m'a-t-il dit, tu ne pensais pas me revoir si vite ! Moi non plus, d'ailleurs. Mais on m'a téléphoné de venir. Me voilà. On boit le coup ?

« Il y a deux heures, je l'ai accompagné au Bourget et je l'ai regardé s'envoler vers le Rio de Oro où il fut esclave des Maures bleus, vers l'Amérique du Sud dont il a sillonné obstinément le ciel, de Natal à Santiago, à travers les orages, les cyclones et les brumes traîtresses. Et j'éprou-

vais cette mélancolie et cette admiration poignantes que j'éprouve toujours au spectacle d'un être cher qui accomplit avec simplicité et sourire son grand destin. »
(*Des hommes*, Gallimard, 1972.)

Joseph Kessel (1898-1979)
À juste titre, on considère Joseph Kessel comme le chantre de la Ligne. Nul mieux que lui n'a célébré l'aventure virile de ces hommes d'exception, leur amitié indéfectible, leur sens du devoir, leur goût pour la surenchère. Auteur d'un mémorable *Mermoz* (en 1938), l'auteur de *L'Équipage*, lui-même ancien pilote, avait précédemment jugé sur pièces l'intérêt de la formidable aventure et rapporté d'Afrique un reportage inégalé : *Vent de sable* (1929).

... JEAN MERMOZ

« Il ne faut jamais craindre pour moi »

Marseille, le 12 mars 1932
Monsieur,[1]

« Il faut que je m'excuse de n'avoir pas encore répondu à votre charmante carte et cependant point n'est besoin de vous dire que toute la sympathie amicale que vous m'y témoigniez m'a été particulièrement sensible. Cette ultime aventure appartient déjà au passé : elle ne fait que compléter admirablement la série de mes souvenirs, et me prouve une fois de plus que l'avenir ne veut décidément pas se séparer de moi[2]. Allons, j'ai encore de belles heures aéronautiques à vivre. Il faut espérer que l'Aéropostale m'en donnera encore longtemps les moyens, quoique maintenant j'aie à peu près tout épuisé.

« J'ai connu l'angoisse de la soif après l'incendie en vol dans le désert d'Arabie ; j'ai connu la captivité chez les Maures ; j'ai connu l'étreinte de la cordillère des Andes pendant quatre jours, la panne en forêt vierge au cœur du Brésil, la descente en parachute après rupture en vol d'appareil à Toulouse, la panne dans l'Atlantique sud, l'amerrissage par tempête en Méditerranée. Que pourrai-je donc connaître d'autre maintenant ? Je ne perds pas mon temps à me le demander, je pense que simplement la vie est belle et bonne à vivre... et bien malheureux sont ceux qui n'ont pas, comme moi, l'amour

de leur métier et qui ne savent ni en tirer, ni en apprécier toutes les sensations saines et fortes, toutes les impressions puissantes et magnifiques qu'il prodigue à ceux qui l'aiment.

« Marseille-Alger est une bien belle ligne, quoi qu'on dise à Toulouse... ou à Paris ? ... Si l'on voulait bien s'y intéresser davantage en se préoccupant et de son sort, et de sa sécurité, je crois que ce serait la ligne maritime pour passagers la plus fréquentée. M. Cangardel m'a adressé une très aimable lettre me demandant ce que je pensais de Marseille-Alger. Je l'ai mis entièrement au courant de la situation, il doit transmettre ou communiquer toutes mes remarques ou suggestions à M. Dautry, je crois qu'il y aurait urgence à prendre certaines décisions. Je vous dis cela tout à fait entre nous, ne désirant créer aucun malentendu. Il existe suffisamment de divisions déjà sans que je m'en mêle encore.

« Je fais un saut à Paris à la fin du mois et je ne manquerai pas de vous rendre visite. Le Bernard grand raid avance lentement mais sûrement. Peut-être fin mai, si Duménil n'est pas revenu pourrai-je m'élancer vers Buenos Aires.

« Je vous remercie encore infiniment d'avoir bien voulu penser à moi, et je vous prie de croire à ma toute déférente et dévouée amitié.»

1. Les cinq lettres qui suivent sont adressées à Jean-Pierre Duret.
2. Le 21 février 1932 Mermoz et Régnier avaient été contraints d'amerrir lors de la traversée Oran-Marseille à bord d'un CAMS 53.

Sainte-Maxime, le 15 juillet 1932

« Je secoue un peu ma paresse ; c'est le quinze juillet aujourd'hui, vous m'attendiez après le quinze à Paris. Il y a sept jours que je vis au soleil, le temps passe vite et la communication d'un télégramme émanant de Paris reçu de Marseille me rappelle à la réalité. Pardonnez-moi si je tire... un peu... sur la corde... en partie volontairement... en partie involontairement.

« Volontairement, parce que depuis trois ans je n'ai pas pris un congé de détente payé ; quand j'en ai demandé un, c'était pour agir d'un autre côté, sans aucun préjudice financier pour la Ligne. Alors... dix jours ou onze, avant ce que je vais risquer bientôt, et les efforts que je compte faire encore longtemps à la Ligne, ce n'est pas exagéré, dites ? Je suis sûr que vous m'accorderez bien quarante-huit heures de répit moralement ? Si c'était un cas absolument urgent, une traversée commerciale sud ou un courrier, par exemple, vous savez que je serais déjà à Paris.

« Involontairement, parce que lundi je dois me rendre le matin à Istres avec mes beaux-parents pour certaines démarches pénibles, que le soir je compte avoir rejoint Toulouse où je laisserai ma femme.

« Bref, si je vous donne ces détails c'est pour que, à votre amitié pour moi, ne se mêle point un peu d'étonnement de me voir tarder à reprendre les obligations de ma tâche... vous avez déjà été si bon d'en remettre la date que je m'en tiendrais rigueur de devoir vous créer le moindre doute...»

Marseille, le 26 septembre 1932

« Je m'accuse de paresse à votre égard, pas de négligence, parce que je ne suis pas toujours aussi loin de vous que vous pourriez le penser. Je m'accuse donc d'être peu courageux, tout simplement : comme vous êtes fixé à ce sujet-là... (nuances malgré tout entre le fait de vous écrire, et de pondre des rapports), et que de plus, je le reconnais spontanément, vous ne pouvez faire autrement que de me pardonner ce trop long silence. C'est l'unique chose qui m'importe.

« Je vous avouerai que ça va beaucoup mieux et que je retrouve peu à peu ma forme physique et morale des grands jours. Un bon courrier à Alger en Laté 32, il ne m'en faut pas plus pour me "recentrer" et retrouver la précieuse formule de mon équilibre !

« Dans le fond, le mauvais temps ne fut pas une trop mauvaise chose, et je partirai en octobre avec l'atout supplémentaire d'un calme à la Mailloux. L'action, l'air pur de la Ligne ont toujours été pour moi des sources de calme inépuisables. La fournaise de Paris ne me convient guère. Je préfère la chaleur saine des grandes flambées à celle de l'étouffante du feu qui couve... Certes, il faut moins de courage pour supporter l'ardeur de la première que l'asphyxie lente de

la seconde...

« Enfin, loin des Valentin, des services techniques de notre splendide aviation, et des sources de publicité de *L'Intran* et de *Voilà*, je retrouve la paix qui m'est chère ; celle de vivre... comme tous ceux de chez nous, qui ne connaissent que la pureté et les joies de l'effort.

« Je ne vous ai remercié somme toute qu'au téléphone des bonnes paroles que vous avez bien voulu m'adresser de Lyon. Elles m'ont infiniment touché. Je veux le redire encore, mon amitié pour vous, très franche, très profonde a été très émue de cette démonstration si affectueuse de la vôtre.

« Seulement, je vous en prie, il ne faut pas, il ne faut jamais craindre pour moi. Vous m'avez aidé à réaliser un projet qui m'est cher ; sans vous, il m'aurait fallu y renoncer momentanément, mais je ne l'aurais jamais abandonné, cela je vous l'affirme ; j'ai la volonté nécessaire à l'esprit de suite que je possède en moi, et j'aurais réalisé mon idée envers et contre tout, et tous. De tout le merveilleux enthousiasme que j'aime en vous, vous avez lutté pour moi et avec moi ; cela je serais si heureux de ne jamais l'oublier, et je me trouve enfin à la veille d'un départ tant désiré. Il ne faut pas que votre amitié s'inquiète dans le présent comme dans l'avenir, quoi qu'il arrive, et il n'arrivera rien qui ne soit bon et beau, je le sens, je vais vous demander d'être et de rester heureux d'avoir contribué à me donner quelques heures idéales comme celles que je vais vivre bientôt...

« Je ne souhaite qu'une chose ; c'est qu'il me soit permis d'en vivre encore longtemps de semblables aidé par vous, et qui sait, peut-être, un jour, près de vous.

« Maintenant que la grâce du vol vous a touché, vos ailes peu à peu vont pousser, et, quand elles ne sont plus hésitantes, elles ont besoin de beaucoup d'espace savez-vous. Alors... Je compte avoir la joie d'aller vous serrer la main à la fin de la semaine. Je m'en vais à Toulouse demain pour faire un courrier sur Casa.

« J'ai téléphoné à Couzinet cet après-midi. Il me dit que l'on ne pourra rien faire avant novembre, j'ai donc toute liberté d'esprit et d'action. je vais écrire à M. Dautry pour le remercier de ce que vous savez, en même

temps, je vous adresserai une lettre pour le comité de direction et le liquidateur. Peu à peu, je remplis mes devoirs. X... a dû s'en asseoir d'étonnement au reçu des fameux rapports. Demandez-lui d'être très indulgent pour cette négligence, car là, s'il y a eu paresse, il y a eu surtout négligence, mais malgré tout, j'ai un tout petit peu d'excuses, oh, bien petites certes.

« À bientôt donc. Je vous prie de bien vouloir être l'interprète de mes sentiments reconnaissants et très respectueux auprès de M. Dautry, et de croire, cher Monsieur, à toute ma reconnaissante amitié. »

Théoule, le 3 juillet 1933

« Quelques lignes qui vont vous causer un joyeux étonnement, du moins j'ose le penser, ce qui est bien, et le croire, ce qui est mieux, car vous ne vous y attendiez guère n'est-ce pas dire plus... avouez-le. Enfin, il arrive que si j'hésite à prendre une plume rebelle pour pondre d'ahurissants rapports, je n'hésite pas à en saisir une avec désinvolture pour venir troubler la douce quiétude que mon absence ne manque pas d'octroyer à mes amis. Bref, je suis tout aise de vous dire que je me repose avec une certaine béatitude de mes fatigues passées en prévision de fatigues futures que j'ose me souhaiter, dans un temps que je m'obstine à croire prochain... illusions.

« Mon épouse et moi-même avons trouvé à une douzaine de kilomètres de Cannes un coin de côte à peine explorée avec une bicoque magnifique qui fait fonction de château et de pension de famille honorable. Nos heures y coulent douces, faciles et paisibles, entre deux ménages anonymes... Tout cela entouré de rochers, de pins et de mer, comme il convient quand on "va se reposer au bord de la mer".

« J'avoue que le départ de Balbo et de ses escadrilles[1] est venu troubler ce calme et ma sérénité ; depuis qu'ils sont partis, je vis moins bien. Sentir que d'autres en ce moment poursuivent un but et sont dans l'action pour l'atteindre, me rejette hors de moi-même. Quand je pense que nous en avons un, nous aussi, et que je suis obligé de rester là, à me reposer, parce que je n'ai pas la possibilité momentanée d'agir...

« Et puis, cette centaine d'hommes fonçant dans l'inconnu d'une splendide aventure, mus par les mêmes aspirations, la même soif d'idéal, de besoin individuel de donner son maximum de puissance humaine... toutes ces volontés groupées sous une seule, digne de les animer et de les conduire, toutes ces âmes prêtes à l'obscur sacrifice pour une idée généreuse : le prestige national, bref, toute cette épopée commencée me fait regretter davantage d'être réduit à mon petit train-train d'existence actuel, c'est bête, peut-être, mais c'est comme cela !

« Et puis, j'aime les grandes flambées qui ne s'éteignent pas, qui continuent. Jusqu'à quand en serons-nous réduits à celles que l'on allume, qui jettent un éclair, s'éteignent aussitôt et que l'on est obligé de rallumer sans cesse...

« J'espère bien avoir le très prochain plaisir de vous lire. Avec toute ma bien profonde amitié.»

1. Parti pour le raid Rome-Chicago.

Dakar, le 23 mai 1934

« Merci pour la pensée bien amicale que vous m'avez adressée. Je sais que vous n'êtes jamais loin de moi dans ces moments-là. J'ai appris depuis longtemps à le savoir et mon amitié pour vous n'en est que plus profonde. Je suis heureux d'être enfin parti... on a beau avoir de l'enthousiasme, et de l'esprit de suite, on n'est jamais sûr de partir, il y a tellement de petites gens, de petits esprits, de petits intérêts, de petites politiques qui se liguent contre vous que l'on se demande toujours si l'on va pouvoir reprendre les grands larges et foncer vers de plus purs horizons.

« C'est fait, c'est presque fait, je compte décoller lundi matin vers Natal avec le courrier, ce qui me comble. J'ai dû ajourner, l'appareil n'avait pas été révisé depuis le début, il avait cinquante heures de vol et quand on s'est rendu compte de tout ce qu'il y avait à faire, il a fallu remettre le départ, peu importent les critiques et les racontars, le principal était de ne rien laisser au hasard.

« Ici, je suis tranquille et plus près du but. Paris est loin, mais je n'oublie pas pour cela mes amis ; ma tâche terminée, je serais heureux de vous revoir. Soyez sage surtout (Londres-Melbourne, ce

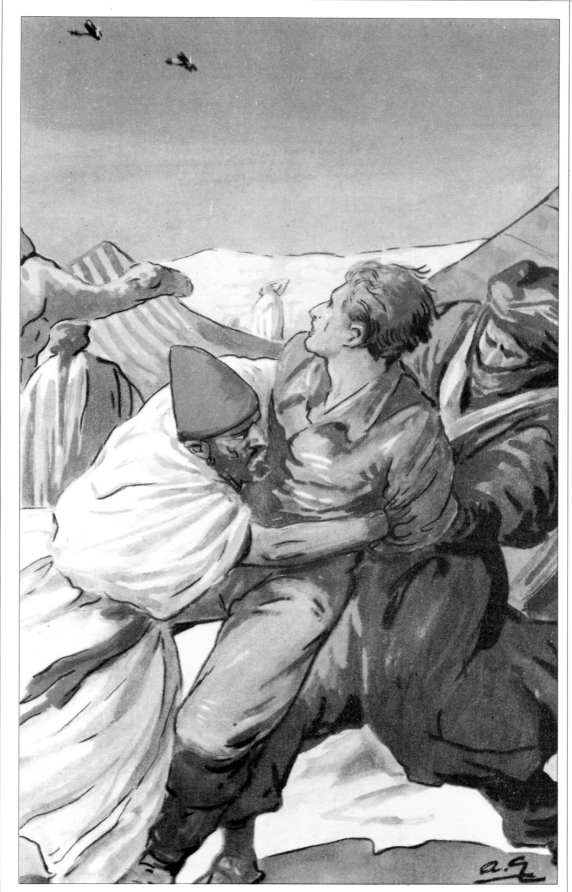

... ANDRÉ GALLAND

sera pour l'année prochaine).

« Je suis de tout cœur votre ami. »

(*Revue des Deux Mondes*, 1er septembre 1943.)

Jean Mermoz (1901-1936)
Le plus célèbre pilote de la Ligne écrivait beaucoup et bien. On lui doit un livre (*Mes vols*), publié au lendemain de sa mort, en 1937, mais aussi de nombreuses lettres. Tous ses correspondants ont apprécié son enthousiasme, son humour et, plus encore, son indéfectible optimisme.

... FRANÇOIS MAURIAC

L'impatience de se dépasser soi-même

« "Il n'y a pas de plus grand amour que de donner sa vie..." J'ai toujours cru que la valeur réelle d'un homme se mesurait au pouvoir de se donner. Je ne dis pas : au goût du risque. Des garçons risquent tout, souvent, par manque d'imagination, par vanité, par bêtise.

« Un Mermoz, lui, connaît le prix de cette vie qu'il sacrifie. Il ne cherche pas la mort, il se prémunit contre elle dans la mesure où sa téméraire tentative le lui permet. Mais il ne tient plus compte de sa menace, une fois les précautions prises, et il part...

« L'aviation, qui a élargi jusqu'aux étoiles l'empire de la Mort et qui trouble parfois avec des mitrailleuses le silence éternel des espaces infinis, a devant Dieu une excuse, une magnifique raison d'être : c'est d'avoir ouvert une route nouvelle à cette impatience de se dépasser soi-même qui fait toute la grandeur de sa créature – et quand une Nation est près de douter d'elle-même, c'est de lui susciter un Mermoz en qui elle reconnaît sa vertu la plus haute, sa vocation de Fille de Dieu. »

(*Le Flambeau,* 16 janvier 1937.)

François Mauriac (1885-1970)
Écrivain de haute volée, François Mauriac fut aussi un journaliste et un polémiste de grand talent (*Journal, Bloc-Notes*). Toujours à l'affût, rarement pris en défaut, le célèbre Bordelais salua les héros toulousains bien avant que le tout-Paris s'en charge.

... PAUL VACHET

« Pour l'amour du Ciel, annulez leurs passages. »

« En septembre 1922, Daurat me convoqua dans son bureau et, avec quelque solennité, m'apprit que, d'accord avec MM. Latécoère et Massimi, il m'avait désigné pour une mission très importante : celle de reconnaître en vol une nouvelle ligne reliant Casablanca à Grun, via Fez. On me confiait également le soin de créer l'aéroplace d'Oran où je devais me fixer pour la diriger ensuite.

« Cette ligne était une "rocade" destinée à établir d'abord une liaison aérienne régulière entre le Maroc et l'Algérie, ensuite d'amener à cette dernière la poste aérienne venant de France, via Casablanca. Le gain de temps était mince par rapport au transport de la poste par bateau de Marseille ou Port-Vendres à destination d'Alger ou d'Oran, mais les horaires aériens avaient été combinés de façon à s'intercaler entre les voyages maritimes, ce qui donnait deux liaisons postales métropole-Algérie de plus par semaine.

« Je fus chargé de convoyer depuis Toulouse l'un des appareils affectés à la nouvelle ligne. J'emmenai avec moi le mécanicien Massol, fidèle collaborateur, que j'avais connu à Barcelone où il était affecté quand j'étais pilote régulier sur la ligne Toulouse-Casa et dont, par la suite, toute la carrière fut liée à la mienne. Il fut toujours pour moi un collaborateur dévoué et compétent, à Oran puis, plus tard, au Venezuela, au Brésil et en Argentine. J'en profite pour rendre ici un vibrant et reconnaissant hommage à sa mémoire, car, ayant quitté son poste de chef mécanicien de l'escale de Buenos Aires en 1956, il fut affecté à Orly, en attendant sa retraite prévue pour le début de l'année suivante et qui lui fut notifiée le jour même de son décès à Paris, à la suite d'une crise cardiaque.

« Bref, nous partîmes donc ensemble de Toulouse pour Oran, via Casablanca, sur un Breguet 14 remis à neuf, destiné à la nouvelle ligne. Notre voyage débuta mal, car, dès la première moitié de la seconde étape, Barcelone-Alicante, nous fûmes victimes de la fatale "salade de bielles" qui m'obligea à atterrir, hélice calée, à proximité de Oropesa, petit village espagnol curieusement perché au-dessus d'un piton de forme conique émergeant de la plaine sur laquelle je me posai sans encombre. Un autre pilote m'amena le lendemain un appareil de rechange prélevé sur la réserve de l'escale de Toulouse et nous continuâmes notre voyage normalement jusqu'à Casablanca, avec les escales habituelles à Alicante et Malaga.

« Deux jours après notre arrivée à Casa, j'entrepris, sur un autre Breguet, la reconnaissance de l'itinéraire de la nouvelle ligne Casa-Oran. Des escales régulières avaient été prévues à Rabat et à Fez. J'emmenai avec moi mon fidèle Massol et aussi un jeune ingénieur, récemment sorti de Polytechnique, Julien Pranville, que Daurat avait pris comme "inspecteur" des lignes et qui devait m'aider à organiser l'aéroplace d'Oran. Il faut dire que, jusque-là, très rares avaient été les avions ayant effectué la liaison Maroc-Algérie ou vice versa. En tout cas, aucun avion "civil" ne l'avait jamais réalisée et le plus célèbre des "raids" militaires avait été celui du capitaine Pelletier Doisy qui avait réussi à relier Tunis à Casablanca dans un temps invraisemblablement court pour l'époque.

« Nous arrivâmes à Fez peu avant midi et il y régnait une chaleur torride. Nous y fûmes reçus sur le terrain de l'aviation militaire, le seul existant, par l'"adjudant de jour", Pierre Deley, qui devait devenir par la suite un des grands pilotes de "la Ligne", principalement en Amérique du Sud. Assoiffés, déshydratés, nous nous précipitâmes, Pranville, Massol et moi au bar de la popote du terrain, cordialement invités par Deley qui, passant derrière le comptoir, se mit aussitôt en devoir de nous préparer la fameuse "anisette" glacée, communément consommée dans toute l'Afrique du Nord et équivalant à peu près au "pastis" marseillais.

« Tandis qu'il s'affairait à nous préparer cette boisson, juchés sur de hauts tabourets, nous étions affalés tous les trois sur la colonne de cuivre bordant le comptoir, attendant anxieusement le breuvage réconfortant et rafraîchissant quand, tout à coup, brusquement arrachés à notre torpeur par une violente secousse électrique, nous fîmes simultanément, avec un ensemble digne des meilleurs sketches, un bond brutal. Le visage de Deley s'éclaira alors d'un bon rire quelque peu ironique en nous disant : "Ne vous effrayez pas ! Il s'agit d'un petit coup de 'magnéto de départ'. (Celle-ci était branchée sur la colonne de cuivre et il en avait vivement tourné la manivelle tout en cassant la glace qu'il nous préparait.) "C'est une tradition à ce bar où tous les nouveaux arrivants ont droit à ce genre de réception qui est notre manière de bienvenue…" Et, en guise de consolation, il ajouta : "La semaine dernière, c'est ainsi que nous avons accueilli le maréchal Lyautey lui-même, venu inspecter notre escadrille, et il a fort bien pris la plaisanterie…" Tel fut mon premier contact – c'est le cas de le dire – avec celui qui allait devenir un de mes plus actifs collaborateurs en Amérique du Sud et qui est resté un de mes meilleurs amis.

« Après nous être finalement désaltérés et restaurés, nous repartîmes deux heures plus tard, toujours par une chaleur torride – il faisait 44° C à l'ombre ! – pour franchir les quelque cinq cents kilomètres qui séparent Fez d'Oran. En raison de cette température excessive, le décollage du terrain militaire, plutôt exigu, de notre avion lourdement chargé fut pénible et je ne l'arrachai du sol qu'à l'extrémité même de l'aérodrome. Il avait une tendance fâcheuse à s'enfoncer et la montée fut des plus lentes ; pendant presque tout le parcours nous fûmes violemment secoués par les "remous de chaleur" et nous arrivâmes finalement, au bout de quatre heures de vol très fatigantes, à Oran où je me posai sur l'aérodrome de La Sénia, situé à environ sept à huit kilomètres de la ville. Il s'agissait d'une immense plaine, bordée des deux côtés par deux routes se coupant à angle droit. D'un côté s'élevaient les nombreux et vastes hangars et ateliers de l'aviation militaire ; de l'autre, ceux beaucoup plus modestes de l'aviation civile dont j'allais prendre possession. Ces installations civiles comportaient deux beaux hangars métalliques neufs et une "baraque Adrian" (en bois) en parfait état, mais complètement, désespérément vides. Tout était à créer.

« Ce ne fut pas une tâche aisée. Pranville passa avec moi quelques jours pendant lesquels nous fîmes d'abord les visites obligatoires aux autorités (préfet, directeur des Postes, des Douanes, etc.) puis nous commençâmes à organiser l'aéroplace : il nous fallut louer un bureau, le meubler, agencer sommairement un petit atelier sous l'un des hangars, mais le tout avec beaucoup de difficultés dont la principale était le manque de ressources financières, les crédits mis à notre disposition par la direction étaient vraiment dérisoires.

« L'inauguration officielle de cette nouvelle ligne avait été fixée au 6 octobre (1922) avec départ simultané d'un avion de chaque extrémité vers l'autre. Au départ de Casablanca, le ministre de l'Air, M. Laurent-Eynac, avait pris place, avec Daurat, dans l'avion inaugural. Les deux passagers s'arrêtèrent à Fez où le soir les autorités donnèrent une brillante réception à laquelle je fus également convié car, étant le seul pilote présent à Oran, c'était moi qui avait assuré l'inauguration au départ de cette tête de ligne, cérémonie à laquelle assistèrent naturellement toutes les autorités oranaises, préfet en tête. J'avais eu comme passager un jeune notable musulman qui fut ainsi le premier vrai passager de cette "rocade".

« Cette nouvelle ligne ne devait pas tarder à se révéler aussi difficile que la ligne mère Toulouse-Casablanca. En effet, un peu plus d'un mois après son inauguration, un des deux pilotes affectés à Oran, Gensollen, se tuait aux environs de Taza, en percutant, dans le mauvais temps, un des pitons à proximité du col du Thouars, passage excessivement délicat par mauvaise visibilité et plafond bas, véritable bouchon obturant la vallée reliant Taza à Fez.

« Gensollen disparu fut remplacé à Oran par Jean Denis qui devait rester un brillant pilote de ligne jusqu'en 1940, après avoir été en activité depuis 1920 d'abord aux Lignes aériennes Latécoère (où il fut, entre autres, un des tout premiers pilotes de la ligne terriblement dangereuse à ses débuts de Casablanca-Dakar), puis sur Paris-Londres à Air Union, ensuite à la Star (dont il fut l'animateur et le chef pilote), enfin à Air Orient, puis à Air France, où l'armistice de 1940 mit fin à sa glorieuse carrière.

Jean Mermoz

… ALVAREZ

seule pièce et un seul employé, lorsque je vis pénétrer un couple d'âge mûr dont le visage était littéralement décomposé par l'angoisse. "Deux jeunes gens ne viennent-ils pas de sortir d'ici pour prendre deux billets d'avion pour Fez ? me demanda la femme, les yeux exorbités par l'anxiété. — Effectivement, lui répondis-je, ils viennent de nous quitter à l'instant et ils doivent faire leur voyage dimanche prochain. — Monsieur, je vous en supplie, reprit la femme, ces jeunes gens sont nos fils et nous ne pouvons supporter l'idée de les voir courir un si grand danger ; pour l'amour du Ciel, veuillez annuler leurs passages."

« Je lui expliquai que cela m'était asbolument impossible sans l'assentiment des passagers eux-mêmes, et je m'évertuai à lui vanter la sécurité (relative à l'époque, il faut le dire, mais je prêchai ma cause avec foi) des voyages aériens. Je sentis bien que je n'arrivais pas à entamer sa frayeur intense, pas plus que celle de son mari qui se tenait coi, mais dont le visage reflétait la même expression d'angoisse.

« Enfin, à bout d'arguments, une idée me vint : "Écoutez, madame, lui dis-je : j'ai une proposition à vous faire. J'ai coutume – et c'est aussi mon devoir – d'essayer en vol pendant une vingtaine de minutes chacun des avions de la ligne après la révision effectuée par nos mécaniciens à la suite de chaque 'courrier'. Si vous voulez, j'ajournerai mon prochain essai que je ferai dimanche prochain à l'heure même du départ pour Fez du service régulier sur Casa, de sorte que, si vous vouliez être mes passagers, nous pourrions accompagner pendant quelques minutes l'avion emportant vos enfants vers le Maroc. Vous pourriez ainsi goûter l'impression de sécurité qui se dégage du transport aérien." Le départ de ce courrier avait lieu à neuf heures du matin, heure à laquelle l'atmosphère, pas encore troublée par les "remous de chaleur", était en général encore très calme et l'avion parfaitement tranquille et stable. À cette offre, le couple se récusa, alléguant qu'ils n'auraient jamais le courage de monter dans une machine pareille, etc. Sur mon insistance cependant ils finirent par déclarer, bien timidement, qu'ils acceptaient, mais, à vrai dire, je ne comptais pas

« Il assura donc avec un autre pilote, Fustier, au départ d'Oran, les deux services hebdomadaires Oran-Fez, la plus longue étape de la nouvelle ligne. Ce camarade, Fustier, avait connu pendant la guerre une certaine notoriété : surpris à basse altitude par une panne sèche au-dessus de Paris qu'il devait traverser, il n'eut d'autre ressource que d'essayer de se poser le moins catastrophiquement possible, là où il se trouvait : c'est ainsi qu'ayant essayé de prendre en enfilade la rue d'Alésia il accrocha le balcon de l'étage supérieur d'un des immeubles bordant la rue et sur lequel il resta, par miracle, suspendu dans les débris de son avion réduit en morceaux dont quelques-uns furent précipités sur la chaussée, sans faire de victimes heureusement. En revanche, Fustier avait été grièvement blessé dans le choc. Il dut être trépané et portait sur le front une nette dépression d'environ deux centimètres de côté ; la peau qui la recouvrait battait régulièrement de pulsations très visibles, ce qui m'a toujours vivement impressionné.

« Peu après l'accident de Gensollen, qui avait sérieusement refroidi l'enthousiasme des quelques passagers éventuels de la nouvelle ligne, se produisit un incident que je crois devoir relater pour illustrer la crainte que l'avion inspirait encore à l'immense majorité du public. Un matin, j'étais au bureau de l'agence des Lignes aériennes Latécoère à Oran, qui ne comprenait d'ailleurs qu'une

... ALBERT BRENET

beaucoup sur leur promesse.

« Toutefois, à ma grande stupéfaction, le dimanche matin, ils accompagnèrent leurs fils jusqu'à l'aérodrome. Tandis que ceux-ci, tout radieux, prenaient place dans l'avion-courrier piloté par Denis, que j'avais prévenu, le père et la mère montèrent, le visage ravagé par la peur, dans l'avion que j'allais essayer. Cet "essai" n'était, en fait, qu'un simple petit vol de vérification destiné à s'assurer que tout était bien en ordre, qu'il n'y avait pas de fuite d'eau ou d'huile, etc. ; en un mot on prenait cette précaution pour être certain qu'un "faux départ" ne se produirait pas dès le décollage du prochain courrier avec cet avion.

« Mes deux passagers s'installèrent donc, livides, affalés sur leur siège. Sur ce vaste terrain de La Sénia je décollai simultanément avec Denis emportant les deux fils et aussitôt après je rapprochai mon avion aussi près que possible du sien. Mais mes deux passagers restaient enfouis au fond de leur trou, invisibles et sans doute prostrés. Cependant, au bout de quelques minutes, par suite du calme absolu du vol par cette magnifique et limpide matinée, la femme reprit un peu d'assurance et je vis émerger, timidement, sa tête ; son mari l'imita presque aussitôt. Puis, bientôt, une main hésitante, immédiatement happée par le courant d'air, s'agita pour faire signe aux deux fils, passagers de l'autre avion tout proche, qui, eux, se montraient, au contraire, tout agités et exaltés par ce "vol de groupe" avec leurs parents.

« Enfin, petit à petit, ces derniers s'enhardirent au point qu'il me fallut, par gestes, les inviter à un peu plus de calme, car ils en étaient arrivés à se tenir debout dans la carlingue pour mieux manifester leur enthousiasme à leurs enfants. Au bout de quinze à vingt minutes je leur fis comprendre que nous allions faire demi-tour pour rentrer à La Sénia, laissant l'autre avion continuer sa route sur Fez. Ce furent alors de violentes mimiques de protestation, car mes passagers désiraient prolonger ce vol d'accompagnement, mais, sans m'en soucier davantage, je rebroussai chemin et rejoignis l'aérodrome. À leur descente d'avion, ils se précipitèrent sur moi, la femme m'embrassant sur les deux joues, le père me serrant affectueusement les mains, pour me dire quel plaisir je leur avais procuré et quelle confiance je leur avais inculquée ! Je crois avoir rarement aussi bien servi la cause de l'aviation de transport auprès des profanes qu'à cette occasion. »

(*Avant les jets*, Hachette, 1964.)

Paul Vachet (1897-1974)
Engagé volontaire en 1915 à l'âge de dix-huit ans, Paul Vachet fut un des piliers de la Ligne. Il entra chez Latécoère en 1921, dirigea le tronçon Casa-Oran, puis Oran-Alicante, avant d'organiser l'infrastructure du réseau en Amérique du Sud, au Venezuela en particulier. Son livre de souvenirs (*Avant les jets*) est l'un des plus intéressants témoignages qui soient.

... MARCEL MORÉ

Chef d'escale à Pelotas

« C'est donc à la suite de la transformation de nos techniques de vol que je fus nommé chef d'escale (nous disions aussi à l'époque "chef d'aéroplace"), à Pelotas, en janvier 1929. À vingt-six ans, je n'étais pas peu fier, on l'imagine facilement, de me voir confier une telle responsabilité ; cette promotion a été un tournant décisif de ma carrière dans l'aviation.

« Pelotas est l'une des trois villes importantes du Rio Grande do Sul, qui est l'État le plus méridional de tout le Brésil. Il est frontalier à la fois avec l'Uruguay, l'Argentine et le Paraguay. Sa situation sur le trentième parallèle sud lui vaut un climat qui n'a plus rien à voir avec celui de l'Amazonie, et qui rappelle bien davantage la Provence, avec des étés chauds et des hivers doux et assez pluvieux.

« Je connaissais déjà Pelotas, puisque cette ville était l'une des escales obligatoires sur le trajet Rio de Janeiro-Buenos Aires ; mais en vérité, c'était surtout son aéroport que j'avais eu l'occasion de fréquenter, pendant toute l'année où j'avais été mécanicien navigant. C'était d'ailleurs un des petits inconvénients du métier de navigant : on ne pouvait guère se lier d'amitié qu'avec d'autres membres du personnel, car le fait d'être constamment en déplacement le long de plus de deux mille kilomètres de trajet ne favorise pas les contacts avec les sédentaires. J'ai un caractère naturellement extraverti, à quoi il faut ajouter une grande curiosité pour les mœurs et les coutumes différentes des nôtres. De ce point de vue — et encore plus après mon agréable expérience sur la place d'Ilhéos —, je me rendais bien compte qu'après un an passé à "courir la poste" je ne connaissais Brésil et Argentine que bien superficiellement.

« Le Rio Grande do Sul est une région qui ressemble en réalité beaucoup plus à l'Argentine qu'au Brésil des cartes postales ; en 1929, elle était une des plus riches du pays, grâce en particulier à l'élevage extensif qui se pratiquait dans la Pampa. Avec ses cent vingt-cinq mille âmes, Pelotas faisait figure de petite capitale régionale, et l'aérodrome créé par l'Aéropostale était un grand sujet de fierté pour les habitants. Il ne faut cependant surtout pas s'imaginer que, du jour au lendemain, je me suis retrouvé à la tête d'un impressionnant bataillon de mécaniciens et d'installations somptueuses. Ma juridiction s'étendait, en tout et pour tout, sur un hangar, un bâtiment administratif abritant quelques chambres et mon bureau, et une piste d'envol ; mais ce maigre domaine, comme on aura l'occasion de le constater, était riche d'imprévus !

« Une petite pièce supplémentaire faisait également office de bureau des douanes, Pelotas étant la dernière escale avant l'Uruguay et l'Argentine. Elle était en général occupée par un unique douanier qui s'ennuyait ferme, et qui, la vareuse déboutonnée, trompait l'attente en tétant un cigare ou en faisant la sieste, les pieds sur la table. Le tableau a l'air presque caricatural, mais pratiquement tous les douaniers que j'ai vus passer à Pelotas avaient le même comportement... En dehors de ce fonctionnaire, qui ne dépendait évidemment pas de moi, l'escale comptait un deuxième mécanicien, trois manœuvres et un "cuistot".

« Mon rôle était en réalité multiple. Au premier rang de mes devoirs, figurait bien entendu l'obligation d'avoir constamment une piste en état et des appareils disponibles. Mais je devais également embaucher, payer le personnel, et contrôler toute l'intendance, qui, outre le matériel réservé à l'aviation, comprenait une popote, un cheval et une faucheuse. Enfin, il me fallait également entretenir les meilleures relations possibles avec la population et les autorités locales.

« À bien des égards, le Brésil des années vingt rappelait davantage le Far West que la paisible vallée de la Garonne. La justice y était souvent expéditive, et la police, on le verra, régulièrement débordée. Rien n'était plus frappant que la tenue arborée par les hommes en ville. Ils étaient toujours mis impeccablement, et leur costume sobre était en général parfaitement coupé. Ils portaient tous le chapeau à large bord, et bien souvent, le pantalon retombait sur des bottes de cheval. Mais surtout, dépassant à peine de la veste, on ne manquait jamais de voir le canon d'un revolver, et la ceinture comptait une réserve de cartouches. C'est dans ce climat, où le machisme était érigé en une véritable religion, qu'il me fallait m'imposer ; le hasard, heureusement, me facilita grandement la tâche.

« Ma nomination s'était en effet assortie d'une mission assez ingrate, qu'il me fallut accomplir au tout début de mon séjour à Pelotas. Il s'agissait de limoger une partie du personnel... La comptabilité de l'escale faisait en effet état de dépenses importantes, et la compagnie commençait à avoir des doutes sur l'honnêteté de l'agent administratif en place. Cet homme, un certain Moine, était d'origine française, mais avait été recruté sur les lieux. Les lignes Latécoère eu-

rent d'ailleurs bien des déboires avec plusieurs personnes engagées dans ces conditions ; il s'avéra plus tard qu'un certain nombre d'entre elles n'étaient rien moins que des évadés du bagne de Cayenne.

« Pelotas se trouve situé dans une région de lagunes où le sol est encore mal fixé, et la zone de l'aérodrome regorgeait d'humidité en de nombreux endroits. Afin de stabiliser la piste d'envol et ses accès, il avait été nécessaire de les remblayer à l'aide de gravats et de mâchefer, et la vérification des comptes me permit rapidement de découvrir le pot aux roses. Les "frais de transport" de ces matériaux de récupération correspondaient à la rotation quotidienne d'une dizaine de camions, là où il n'y en avait eu que deux. Je fis un rapide calcul, et ne tardai pas à m'apercevoir qu'avec tous les déblais amenés — sur le papier — il y aurait eu de quoi aménager quatre fois plus de pistes. La malversation était flagrante.

« Moine, qui de toute évidence, était le responsable de ce fructueux trafic, préféra m'avouer le trucage des comptes, et me proposa, naïvement, de partager ses bénéfices malpropres. Le ton monta très vite pendant la conversation qui suivit, à la popote. Moine changea alors brusquement de tactique, se jeta sur moi et me lança un direct au visage. Mais il avait eu le tort de ne pas appuyer suffisamment son coup, et en gymnaste accompli, je lui répliquai de la même manière. Mon ami le mécanicien Chaminade, qui était présent, voulut s'interposer. Malheureusement, il reçut un poing en pleine figure, et renonça du coup à nous séparer. Moine se trouva rapidement en posture difficile. Mais il avait pris les mauvaises habitudes du pays : voyant qu'il avait le dessous, il sortit son revolver et me l'enfonça dans le ventre.

« Le spectacle de deux hommes en train de s'empoigner un peu maladroitement a quelque chose de comique. Mais l'atmosphère change brutalement, je peux en témoigner, quand l'un d'eux menace l'autre d'une arme à feu. Instantanément, le silence se fit dans la popote. Tous les témoins de la scène retenaient leur souffle, et ni Moine ni moi-même n'osions faire le moindre mouvement. J'eus tout le temps de re-

garder mon adversaire dans les yeux — c'est du moins l'impression que j'en garde, car toute cette scène n'a duré que quelques secondes — et j'ai compris, sans doute, que son geste n'était qu'une bravade. "On ne meurt pas tout de suite d'une balle de revolver, dis-je en fanfaronnant. J'ai le temps de vous finir avant !"

« Je n'oublierai jamais son expression à cet instant ; il renonçait. Dans de telles circonstances, on développe une sorte de sixième sens : je devinais ce qui se passait dans sa tête. Je lui intimai aussitôt l'ordre de déguerpir sans demander son reste et de ne plus jamais revenir, sans quoi je le remettrais à la police brésilienne, qui ne plaisantait pas avec les voleurs. Elle se montrait d'autant plus dure avec ceux qu'elle attrapait que la plupart d'entre eux, dans ce vaste pays, lui échappaient. Il avait compris, car il disparut en clopinant, pressant un mouchoir sur sa lèvre fendue. Je n'en ai plus jamais entendu reparler.

« Dans ce Landerneau brésilien où le machisme était à fleur de peau, inutile de dire que cette prise de bec fit grand bruit, répandue partout par des témoins qui ajoutaient au besoin des détails de leur cru. Mais cela me valut immédiatement le respect et l'estime de tous ... et quelques plaisanteries. Des amis m'ont fait remarquer par la suite que c'était une véritable scène de "Western", mais à l'époque, le pays tout entier vivait comme cela.

« La question de la comptabilité frauduleuse étant définitivement réglée, je pus m'atteler à des tâches qui relevaient davantage de ma compétence. J'avais en particulier à vérifier régulièrement l'état des terrains de secours, dont le bon entretien était vital pour la Ligne. Il y en avait tout le long de l'itinéraire allant de Natal à Buenos Aires, et ils furent bien souvent utilisés par des avions en difficulté. Outre l'avantage d'offrir une piste d'atterrissage sûre, sans pièges, ils permettaient d'aller ravitailler en pièces détachées l'avion en panne par la voie des airs, alors qu'il était toujours dangereux de se poser sur un terrain de fortune. Avec le commencement des vols de nuit, il était urgent de procéder au balisage lumineux de ces pistes de secours et de s'assurer que leurs gardiens avaient

bien compris leur rôle et les consignes à suivre. »

(*J'ai vécu l'épopée de l'Aéropostale*, Acropole, 1980.)

Marcel Moré (1903-1993)
Mécanicien de formation, Marcel Moré fut de toutes les aventures de la Ligne. Il est entré chez Latécoère en 1915 et a achevé sa carrière à Air France en 1963. Entre-temps, il servit en Afrique et en Amérique du Sud, avant d'être nommé chef d'aéroplace à Pelotas.

... ANDRÉ GIDE

Sur Saint-Exupéry

« Je ne puis en prendre mon parti ; me résigner à considérer comme mort ce disparu ; à mettre au passé tant de vigueur, de valeur, de vertu, d'allant, d'allégresse... Il avait ce défaut, commun, je crois, à nombre d'aviateurs, et qui devient chez eux une sorte de « déformation professionnelle » : la vie ne prenait pour lui sa parfaite saveur que risquée. Il avait pourtant passé l'âge des témérités, atteint celui de la retraite ; mais repos, tranquillité, confort, tous ces biens tant souhaités par d'autres lui étaient à charge. Ne lui convenait aucun bonheur « tout fait » ; et rien ne lui paraissait à sa taille, qu'un héroïsme sans fin renouvelé. Il s'était, maintes fois, déjà, tiré comme miraculeusement de périlleuses aventures ; en avait pris le goût, au point de ne pouvoir plus s'en passer. Mais le poussait également et doublait sa hardiesse naturelle un impérieux sens du devoir, de la mission à accomplir, du service à rendre ; et surtout un immense et ardent amour des hommes et de la chose française, un besoin de s'y dévouer.

« [...] Quant à ses dons intellectuels, je ne sais s'il convient d'admirer davantage leur puissance ou leur diversité. »

(*Saint-Exupéry*, Éditions Dynamo, 1951.)

André Gide (1869-1951)
Monstre sacré de la littérature, prix Nobel, anticonformiste et militant, André Gide n'était pas insensible aux exploits des héros de la Ligne. Il soutint les premiers pas de l'écrivain Antoine de Saint-Exupéry et préfaça *Vol de nuit*.

LES AVIONS DE LA LIGNE

Au-delà de sa fonction première — le transport du courrier entre l'Europe et l'Amérique du Sud —, la Ligne fut pendant près de vingt-cinq ans un formidable banc d'essai pour plusieurs centaines d'avions et d'hydravions sans cesse transformés et améliorés. Revue de détail.

par Joseph de Joux

SALMSON 2

La ligne France-Amérique du Sud a vu le jour grâce à des avions Salmson 2. Avec une silhouette qui serait à peine démodée sur un terrain d'aéro-club aujourd'hui, ce petit biplan de l'ingénieur Émile Salmson avait réussi ses épreuves d'essais en vol à Villacoublay, le 26 avril 1927. Fait en grande partie d'éléments parfaitement maîtrisés, il représentait à lui seul tout l'acquis et le savoir-faire des avionneurs français après trois ans de guerre.

La société Latécoère, qui n'avait jusqu'alors construit que des wagons et tourné des obus,

s'était mise sur les rangs et avait enlevé la commande de mille appareils : la plus grosse part du marché de trois mille deux cents avions attribué à quatre entreprises par l'État. Certain de la victoire prochaine des ailes françaises en guerre, Pierre-Georges Latécoère devinait le formidable avenir de celles-ci dans la paix retrouvée et s'y préparait activement. Secondé par Émile Dewoitine, il se jeta dans l'aventure. Partie de zéro en septembre 1917, la nouvelle usine d'aviation fut opérationnelle en février 1918. Le premier Salmson sortit de la chaîne en mai.

Six mois plus tard, un clairon sonnait l'armistice. A cette date du 11 novembre, la commande de Latécoère était ramenée à huit cents Salmson dont cinq cent douze, déjà livrés, avaient été stockés aux surplus de guerre. Pierre-Georges Latécoère en racheta quarante de sa fabrication pour mettre en route sans plus attendre le projet jugé chimérique dont il était hanté.

Furent d'abord mis en service vers le Maroc une dizaine de Salmson de guerre débarrassés de leur armement auxquels succédèrent trente-deux Salmson civils de mêmes caractéristiques, mais d'un confort un peu moins spartiate, spécialement construits pour les Lignes aériennes Laté-

coère. Ces trente-deux Salmson, portant les numéros de construction 31 à 62, furent les seuls dont on a conservé la trace. Officiellement enregistrés et régulièrement contrôlés par l'Aviation civile et le Bureau Veritas, ils reçurent en juin 1920 les certificats de navigabilité 141 à 172 et les marques attribuées à Latécoère pour son matériel volant : cinq groupes d'immatriculation à cinq lettres comprenant :
– première lettre : F (France) ;
– deuxième et troisième lettres : AL (Aviation Latécoère) ;
– quatrième lettre :
une des vingt-cinq de l'alphabet (W exclu) ;
– cinquième lettre : une des cinq voyelles A, E, I, O, U (terminaison de groupe).

Les Salmson eurent la terminaison I et O. (Les terminaisons A, E, U furent réservées aux premiers Breguet 14 de la Ligne.) La moitié d'entre eux avaient été retirés ou détruits en décembre 1924, les seize autres étaient mis « en réserve » et ne volaient plus régulièrement depuis août 1923. Tous furent rayés des contrôles en 1927.

Le Salmson 2 était un appareil extrêmement simple à mettre en service et à entretenir, hormis le moteur. La notice technique ne prévoyait que douze outils des plus courants pour en assurer le

montage, allant du marteau à l'échelle de quatre mètres en passant par une pince universelle et un tournevis. Ce biplan à ailes égales et parallèles écartées de 1,70 mètre avait un fuselage arrondi construit autour du volumineux moteur Salmson Z9, licence Canton-Unné de 230 ch. Un moteur réputé fiable pour son époque. La principale originalité de cet avion résidait dans un empennage simplifié à l'extrême ne comportant ni plan fixe horizontal ni plan de dérive. Les gouvernes de profondeur et de direction pivotaient sur des axes métalliques les traversant au quart de leur surface totale. La partie étroite formait le compensateur dynamique.

Les Salmson 2 furent, à l'origine, produits en version militaire A. 2 d'observation et de combat

SALMSON 2
envergure : 11, 75 m
longueur : 8, 50 m
hauteur : 2, 90 m
surface portante : 37 m²
poids à vide : 906 kg
charge utile : 200 kg
vitesse à 2 000 m : 140 km/h
distance franchissable : 500 km
plafond : 4 500 m.
moteur : 1 Salmson Zg,
250 ch, 9 cylindres en étoile,
refroidi par eau.
construction : acier, bois,
toile de lin.

BREGUET 14 A2
envergure : 14, 36 m
longueur : 9 m
hauteur : 3, 15 m
surface portante : 50 m²
poids à vide : 1 238 kg
charge utile : 300 kg
vitesse de croisière : 125 km/h
distance franchissable : 460 km
plafond : 4 500 m
moteur : 1 Renault 12 Fe,
300 ch, 12 cylindres en V,
refroidi par eau.
construction : mixte, métal,
bois et toile.

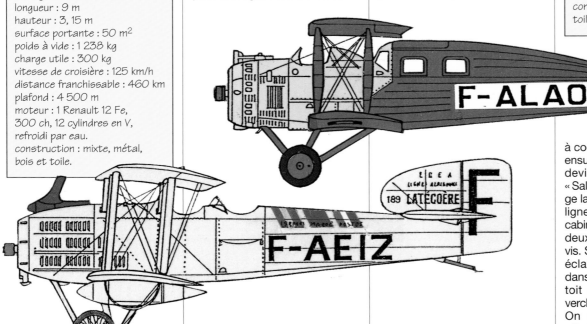

à cockpit ouvert. Ceux qui furent ensuite convertis en avions civils devinrent officiellement des « Salmson-Torpedo ». Mais l'image la plus connue du Salmson de ligne est une « limousine » avec cabine fermée et capitonnée pour deux passagers assis en vis-à-vis. Simple boîte de contreplaqué éclairée par quelques fenêtres, dans laquelle on pénétrait par le toit s'ouvrant comme un couvercle. Le pilote restait à l'air libre. On estime qu'une dizaine de « Salmson-Torpedo Latécoère » furent ainsi transformés à partir de 1920 pour le transport autorisé des passagers.

Ces avions étaient peints d'un seul ton, ocre rouge, et portaient de chaque côté du fuselage trois rubans aux couleurs de la France, de l'Espagne et du Maroc. De Toulouse à Casablanca, ils franchissaient mille huit cent cinquante kilomètres en treize heures de vol avec escales à Barcelone, Alicante, Málaga, Tanger et Rabat.

Le Salmson 2, avion moderne, fut largement utilisé après la fin de la première guerre mondiale. Trois mille deux cents unités avaient été construites en moins de deux ans. Vingt-deux escadrilles françaises en étaient exclusivement dotées et onze escadrilles américaines du corps expéditionnaire.

En version civile, si Latécoère en fit son premier cheval de bataille, quatre compagnies françaises de transport aérien en utilisèrent une vingtaine dans les deux versions. Sa renommée fran-

LATECOERE 3

Sous les coupoles du Grand Palais, en décembre 1919, se déroulait la VIe exposition internationale de la Locomotion aérienne de Paris. Au stand des Forges et Ateliers de construction Latécoère était présenté un petit biplan prototype extrapolé du Salmson 2 sous l'appellation « Avion postal type Toulouse Rabat ».

Équipée d'un moteur Salmson Z9, élégante et bien finie, rutilante dans sa peinture vernis-

LATECOERE 4, 5 ET 8

A côté du Laté 3 figurait sur le stand de Latécoère en 1919 un grand biplan trimoteur entoilé animé par des moteurs Salmson : deux Z9 de 230 ch latéraux avec hélices bipales et un central CU18 de 500 ch muni d'une quadripale. Il était désigné « Laté 4 multiplace pour poste et

comparé à ceux des avions provenant des surplus de guerre, Salmson et Breguet 14.

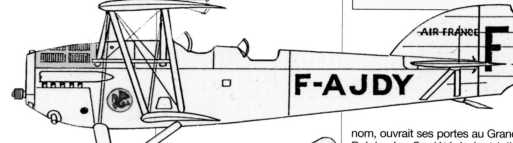

POTEZ 25

envergure : 14, 14 m
longueur : 9, 10 m
hauteur : 3, 67 m
surface portante : 47 m^2
poids à vide : 1 510 kg
charge utile : 300 kg
vitesse de croisière : 170 km/h
distance franchissable : 500 km
plafond : 7 000 m
moteur : 1 Lorraine 12 Eb,
450 ch, 12 cylindres en W,
refroidi par eau.
construction : mixte, duralumin,
bois et toile.

LATE 25-2R

envergure : 17, 40 m
longueur : 9, 11 m
hauteur : 3, 70 m
surface portante : 48, 60 m^2
poids à vide : 1 631 kg
charge utile : 1 006 kg
vitesse de croisière : 180 km/h
distance franchissable : 650 km
moteurs : 1 Renault 12 Ja,
450 ch, 12 cylindres en V,
refroidi par eau.
construction : métal et
bois entoilé.

chit les océans. On a la certitude qu'au moins douze Salmson 2 avec leurs moteurs furent construits sous licence en 1922 par Kawasaki, destinés à Japan Airways, et il en fut certainement produit beaucoup plus pour l'armée du Soleil-Levant et pour bien d'autres de par le monde.

sée, la machine exposée était un biplace Torpedo, mais on pouvait l'imaginer carrossée en limousine grâce aux gravures des dépliants. Sa structure était métallique. Comparé au Salmson, dont il avait l'aspect général, le Laté 3 était plus court de 0,94 mètre et son envergure plus longue de 0,82 mètre. La seule véritable différence apparente était l'empennage, de conception classique avec un plan fixe horizontal, une dérive triangulaire bien trop petite et des gouvernes à bord de fuite rectiligne.

En présentant cette machine, Latécoère annonçait des performances à peine croyables : deux cents kilomètres à l'heure en pointe et cent quatre-vingts kilomètres à l'heure en vitesse de croisière avec un rayon d'action de six cents kilomètres. Le Laté 3 resta pourtant au stade du prototype et ne fut pas homologué. Marcel Moine, qui l'avait étudié, l'avait bien réussi, mais son prix de revient s'avérait prohibitif

passagers ». Avec 24,80 mètres d'envergure et pesant huit mille trois cent quarante kilos en charge, c'était un monstre de bois ventru pouvant théoriquement emmener jusqu'à vingt passagers à six cents kilomètres.

L'étude menée par Marcel Moine, sans subventions, avait coûté très cher à Latécoère. L'avion s'était écrasé après quelques essais confiés aux pilotes Gonin et Beauté. L'idée ne fut pourtant pas abandonnée et de la carcasse refondue sortit un Laté 5 équipé de trois moteurs Lorraine et de trois gouvernails, encore plus large et plus lourd que le prototype. D'abord destiné au transport des passagers sur la ligne de Casablanca auxquels un raffinement de confort jamais égalé aurait été proposé, le Laté 5 fut achevé avec l'aide de l'État comme bombardier de nuit. Il n'alla pas plus loin que Villacoublay pour y faire des essais sans suite.

En novembre 1921, le Salon de l'aéronautique, septième du

nom, ouvrait ses portes au Grand Palais. La Société industrielle d'aviation Latécoère y présentait ses dernières créations, même les moins réussies, du moment qu'elles avaient un rapport avec la ligne Toulouse-Casablanca qui faisait rêver le public.

On vit donc exposé le Laté 8, un biplan prototype mastoc et ventru couronné de douze pipes d'échappement verticalement hérissées, peint en blanc et qui n'avait pas encore volé. Une mauvaise réplique du Breguet 14, mais qui portait fièrement sa destination « France, Espagne, Maroc » en lettres rouges sur les deux côtés du fuselage.

On affichait pour cette machine des caractéristiques plus qu'optimistes : des dimensions allongées, un poids réduit, une vitesse de cent quatre-vingts kilomètres à l'heure… en taisant les modestes 300 ch du moteur Renault. En réalité, les premiers vols furent très décevants. L'avion n'alla pas plus loin que Barcelone. Il ne fut jamais immatriculé, ni mentionné au Veritas. Pierre-Georges Latécoère le jugea mauvais et arrêta les frais. Le Laté 8, unique exemplaire, fut oublié. Cette caricature d'avion, étonnant de laideur, n'a laissé à la postérité que quelques photos qui font sourire.

LATECOERE XIV ET XVI

L'échec des Laté 4, 5 et 8 n'avait nullement désarmé l'état-major de la SIDAL qui persistait à croire aux chances du

« gros » avion de transport pour passagers entre la France et le Maroc. Apparurent alors, en 1923, les Laté XIV et XVI, deux avions issus d'une même cellule entièrement métallique, de conception nouvelle, surprenante, osée, voire futuriste, dont le dessin de la voilure, entre autres, fourmillait de trouvailles géniales. Si les Laté 4,5 et 8 avaient accusé des mois de retard sur ce qui volait bien en Europe, les Laté XIV et XVI anticipaient la technique de quinze années avec une aile épaisse cantilever parfaitement construite.

Seuls manquaient à Marcel Moine des moteurs : la puissance capable de laisser s'exprimer librement toutes les qualités intrinsèques de ces deux machines. Ni le Renault 300 ch, ni le Lorraine 400 ch provenant des surplus et emmagasinés en nombre par Latécoère ne permirent à ces deux prototypes de dépasser les performances d'un Breguet 14. Exposé au IXe Salon de 1924, le Laté XVI fut très remarqué par les spécialistes, mais après quelques vols expérimentaux, on l'abandonna.

LATECOERE 15

Latécoère se voulait novateur et indépendant de ses concurrents. Il poussait son bureau d'études à rechercher des solutions différentes et coûteuses pour traiter le problème de l'avion lourd à passagers et misait beaucoup sur le projet Laté 15.

Ce grand monoplan bimoteur, à l'étude en 1925, promettait de transporter les sacs postaux, le fret et six passagers d'abord vers le Maroc puis, grâce à une sécurité accrue, sur le prolongement désertique de Casablanca à Dakar. Il pourrait même être équipé en hydravion à flotteurs. Le prototype semblait suffisamment réussi aux yeux des services officiels pour justifier un marché d'État. Vingt Laté 15 furent commandés pour la Ligne et la première série d'avions cent pour cent Latécoère fut lancée.

Le prototype n° 502 sortit d'usine et fut certifié en août 1925, portant les marques F-AHDM. Il réussit à traverser la Méditerranée aux mains du pilote Enderlin. Malheureusement, le grand patron avait imposé à ses ingénieurs, pour équiper ses avions, l'emploi exclusif de moteurs Lorraine 8 Bd 270 ch qu'il avait achetés aux surplus de guerre en grand nombre et qui se révélèrent très vite extrêmement peu fiables. Ayant ordonné de les modifier pour en diminuer la puissance à 230 ch et, théoriquement, en augmenter la longévité, il n'obtint que des résultats encore plus désastreux. Le Laté 15 ne pouvait plus voler sur un seul moteur, ni même enlever sa charge normale avec les deux à plein régime.

Un sérieux accrochage s'ensuivit entre Latécoère et Daurat, celui-ci refusant absolument l'ordre reçu de mettre en service les Laté 15 sur la ligne du courrier France-Amérique et surtout pas sur le tronçon Casablanca-Dakar. Le différend remonta jusqu'au ministère et Didier Daurat eut gain de cause. Pierre-Georges Latécoère fit interrompre la fabrication en cours au dixième avion.

Les Laté 15 ne servirent que sur des lignes annexes de Casa-blanca, où la plupart avaient été basés, et seulement au coup par coup. Cinq reçurent des flotteurs et firent quelques vols entre Alicante et Oran. Mis en service pour la plupart en 1926 et arrêtés tous les dix en 1929, ils furent radiés en 1933, ne totalisant chacun en moyenne qu'une centaine d'heures de vol en quatre ans. Le prototype F-AHDM n'avait volé que cinquante-deux heures et le plus actif F-AIDQ, deux cent soixante-seize heures. Une situation conflictuelle à propos d'une sous-motorisation fut la seule cause de ce

---

LATE 28-3
(Comte-de-La Vaulx)
envergure : 19, 25 m
longueur : 13, 64 m
hauteur : 3, 24 m
surface portante : 58, 20 m²
poids à vide : 2 637 kg
charge utile : 299 kg
vitesse de croisière : 160 km/h
distance franchissable :
3 200 km
plafond : 4 300 m
moteurs : 1 Hispano Suiza,
12 Lbr, 600 ch, démultiplié,
12 cylindres en V, refroidi par eau.
construction : métal et bois
entoilé.

LATE 28-1
envergure : 19, 25 m
longueur : 13, 65 m
hauteur : 3, 58 m
surface portante : 48, 60 m²
poids à vide : 2 366 kg
charge utile : 848 kg
vitesse de croisière : 215 km/h
distance franchissable : 1 000 km
moteurs : 1 Hispano Suiza 12 Hbr,
500 ch, démultiplié,
12 cylindres en V,
refroidi par eau.
construction : métal et bois
entoilé.

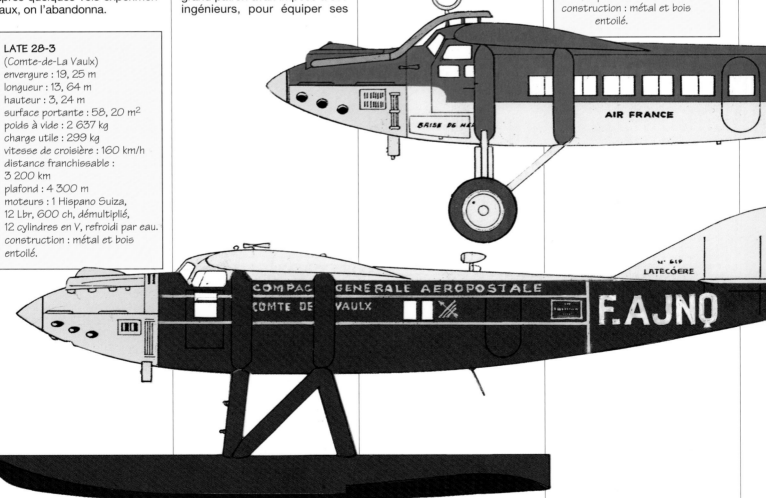

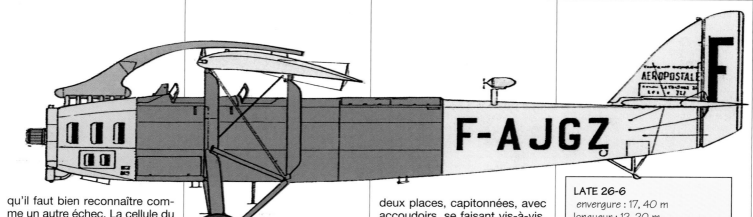

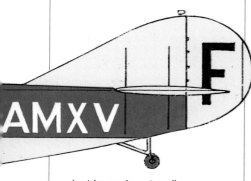

qu'il faut bien reconnaître comme un autre échec. La cellule du Laté 15 était pourtant bonne, la voilure aussi.

La structure des Laté 15 était entièrement métallique sauf l'arrière du fuselage fait en bois. La partie centrale de section ovale comprenait la cabine pour six passagers, offrant un confort suffisant. Le pilote était dans un cockpit découvert à l'extrême avant du nez d'où il avait une bonne visibilité mais recevait violemment le souffle des deux hélices dont la garde entre elles, par rapport au fuselage était de dix centimètres. Le bout d'aile ou moignon, à la base du fuselage, contenait une structure tubulaire reliant solidement la mâture oblique, les bâtis moteurs et les châssis du train diabolo. Les Laté 15 étaient peints couleur aluminium sur les parties entoilées et en gris-bleu sur le revêtement de tôle du fuselage portant les inscriptions rouges « Lignes Aériennes Latécoère – France, Afrique, Sud-Amérique » de chaque côté.

FARMAN F 70

L'entrée à la CGEA en 1923 de quatre limousines Farman F 70, machines quelque peu insolites dans le parc toulousain de Latécoère, se situe en Afrique du Nord. La compagnie avait un besoin pressant de limousines de luxe pour répondre à une attente de sa clientèle, puisque les projets Latécoère 3, 4, 5, 8, XIV et

XVI étaient restés sans suite.

Un jour de l'hiver 1923, une bonne affaire s'était présentée, sur laquelle Pierre-Georges Latécoère avait bondi : la vente en Algérie sur liquidation de quatre Farman 70 de la Société du réseau aérien transafricain (SRAT), émanation de Nungesser Aviation. Quatre machines neuves encore emballées dans leurs caisses à Hussein Dey. Il s'agissait des avions n° 7 F-AFFP, n° 8 F-AFGI, n° 9 F-AFFK et n° 10 F-AGAA construits en 1923 aux usines Farman de Billancourt. L'affaire fut vite conclue et les avions mis en état de vol rejoignirent Toulouse. Le premier fut piloté par Vachet et Denis à la date du 24 décembre. La veille, il avait subi sans dommage, au large de la côte espagnole, la mémorable tempête qui causa la perte du dirigeable Dixmude.

Le Farman 70 F-AFFP fut présenté à l'Exposition internationale d'automobile de Barcelone, le 29 mai 1925, et montré au roi Alphonse XIII et à sa suite par Massimi et Vanier. Le roi s'intéressa vivement aux détails de cette limousine qui fut retirée du service en 1926. Les trois autres Farman firent des vols fréquents de 1924 à 1927 vers le Maroc puis vers Dakar. Leur histoire comporte peu de faits saillants. Ils la finirent avec chacun un carnet d'heures de vol bien rempli avoisinant les cinq cents.

Le F 70 était un biplan monomoteur de 14,90 mètres d'envergure construit tout en bois, solide et sans aucune innovation, mis à part la recherche du confort des passagers. On s'installait dans une cabine somptueusement décorée d'arabesques, entièrement vitrée, sur deux banquettes à

deux places, capitonnées, avec accoudoirs, se faisant vis-à-vis. Dans une autre configuration, on pouvait asseoir six personnes. Ces avions étaient équipés, comme les Breguet 14, d'un moteur Renault 12 Fe 300 ch et de boîtes à courrier carénées sous les ailes ; d'où une grande simplification d'entretien pour la compagnie. Au total, vingt Farman F 70 furent construits. Hormis les quatre de la ligne Latécoère, la plupart servirent en France dans des compagnies parisiennes et cinq furent cédés à la compagnie polonaise Aero.

BREGUET 14

N'en voudrait-on pour preuve que sa présence au verso du billet de banque de cinquante francs récemment émis à l'effigie de Saint-Exupéry, le Breguet 14 est inséparable de l'image conventionnelle attachée à l'épopée de la Ligne et à ses formidables pionniers. Il laisse aussi le souvenir d'un avion de la Grande Guerre des plus fameux. Historiquement, il est « celui de la victoire » puisque le 11 novembre 1918, arborant pour cette occasion deux grands drapeaux blancs à ses mâts, il emmenait à Spa le commandant allemand Von Geyer, porteur des conditions d'armistice. C'était le Breguet 2334 G piloté par le lieutenant Minier.

Les Breguet 14 virent le jour en juin 1916. En novembre, le prototype décollait pour son premier vol à Villacoublay, piloté par Louis Breguet en personne.

Ce biplan n'était pas un bel avion mais un brave avion, plein de qualités rustiques. Le 6 mars 1917, l'armée en commandait cent cinquante exemplaires, suivis un mois plus tard d'une centaine d'autres. L'usine de Vélizy sans plus attendre s'organisait pour lancer une production à grande échelle. Côté motorisation, après divers essais compa-

ratifs, le 300 ch Renault était adopté et Billancourt s'équipait de même pour le sortir en grande série. Ce tandem Breguet-Renault tourna à fond de 1917 à 1926 pour livrer huit mille Breguet 14 produits en France et à l'étranger sous licence… Et combien de fois ce nombre en pièces détachées ! Cet énorme succès des Breguet 14 laissait de marbre Pierre-Georges Latécoère, qui s'ingéniait toujours aux premiers temps de sa ligne à créer des avions de sa marque, coûteux et souvent médiocres.

Les Breguet 14 d'origine militaire s'offraient à lui, mais il n'en voulait pas. On avait dû lui forcer la main pour qu'il accepte les quinze premiers de sa flotte auxquels il préférait ouvertement les Salmson. Ces Breguet, convoyés d'Étampes à Toulouse en juillet 1919, furent suivis de quinze autres au début de 1920.

Démilitarisés à la SIDAL et devenus « Breguet Latécoère » comme le seront tous les autres en service sur la Ligne jusqu'en 1924, ils étaient reconnaissables aux deux coffres fuselés placés directement sous les ailes de part et d'autre des roues du train. Ces « boîtes Breguet » étaient destinées aux sacs de courrier, mais on y transportait parfois, dans les pires conditions, l'interprète maure quand la place arrière – un trou d'homme guère plus confortable – était déjà prise par un pas-

LATÉ 26-6

envergure : 17, 40 m
longueur : 12, 20 m
hauteur : 3, 90 m
surface portante : 48, 60 m²
poids à vide : 1 884 kg
charge utile : 212 kg
vitesse de croisière : 175 km/h
distance franchissable : 1700 km
moteurs : 1 Renault 12 Jb,
450 ch, 12 cylindres en V,
refroidi par eau.
construction : métal et
bois entoilé.

sager sur le long parcours Casablanca-Dakar.

Les transformations faites en usine comprenaient aussi le recouvrement du camouflage de guerre par une couche de peinture émaillite argent sur laquelle apparaissaient en noir les marques d'identification et sur le dos trois rubans aux couleurs de la France, de l'Espagne et du Maroc. Un agrandissement des ouvertures d'aération du capot et le renforcement semi-rigide des commandes de profondeur achevaient les principaux travaux. Certains Breguet Latécoère reçurent un réservoir d'essence supplémentaire de cent litres et d'autres une double commande, comme le n° 179 F-AEIR, réservé à l'école de pilotage sans visibilité et surnommé le « chameau » à cause de la bosse d'un couvercle arrondi refermé par le moniteur sur l'élève pendant l'entraînement au vol aux instruments.

Après avoir reçu ses trente premiers Breguet militaires, la Compagnie Latécoère, de 1922 à 1927, acheta encore aux stocks de guerre, à des conditions très avantageuses, cent cinquante autres Breguet 14 découverts dits Torpedo, auxquels s'ajoutèrent six Breguet 14 T à cabine fermée appelés limousines cédés par la Compagnie des messageries aériennes. Tous furent numérotés à leur passage en usine de 1 à 30, puis de 101 à 241 et de 301 à 315. Ce qui donne un total de cent quatre-vingt-six avions. Mais, certains ayant été précocement détruits et remplacés sous le même numéro, on peut avancer le nombre de cent quatre-vingt-dix et peut-être deux cents Breguet Latécoère ayant servi sur la Ligne de 1919 à 1934.

Les pannes survenaient statistiquement tous les vingt mille kilomètres, c'est-à-dire après cent soixante heures de vol. La règle d'or établie par Daurat était donc de faire la révision des moteurs à mi-chemin du risque encouru : quatre-vingts heures et dix mille kilomètres. Mais une telle fréquence obligeait la compagnie à tenir en réserve une pléthore d'avions et surtout de moteurs qu'elle achetait heureusement à bon compte, à l'armée en particulier. Même avec cette faiblesse mécanique, les bons vieux Breguet 14, qui pouvaient se poser n'importe où, furent d'abord les explorateurs de toutes les ramifications terrestres

de la Ligne avant d'en devenir les exploitants réguliers.

L'Exploitation avait coutume, dans les documents de services, d'identifier ses Breguet simplement par leur numéro de série Latécoère, celui qui était peint en gros chiffres noirs dans l'arrondi de la dérive, plutôt que par leurs lettres réglementaires d'immatriculation. Ils furent tous tellement utilisés un peu partout à la fois qu'il est difficile de suivre en détail la carrière de chacun, même des plus célèbres. De cette flotte immense, dont cinquante-neuf au moins furent totalement détruits en service et bien davantage furent accidentés puis reconstruits, certains plusieurs fois, il en restait quatre-vingt-un valides figurant dans l'inventaire de cession de Latécoère à l'Aéropostale. Les survivants, qui furent mis en réserve définitive à la fin de 1930, étaient au nombre de cinquante-trois. On les raya des contrôles en 1933 à la reprise du matériel par Air France. Ils approchaient tous en moyenne les mille heures de vol et le numéro 150 F-AEIN, le doyen et le plus titré, en totalisait mille six cent quarante-cinq.

D'autres Breguet Latécoère connurent aussi la gloire en transportant des passagers illustres, parmi lesquels on peut citer le roi Albert Ier de Belgique à bord du 121 F-ALAU ; le président du Conseil Paul Painlevé et le ministre Laurent-Eynac sur le 218 F-AFEK ou encore le maréchal Pé-

tain sur le 195 F-AFAT. Et tous avaient préféré voler casqués dans des Breguet Torpedo ouverts à tous les vents plutôt que dans des limousines capitonnées !

La partie désertique longue de deux mille sept cent soixante kilomètres du Casablanca-Dakar se confirma vite la plus dangereuse et la plus glorieuse du réseau Latécoère. Les tempêtes de sable et l'extrême chaleur entre les 19e et 20e parallèles causaient de fréquentes pannes des circuits de graissage et de refroidissement des 300 ch Renault. Radiateurs bouillants, vaporisants, éclatés, vilebrequins et soupapes cassés, moteurs grippés, hélices calées étaient le lot presque normal des aléas du voyage et la cause des atterrissages forcés où les roues s'enlisaient profondément dans le sable mou.

POTEZ 25

À l'évidence, le Laté 25 qui mettait une heure pour atteindre son plafond de quatre mille mètres ne permettrait jamais le passage régulier des Andes et bien que fort peu enclin à fournir à la Ligne d'autres matériels que ceux produits par ses usines, Pierre-Georges Latécoère, résigné, finit par arrêter son choix sur le monomoteur de reconnaissance Potez 25, ce fameux grimpeur à sept mille mètres dont la firme de Méaulte, comblée et sans autre souci que le respect des cadences, mettait en production

quatre mille exemplaires commandés par les armées de vingt nations réparties sur quatre continents.

Trois avions furent expédiés à l'Aéropostale au printemps 1929, les numéros 1520 et 1521 respectivement immatriculés F-AJDX et F-ADJY, type 25 A. 2 et le 1522, type TOE, imma-triculé F-AJDZ. Ils arrivèrent dans leurs caisses à Buenos Aires transportés par bateau, en même temps que Daurat, qui venait inspecter le réseau d'Amérique. À peine les avions étaient-ils remontés qu'il s'embarquait avec Jean Mermoz sur le F-AJDX pour une première traversée des Andes en Potez 25. Estimant l'exploitation réalisable, il désigna sur-le-champ Guillaumet pour la prendre en main.

Après un mois, le rythme était pris et chaque semaine le ciel glacé de la Cordillère vibrait du bruit d'un passage d'avion dans les deux sens. Guillaumet apprenait à ruser avec la montagne. Le 14 août 1929, alors qu'il assurait le courrier de Santiago, les courants ascendants le montèrent pour la première fois à sept mille mètres sans chauffage, sans radio et sans oxygène. C'était pourtant là sa technique habituelle, découverte de courrier en courrier. Elle consistait à « prendre l'ascenseur », ainsi qu'il appelait sa façon d'entrer dans les remous d'air chaud des vents d'ouest qui le portaient très vite à plus de six mille mètres. Puis il

CAMS 56

envergure : 20, 40 m
longueur : 14, 82 m
poids à vide : 4 700 kg
charge utile : 1 800 kg
vitesse de croisière : 170 km/h
distance franchissable : 1 000 km
moteurs : 2 Gnome et Rhône
9 Akx, 480 ch,
refroidis par air.
construction : structure mixte
métal et bois.

se glissait à haute altitude dans les vents rabattants et débouchait dans la plaine de Mendoza, encore à quatre mille mètres. Pour gagner du temps, il faisait alors plusieurs loopings successifs qui le descendaient très vite à la verticale du terrain. Le vol ne durait pas plus d'une heure et demie, mais il en valait dix tant il était épuisant. Une fois encore, le pilote des Andes l'échappa belle. Ayant traversé une terrible tempête de grêle, son Potez 25, littéralement criblé, s'en allait en lambeaux. À son atterrissage à Mendoza, on compta plus de cinq cents déchirures dans son entoilage… D'autres exploits suivront.

Deux Potez 25 TOE, c'est-à-dire munis d'un réservoir supplémentaire ventral, avaient rejoint

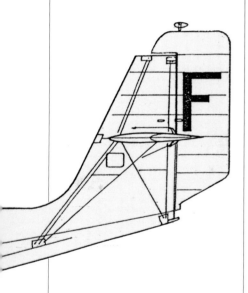

les trois premiers en 1930 : les n°s 2035 et 2036 immatriculés F-AJZR et F-AJZS. Les cinq avions ne furent affectés qu'à la ligne Argentine-Chili et tous passèrent à Air France en 1933. Le plus célèbre, F-AJDZ, avait été loué pendant toute sa carrière à l'Aéroposta Argentina et le F-AJDY fut revendu à l'Argentine en 1938 et immatriculé LV-JPA. Il figurait encore au registre argentin de 1967 ! … Il n'est pas interdit de rêver qu'il existe encore quelque part.

Dès qu'ils furent réformés au printemps 1936, les Potez 25 de la ligne des Andes furent remplacés par deux Potez 62.1 qui assurèrent le même service beau-

coup plus confortablement. Le F-ANQN, prototype baptisé Aguila entra en service le 7 juin 1936 pratiquement en même temps que le F-ANQQ Falcon. Ces deux machines animées par deux Hispano de 720 ch transportaient dans les deux « compartiments » fumeurs et non-fumeurs d'une cabine insonorisée particulièrement élégante douze passagers éblouis par le spectacle de l'Aconcagua. Ayant assuré chaque semaine un service extrêmement dur, elles totalisaient en décembre 1938 plus de mille neuf cents heures de vol sans le moindre incident.

LATECOERE 14,17,25

À l'origine de la famille, on trouve, apparu dès 1924, un monoplan parasol classique : le Latécoère 14, n° 602, officiellement construit en 1925 comme « avion postal n° 1 », immatriculé F-AHFG. Il avait probablement repris l'appellation du Laté XIV de 1923 pour en gommer l'échec. Différemment construit et appelé autrement, il ne gardait en commun avec ce dernier que le moteur Renault 300 ch.

Véritable avion limousine au fuselage ovoïde, dont la cabine à quatre places avait enfin une vraie porte et de vraies fenêtres, destiné à la ligne du Maroc, il restait cependant au stade expérimental par le manque de brio de son moteur vraiment trop limité. Il mena bien vite au type Laté 17 allégé, équipé successivement de moteurs Gnome et Rhône Jupiter en étoile de 380 ch ou Renault 12 en V de 450 ch.

D'août 1926 à octobre 1927, date à laquelle leur fabrication fut arrêtée pour faire place à celle des Latécoère 25, vingt-trois Laté 17 sortirent des chaînes de l'usine de Toulouse avec les numéros 601 à 623. Deux servirent sur une ligne temporaire Perpignan-Marseille-Toulouse, huit sur la ligne d'Amérique du Sud et tous les autres sur celle du Maroc. Dix-neuf furent transformés en Latécoère 25 à partir de 1929.

Au premier coup d'œil, le Laté 25, court, trapu et bien campé sur un large train, donnait une impression de franche robustesse que n'ont jamais démentie tous les aléas d'une carrière extrêmement remplie. Si l'on ne parla jamais beaucoup de lui, c'est parce qu'il était vraiment sans histoires, mais l'Histoire, elle, a retenu ses exploits. Ceux de son prototype,

par exemple, le Laté 25 n° 603 F-AIEH, élaboré à partir d'un Laté 17, qui, après avoir volé de Toulouse et Marseille vers Casablanca, fut transféré en Amérique du Sud en 1928. C'est avec lui que Jean Mermoz et Alexandre Collenot ont effectué leur fameux atterrissage forcé dans les Andes à quatre mille mètres d'altitude en mars 1929.

Construits à l'origine à trente-cinq exemplaires (631 à 650 et 701 à 715) et complétés par les dix-neuf Laté 17 transformés (603,604 et 623 – 606 à 613 et 615 à 631), on compte un total de cinquante-quatre Latécoère 25 mis en service entre 1927 et 1929 par la ligne Aéropostale-Air France et les compagnies sud-américaines associées. Parmi eux, dix ont fini détruits dans un accident grave dont quatre furent mortel pour leurs pilotes. Ficarelli avec le 619, Santelli avec le 633, de Gennes avec le 704 et Simon avec le 712. Ce qui est trop, bien sûr, mais très peu comparé à d'autres types d'avions de la même époque et compte tenu surtout de la fréquence des vols et de l'extrême rudesse des climats sous lesquels ils furent contraints de servir en Patagonie, notamment, où règne une météo quasi polaire.

Le gouvernement argentin le savait bien, puisqu'il racheta la plupart des Laté 25 déjà loués à sa compagnie Aeroposta Argentina depuis 1928. Certains durèrent jusqu'à la Seconde Guerre mondiale. L'avion historique 603, celui de Mermoz dans la Cordillère, a été préservé par la Force aérienne argentine à Buenos Aires, immatriculé LV-EAB. Il est le seul Laté parasol authentique « survivant » visible de nos jours.

LATECOERE 26

Le Laté 26 devint réalité en juillet 1927. La partie avant était déjà prête depuis plusieurs mois. L'empennage était à revoir, mais le fuselage restait à créer de toutes pièces. Il allait devenir allongé, affiné et de section rectangulaire pour donner naissance à une grande poutre compartimentée en coffres fermés par de simples couvercles. En septembre, le prototype Laté 26.2. R portant le n° 651, premier d'une série de trente-quatre machines semblables et plus de vingt-cinq Laté 26.6 long-courriers sortirent des ateliers. On était dans les temps.

Le 1er octobre 1927, on ne parlait dans la presse que de Costes et de Le Brix préparant un tour du monde sur un Breguet 19 grand raid, le *Nungesser-Coli*, qui devait commencer par un vol sans escale Paris-Saint-Louis du Sénégal, suivi d'une traversée de l'Atlantique sud vers Natal. Latécoère et l'Aéropostale n'allaient pas laisser ce Breguet concurrent devancer leur propre matériel sur la Ligne qu'ils avaient créée, dont ils assuraient seuls l'exploitation et l'infrastructure depuis son ouverture. On prépara dans le plus grand secret la mise au point du prototype 26.2 afin de précéder le *Nungesser-Coli* sur son parcours.

Côté moteur, tout allait bien, le nouveau 450 ch de Renault 12 Ja multipliait par vingt-cinq le coefficient de sécurité des machines, la fréquence moyenne des pannes tombait de une pour vingt mille à une pour cinq cent mille kilomètres parcourus. En portant à cinq mille kilomètres l'autonomie du Laté 26 bourré d'essence, l'Aéropostale pourrait gagner Saint-Louis et tenter – pourquoi pas ? – la traversée de l'Atlantique sud. Mermoz et Négrin furent désignés pour piloter ce vol, et en un temps record, l'avion fut transformé. Les mécaniciens, en réplique à l'exploit de Charles Lindbergh quelques mois plus tôt, baptisèrent le Laté 26 *Spirit of Montaudran*, nom qu'on vit malicieusement peint sur le fuselage avant son départ pour… Saint-Louis !

Le 10 octobre à 9 h 30, le Laté 651 portant les marques provisoires F-ESDF décollait de Toulouse, et le 11 à 9 h 35 se posait à Saint-Louis, ayant parcouru quatre mille quatre cent soixante dix kilomètres en vingt-trois heures et trente minutes à la moyenne de 192,60 kilomètres à l'heure. Le seul incident de parcours eut lieu à la dernière seconde en fin de roulage quand il piqua du nez en s'arrêtant et cassa son hélice. Les réservoirs supplémentaires arrière étaient complètement vides et le point de centrage s'était déplacé vers l'avant. Mermoz et Négrin furent fêtés par les Saint-Louisiens, qui attendaient Costes et Le Brix. Ceux-ci se posèrent à 12 h 12, ayant parcouru le trajet en vingt-six heures et vingt-sept minutes à la vitesse de 173 kilomètres à l'heure. Incognito, le premier Laté 26 avait réussi cet exploit d'une

FRANCE - AMERIQUE DU SUD

portée considérable mais dont on parla très peu, complètement éclipsé qu'il fut dans la presse par le formidable raid du *Nungesser-Coli*.

Les Latécoère 26.2 et 26.6 avaient les mêmes dimensions générales et se différenciaient par leur moteur et leur autonomie. Tous les Laté 26 volèrent avec le moteur Renault 450 ch 12 cylindres. Les 26.2 avec le moteur 12 Ja direct mille huit cents tours, les Laté 26.6 avec le 12 Jb (quatre cent cinquante démultiplié) développant 500 ch par un réducteur inversant le sens de rotation de l'hélice. La grande différence d'aspect entre ces deux types d'avions résidait dans la forme de l'échappement. Collecteur à plat et tubulure le long du flanc droit débouchant sous l'avion sur les Laté 26.2. Collecteur cylindrique prolongé par une cheminée profilée en forme de corne, très caractéristique, évacuant les gaz brûlés par-dessus l'extrados sur les 26.6.

Les réservoirs principaux des deux types de Latécoère 26, placés dans la partie centrale de l'aile, étaient au nombre de deux, contenant chacun trois cent cinquante litres représentant à peu près cinq cents kilos de charge. Les Laté 26.6 embarquaient six cents litres de carburant en plus dans deux réservoirs placés sous les sièges. On pouvait aussi différencier les 26.6 et les 26.2 par l'aspect des empennages verticaux. Les 26.2 l'avaient hérité de ceux des Laté 17 et 25 avec une direction compensée par une large surface arrondie. Les Laté 26-6, en revanche, étaient équipés d'un gouvernail rectiligne non compensé, bordé par un flettner réglable en vol, articulé sur toute la longueur. Les Laté 26.6 avaient une double commande au cockpit arrière et une autonomie de mille sept cents kilomètres. Ils étaient conçus pour des vols long-courriers. Les Laté 26.2 n'avaient que huit cent cinquante kilomètres de rayon d'action, mais la possibilité de charger mille quatre-vingt-douze kilos de fret contre deux cent douze seulement pour les 26.6.

Sur tous les Latécoère 26, les parties entoilées furent enduites à l'émaillite argent, excepté sur quelques Laté 26.6 long-courriers de nuit qui furent entièrement peints en brun foncé (F-AJCN, F-AJCO, par exemple). Sur les par-

ties métalliques des Laté 26.2 était appliquée une peinture de couleur ocre brun dans le réseau d'Afrique et de couleur rouge bordeaux dans celui d'Amérique du Sud. Pour les 26.6, la nuance était ocre jaune tirant sur le kaki. Les inscriptions et marques d'identification étaient généralement noires ; elles furent parfois peintes en bleu sur le réseau d'Afrique. Au total on ne peut recenser que soixante Latécoère 26 immatriculés sur soixante-dix qui ont été probablement construits, mais on ne connaît pas de Latécoère 25 ayant été reconverti en Latécoère 26. La production s'est étalée sur environ deux ans, de septembre 1927 à novembre 1929, intercalée ou simultanée avec celle des Laté 25 et 28.

Vingt-deux Latécoère 26.2 et trois 26.6 furent envoyés en Amérique du Sud, tous les autres sur le réseau France-Afrique. En décembre 1930, l'Aéropostale faisait état d'une flotte de soixante Laté 26, ce qui correspond à la totalité du matériel connu. On avait pourtant déjà déploré des accidents mortels et des avions détruits : Lécrivain et Ducaud le 31 janvier 1929 (674), Schenk et Le Bouteiller le 30 novembre 1929 (694), Bruyère et Aubry le 25 janvier 1930 (691) … Air France reprit quarante et un Laté 26 en 1933 et en avait encore trente et un au 1er janvier 1935 mis en réserve depuis 1934. La plupart furent réformés en 1936. Progressivement, à partir de 1928, on équipa les Laté 26.2 d'Amérique du Sud avec des émetteurs-récepteurs radio lourds et chers, dont certains pilotes ne voulaient pas, mais indispensables pour accréditer l'idée d'un service nocturne possible, auprès des États partenaires et dispensateurs de

contrats. Le 12 avril 1929, le vol de nuit devint un fait quand l'horaire fixa au vendredi minuit le départ de Pacheco du courrier transatlantique.

Sur l'autre continent, le rituel hebdomadaire FRAME et AMFRA revenait aussi à des Latécoère 26 aux mains des seuls pilotes anciens confirmés. Prenant la relève des vieux Breguet 14 sur le parcours saharien, des Laté 26.2. R assurèrent de jour, à partir du 2 mars 1928, les liaisons Casablanca-Dakar. Ces avions volaient désormais seuls et non plus deux par deux comme précédemment. Ce n'est véritablement qu'en 1929, lorsque la CGA put aligner une flotte de long-courriers 26.6 suffisante, que le vol de nuit devint régulier sur le tronçon Casablanca-Dakar, faisant passer le temps de parcours France-Sénégal de soixante-six heures en 1928 à vingt-trois heures en 1930, le record ayant été de dix-neuf heures.

En 1929, un Laté 26 était vendu pour mille heures de vol en moyenne au-delà desquelles on

COUZINET 70
(Arc-en-Ciel)
envergure : 30 m
longueur : 16, 135 m
hauteur : 4, 03 m
surface portante : 98, 45 m²
poids à vide : 7 480 kg
charge utile : 600 kg
vitesse : 236 km/h
Distance franchissable : 6 800 km
moteur : 3 Hispano Suiza 12 Nb,
650 ch, 12 cylindres en V,
refroidis par eau.
structure : en bois,
sauf supports des bâtis moteurs.

estimait qu'il devait être amorti et bon pour la réforme cellule et moteur. Certains avions durèrent deux fois plus longtemps, d'autres n'eurent que quelques mois d'existence. Toujours est-il que dans ses mille heures de vie moyenne, un Laté 26.6, par exemple, avait dû faire une centaine de voyages, parcouru quelque cent soixante-quinze mille kilomètres, en ayant brûlé cent quarante mille litres d'essence (sept cents fûts roulés dans le sable et transvasés à la pompe Japy…) pour transporter en tout et pour tout vingt-cinq tonnes de fret, poste et passagers confondus… comprenne qui pourra. Ces Laté 26 vinrent au bon moment, avec de bons moteurs, autorisant le vol de nuit, que les sociétés étrangères concurrentes ne pratiquaient pas. L'exploitation changea définitivement de vitesse, la compagnie de visage. Les contrats et les arrangements avec les gouvernements d'Europe et d'Amérique affluèrent de plus en plus. Il fut dit qu'on réglait sa montre au passage de l'avion postal.

LATECOERE 28

Durant les derniers mois de 1928, l'ordre avait été donné aux ateliers de Montaudran de mettre en chantier deux prototypes, cellules 901 moteur Renault et 902, moteur Hispano, insérés dans la chaîne de fabrication des Laté 26.6 en cours de montage. Il s'agissait d'un monomoteur dont l'équipe de Marcel Moine achevait les plans, avion métallique résolument nouveau dans sa conception, à cabine fermée pour huit passagers, piloté en conduite intérieure séparée, conservant du Laté 26, dont il ne dérivait pas vraiment, quelques éléments de construction réussis. La voilure en

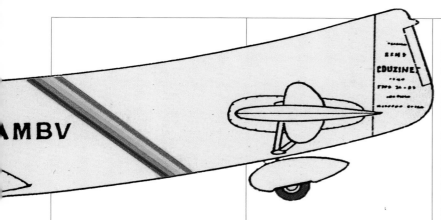

particulier, à l'aile rectiligne haubanée, aux élégantes extrémités arrondies, allait devenir une des caractéristiques signant les avions Latécoère qui suivirent.

Le premier appareil terminé fut le 902, équipé d'un Hispano Suiza démultiplié de 500 ch définissant le type 28.1. A peine aperçu, fin et racé, le Laté 28 forçait l'admiration. Les pilotes qui avaient été tellement déçus par tant de prototypes moyens, voire franchement « loupés », le trouvèrent si réussi qu'il fut surnommé tout de suite le « miracle des loups »... titre d'un film qu'on projetait en France à ce moment-là. Les vols d'essai menés par le 902 à partir du 26 février 1929 se conclurent par un certificat de na-

vigabilité délivré le 16 août avec les marques définitives d'identification F-AJHS. Le premier vol promotionnel Paris-Madrid du 24 septembre 1929, piloté par Négrin, révéla au monde la classe exceptionnelle de l'avion. Les mille deux cents kilomètres furent parcourus en cinq heures et onze minutes à la moyenne de deux cent trente kilomètres à l'heure. Sans hésiter la presse classa le Laté 28 nettement en tête des appareils européens de sa catégorie alors en service.

Le second prototype 901 type 28.0 à moteur Renault, en revanche, n'avançait pas. Il semblait même avoir eu des déboires aux essais. Son numéro d'ordre fut supprimé et devint 910. Il ne

fut certifié que le 16 mai 1930. Exception faite de différences visibles sur les cinq premiers, comme, par exemple, la forme du pare-brise, les Laté 28.1 de la première génération représentaient le type de base du Latécoère 28 terrestre auquel seront ramenés progressivement tous les Laté 28.0 Renault qui suivront ; la plupart en 1933 après leur transfert à Air France. Inversement, on ne connaît aucune opération de conversion du Laté 28.1 en Laté 28.0.

La voilure du Laté 28 était une aile haute semi-cantilever en deux parties venant s'encastrer dans le dos du fuselage. Celui-ci, de section rectangulaire, comportait d'avant en arrière le poste de pilotage à double commande côte à côte suivi d'un compartiment pour le réservoir d'essence de sept cent trente-cinq litres suspendu par des sangles et largable en vol. On trouvait ensuite une cabine de 3,38 mètres de long, offrant un volume normal pour huit places assises sur deux rangs. Éclairée par huit fenêtres coulissantes à store individuel, tendue de tissu ininflammable à motif fleuri dans les tons roses, pur style 1930, elle était confortable et rassurante. La presse et les passagers toujours plus nombreux en ont toujours souligné le

bon goût. Suivait un vestibule-toilettes très complet et une soute à bagages de près de deux mètres cubes de volume utile.

Il n'y avait pas, à vrai dire, de concurrence entre les Laté 28.0 et 28.1 au plan du confort, puisqu'ils ne différaient que par le moteur. L'Hispano apportait au 28.1 une vitesse ascensionnelle pratiquement double de celle du 28.0 Renault ainsi qu'une vitesse horizontale et un rayon d'action supérieurs. C'était le côté « sportif » du 28.1, mais au prix d'une consommation plus importante d'essence, embarquée au détriment du fret payant. Le 28.0 était d'un tempérament « plus calme ». S'il parvenait avec peine à dépasser l'altitude de quatre mille mètres, il était un peu plus léger en vol et emportait dix pour cent de charge utile en plus pour une étape comparable. Le moteur Hispano apportait du brio, le Renault de l'endurance. Le premier fut utilisé en Amérique du Sud à cause des vols en montagne, le second sur la ligne Espagne-Maroc qui longeait la côte.

L'exploitation de la ligne France-Espagne-Maroc, ouverte aux passagers sur des Latécoère 25, le fut aux Laté 28 le 1er mai 1930. Spectaculairement, la durée moyenne de dix heures d'un voyage en Laté 28 de Marseille à

TOUS LES AVIONS DE LA LIGNE

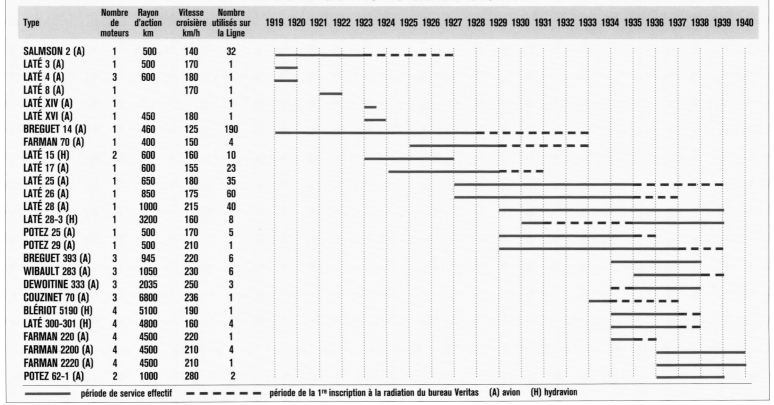

Type	Nombre de moteurs	Rayon d'action km	Vitesse croisière km/h	Nombre utilisés sur la Ligne
SALMSON 2 (A)	1	500	140	32
LATÉ 3 (A)	1	500	170	1
LATÉ 4 (A)	3	600	180	1
LATÉ 8 (A)	1		170	1
LATÉ XIV (A)	1			1
LATÉ XVI (A)	1	450	180	1
BREGUET 14 (A)	1	460	125	190
FARMAN 70 (A)	1	400	150	4
LATÉ 15 (H)	2	600	160	10
LATÉ 17 (A)	1	600	155	23
LATÉ 25 (A)	1	650	180	35
LATÉ 26 (A)	1	850	175	60
LATÉ 28 (A)	1	1000	215	40
LATÉ 28-3 (H)	1	3200	160	8
POTEZ 25 (A)	1	500	170	5
POTEZ 29 (A)	1	500	210	1
BREGUET 393 (A)	3	945	220	6
WIBAULT 283 (A)	3	1050	230	6
DEWOITINE 333 (A)	3	2035	250	3
COUZINET 70 (A)	3	6800	236	1
BLÉRIOT 5190 (H)	4	5100	190	1
LATÉ 300-301 (H)	4	4800	160	4
FARMAN 220 (A)	4	4500	220	1
FARMAN 2200 (A)	4	4500	210	4
FARMAN 2220 (A)	4	4500	210	1
POTEZ 62-1 (A)	2	1000	280	2

Années : 1919 1920 1921 1922 1923 1924 1925 1926 1927 1928 1929 1930 1931 1932 1933 1934 1935 1936 1937 1938 1939 1940

————— période de service effectif   — — — — — période de la 1re inscription à la radiation du bureau Veritas   (A) avion   (H) hydravion

Casablanca devenait sept fois moindre que celle du même voyage par bateau estimée à soixante-douze heures. Le prix du trajet avoisinait mille cinq cents francs ; ce tarif n'était pas sensiblement plus élevé que celui d'un passage à bord d'un paquebot. La mise en exploitation des Laté 28 sur la Ligne était d'abord considérée par la direction de l'Aéropostale comme une affaire de gain de temps absolument prioritaire, concernant en premier lieu le courrier de France vers l'Amérique et inversement, sur le premier tronçon entre Toulouse-Marseille et Casablanca à la vitesse maximale et quel que soit le temps. Vingt avions Latécoère 28 furent affectés à ce tronçon à partir de 1930 : six Laté 28.1 et quatorze Laté 28.0. Quatre furent transformés en 1932 en version long-courriers pour le tronçon Casablanca-Dakar en renfort des Laté 26.6.

Ces modifications concernaient l'aménagement de la cabine dont on avait supprimé les sièges passagers. La décoration intérieure avait disparu. L'équipement radio, très renforcé, comprenait un émetteur-récepteur ondes longues et ondes courtes de grande puissance doublé d'un émetteur de secours et complété par un radiogoniomètre. À l'arrière de la cabine, un vaste filet tendu entre le plancher et le plafond retenait l'empilage des sacs de courrier comme dans un fourgon postal. Le volume du réservoir d'essence largable était porté à mille cinq cent soixante-huit litres, plus du double que celui du réservoir normal. L'équipement d'atterrissage de nuit comprenait des feux de signalisation optique placés sous le fuselage et des fusées blanches à allumage électrique disposées à l'extérieur du moyeu des roues.

Le « long-courrier » décollait de Casablanca à la fin de l'après-midi, volait toute la nuit et déposait son précieux chargement à Dakar-Ouakam vers 8 heures. Il avait parcouru deux mille huit cents kilomètres de désert hostile avec un seul moteur. Ce vol portait un simple nom de service devenu mondialement célèbre : c'était le « Courrier Sud ».

Il existait au 31 décembre 1929 une forte disproportion numérique dans le matériel volant du réseau d'Amérique du Sud entre les Laté 28 et les autres avions de l'Aéropostale en ser-

vice : cinquante-sept avions divers pour deux Laté 28. Ces derniers ne représentaient encore que quinze pour cent du parc aérien disponible au printemps 1930, alors que le contingent définitif de dix Laté 28 était atteint. Proportion dérisoire au regard du travail qui les attendait et qui faiblira encore avec les avions perdus – trois en deux ans – et jamais remplacés. Les deux premiers arrivés furent confiés à Mermoz et à Négrin pour des vols de prestige : transport de VIP, reportages de presse, inaugurations. Et à partir d'avril 1930, on commença à les voir assurer le courrier France-Amérique sur une partie de la Ligne seulement. Un mois après, il fut décidé de leur faire ouvrir un service pour les passagers entre Buenos Aires et Rio, très apprécié de la clientèle, alors qu'il n'était pas encore autorisé en France. Ces vols s'effectuaient de jour, à deux cents kilomètres à l'heure. Le Laté 28 était qualifié d'avion de luxe et la publicité de l'Aéropostale ne montrait plus que lui.

Deux accidents de Laté 28 s'étant produits en 1930 sur le réseau sud-américain, ayant détruit les avions, les huit restants se partagèrent le transport du courrier et des passagers, souvent en même temps, jusqu'à la reprise du matériel par Air France en 1933. En passant à ses couleurs, ils prirent tous les huit un nom de baptême et leur activité se limita progressivement au seul transport du courrier, puisque des trimoteurs Breguet 393 commen-

çaient le service des passagers. Quatre furent transformés en 28.1 long-courriers en 1934 avec un rayon d'action doublé. Un autre fut détruit en 1935, et cinq passèrent au registre civil argentin en 1936, après avoir été vendus à l'Aeroposta Argentina pour laquelle ils avaient volé depuis leur arrivée sur le sol américain. Deux vétérans long-courriers durèrent aux couleurs d'Air France jusqu'en 1938, le 914 F-AJLN *Alizado* et le 923 F-AJOY *el Ciclon*.

LATECOERE 28.3
Comte-de-La Vaulx

Le terme « Laté 28 » évoque le plus souvent l'image du 28.3, hydravion gracieux, détenteur de nombreux records et vainqueur de l'Atlantique sud. Il ne fit cependant que très peu d'heures de vol et sa courte carrière se termina plutôt mal. Mais il eut ses heures de triomphe, auréolé de la gloire de Mermoz, son pilote attitré, et d'une fière descendance d'hydravions militaires.

Afin de disposer rapidement d'un hydravion postal transatlantique sud, l'Aéropostale avait décidé de construire un appareil à flotteurs à partir de la cellule du Laté 28 dont la réussite était un fait acquis en 1930. Ainsi vit le jour le Laté 28.3, simple extrapolation du 28.1 à la puissance motrice et à la surface alaire augmentées, monté sur deux flotteurs en catamaran très élaborés, qui coûtaient à eux seuls quatre-vingts pour cent du prix d'une cellule complète. Le ministère refusait catégoriquement de

cautionner ce vol transatlantique avec cet avion. Il fut donc décidé de contourner l'obstacle en s'attaquant avec le 28.3 aux records officiels de distance que, les 11 et 12 avril 1930, Mermoz réussit à battre avec le prototype n° 919 en portant à quatre mille trois cent huit kilomètres le record mondial en circuit fermé bouclé en trente heures et vingt-cinq minutes. Avec mille deux cents kilomètres de marge d'autonomie, l'Atlantique Sud était à la portée du Laté 28.3. Une telle performance impressionna le ministère ; mais l'accord finalement donné le fut sous la seule réserve que le pli cacheté enfermant l'autorisation écrite soit mis dans le sac de courrier transporté par l'hydravion transatlantique ; une mesure contestable pour se couvrir en cas d'échec.

La première traversée postale effectuée comme prévu par l'hydravion 28.3 n° 919 immatriculé F-AJNQ, baptisé *Comte-de-La Vaulx*, banalisa les exploits des raids antérieurs réussis. Mais était-elle vraiment renouvelable ? Mermoz avait volé constamment entre trente et deux cents mètres d'altitude, frôlant les vagues de si près qu'il perdit son antenne, sans jamais se relâcher une seule seconde pendant vingt et une heures et vingt-quatre minutes, aveuglé par les cataractes de pluie, ballotté comme une plume dans les tornades du Pot-au-Noir. D'autres que lui seraient-ils passés ? L'expérience ne fut pas renouvelée. Dix Laté 28.3 avaient été commandés par l'Aéropostale pour

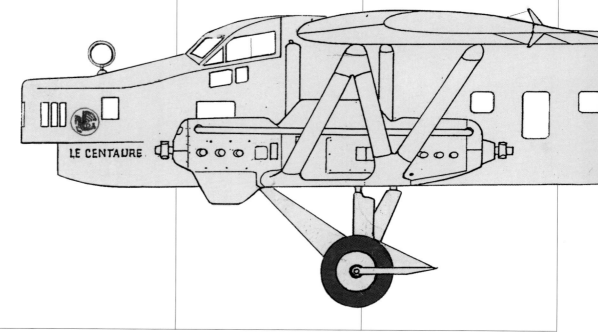

LE CENTAURE

entrer en service à la suite du 919. Celui-ci venait d'être perdu. Trois autres étaient terminés mais ne volèrent presque pas. Le reste fut annulé. En 1934, une nouvelle commande d'Air France reprit trois de ces hydravions modifiés en avions terrestres Laté 28.1 H.

La vraie réussite de cette traversée fut peut-être celle des nouveaux moyens de communications et de guidage en 1930. Neuf stations radiogoniométriques dont celles des avisos *Bemtevi* et *Phocée* ne quittèrent pas l'écoute une seule minute pendant les deux vols et donnèrent à Gimié (radio du bord), sur ondes longues, des relèvements triangulaires très précis qui aidèrent grandement la navigation de Dabry. Le *Comte-de-La Vaulx* était équipé quant à lui d'un poste Radio LL émettant simultanément sur deux longueurs d'ondes. Celle de cinquante-trois mètres, ondes courtes, était parfaitement entendue de toutes les stations côtières des deux continents comme des stations Aéropostale de Toulouse et de Paris, qui suivaient de bout en bout son vol. Ces matériels témoignaient d'une prodigieuse avancée technique en quelques années.

BREGUET 393

Sur le parcours Toulouse-Casablanca, aux Latécoère 25 et 28 ont été progressivement substitués à la fin de 1934 des trimoteurs Breguet 393 T, avions démodés avant même d'être nés. La jeune compagnie Air France fondait pourtant de réels espoirs

sur les six exemplaires qu'elle avait commandés et dont elle prenait livraison en juillet 1934. M. Allègre, son administrateur général, s'embarquait aussitôt sur l'un d'eux pour un voyage de propagande à Lisbonne.

Mis à part un gain de vitesse de cinquante kilomètres à l'heure sur les Laté monomoteurs, le Breguet 393 n'apportait malheureusement pas grand-chose. André Dubourdieu qui en avait fait presque tous les essais nous confiait en 1976 à son sujet : « Ça pouvait prendre dix passagers, mais ça n'avait pas beaucoup de qualités, l'avion atterrissait presque aussi vite qu'il volait… »

De fait, ce biplan hybride, descendant du Breguet 19, ayant emprunté à la berline 280 des éléments disparates, était construit à l'inverse de tout ce qui volait en Europe. Un fuselage cabine complètement entoilé compensait tant bien que mal le poids énorme d'une voiture et d'un empennage

---

FARMAN 220

envergure : 36 m
longueur : 21 m
hauteur : 5, 19 m
surface portante : 186 m²
poids à vide : 8 775 kg
masse totale en charge : 12 000 kg
vitesse de croisière : 220 km/h
distance franchissable : 4 500 km
moteurs : 4 Hispano Suiza
12 Lbr, 600 ch,
12 cylindres en V,
refroidis par eau,
montés 2X2 en tandem.
construction : structure métallique. Voilure et empennage partiellement entoilés.

---

entièrement métalliques. Le train fixe et une cellule biplane à quatre mâts de front n'avantageaient pas non plus la traînée. Dubourdieu avait réussi le 3 juillet 1935 à sauver l'équipage et les passagers du n° 1 F-ANEH en le posant en catastrophe dans un champ vers Castelnaudary avec ses trois moteurs en panne. Ce fut le seul accident du Breguet 393 T, sans gravité, sauf pour l'avion qui ne vola plus. Les autres appareils – n°s 2 à 6 immatriculés F-ANEI à M – assurèrent un service régulier jusqu'en 1937, honnêtement mais sans brio, et finirent leur carrière avec une moyenne de deux mille heures de vol.

Deux avions à l'autonomie accrue, classés long-courriers, furent affectés outre-Atlantique sur le parcours Buenos Aires-Rio et baptisés *Alcyon* et *Gaivota*.

DEWOITINE 333
Antarès

La capacité de transport de deux trimoteurs Wibault mis en service en 1935 sur le parcours Casablanca-Dakar s'avérant insuffisante, Air France décida de l'augmenter et passa commande à la Société aéronautique française de Toulouse de trois trimo-

F-ANLG

teurs Dewoitine directement dérivés de l'*Émeraude* au si fourni et si glorieux palmarès. Avions élégants et rapides, les Dewoitine 333 allaient assurer, en même temps que la liaison Casablanca-Dakar par grandes étapes, un nouveau service direct de passagers entre Toulouse et Casablanca : « la Flèche d'Argent ».

Le prototype F-ANQA nommé *Antarès* fit son premier vol le 17 janvier 1935. Livré à Air France le 4 mai, ses vols d'épreuve de trois cents heures débutèrent le 26 du même mois conduits par Jean Mermoz sur le trajet Toulouse-Dakar. L'avion ne fut autorisé à prendre des passagers qu'en juillet 1936 et assura un service continu jusqu'au 25 octobre 1937. Ce jour-là, l'inexplicable se produisit. Remontant cinq cent quinze kilos de poste vers la France, il disparut en mer au large des côtes marocaines, pris dans un violent orage. Périrent dans cet accident l'équipage, Bourguignon, Goret, Trastour et trois passagers de service, Salvat, Foussard et le chef pilote Laurent Guerrero dont, moins d'un mois après, le nom légendaire fut écrit par Codos à l'avant du splendide Farman 2231 au moment de son décollage pour un vol historique du Bourget à Santiago du Chili.

Les deux Dewoitine 333 « de série » numérotés 1 et 2 furent baptisés *Cassiopée* et *Altaïr*, et portèrent les marques F-ANQB et F-ANQC. Tous deux volèrent sur Toulouse-Dakar à tour de rôle avec l'*Antarès*. Après la perte de celui-ci, le n° 1 *Cassiopée* rejoignit l'Amérique du Sud d'un seul coup d'aile de Dakar à Natal, le 13 décembre 1937, et fut basé à Rio. L'*Altaïr* fit de même en mars 1938 et fut basé à Buenos Aires. Les deux frères finirent leur vie ensemble, vendus à la Force aérienne argentine.

Le projet d'un trimoteur commercial de transport dérivé de l'*Émeraude* datait de 1934. Émile Dewoitine le concrétisa avec son *Antarès*, créant une structure métallique très renforcée : la voilure plus rigide, la surface de dérive augmentée et des volets plus efficaces. La cabine « coloniale » était bien isolée, bien ventilée et correctement insonorisée. Les huit passagers s'y sentaient à l'aise. De l'*Antarès*, bien campé sur son large train à pantalons, se dégageait une impression de puissance, de sérieux et d'élé-

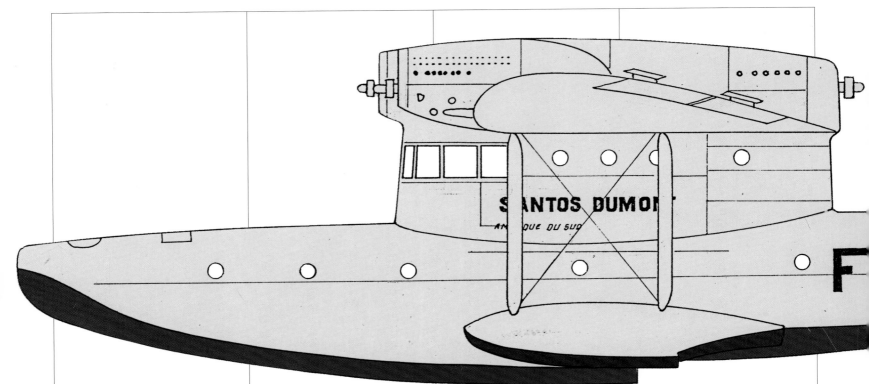

gance sévère dans une livrée uniformément gris aluminium où seul l'hippocampe d'Air France peint en noir dans un disque orange plaqué sur l'avant mettait une touche de couleur. Comme une fleur à la boutonnière.

COUZINET 70
Arc-en-Ciel

Avion célèbre s'il en est, l'*Arc-en-Ciel* de Mermoz – les deux noms sont inséparables – reste aussi l'un des plus mal connus, peut-être parce que, seul de son espèce et sans postérité, il parvint d'un seul coup d'aile aux sommets de la gloire et retomba dans le plus injuste abandon.

En 1932, les difficultés financières de l'Aéropostale gérée par un directoire étaient surveillées de très près par la concurrence étrangère de plus en plus présente. Le temps pressait et le salut de la Ligne était lié à la mise en œuvre d'un avion à l'autonomie suffisante pour reprendre très vite le service cent pour cent aérien France-Amérique du Sud amorcé en 1930 avec le transatlantique réussi du *Comte-de-La Vaulx*, mais resté sans suite.

Jean Mermoz, chef pilote de la compagnie, cherchait en vain ce fameux avion à découvrir quand, en 1932, on le présenta à René Couzinet. Il connaissait de réputation les travaux de cet ingénieur et les qualités de son *Arc-en-Ciel* (*Arc* pour « Avion René Couzinet »), dont les pre-

miers vols remarqués avaient été menés à Étampes depuis plus d'un an. Couzinet, d'ailleurs, avait déjà noué quelques relations avec l'Aéropostale pour lui proposer son avion 70 en lui garantissant une autonomie, prodigieuse pour l'époque, de onze mille kilomètres, en régime modéré. Ce qui n'était pas tout à fait exact.

Mermoz fut enthousiasmé à la vue de l'oiseau. Tout était nouveau dans cette machine, différemment pensée, intelligemment calculée. Au premier regard, on en percevait le fini et la robustesse : une aile basse de trente mètres d'envergure dessinée comme celle d'un chasseur, un profil galbé aux formes harmonieuses dont la courbure du ventre suivait parallèlement la cambrure du dos, celle-ci finissant en lame de couteau vers l'arrière pour former cette « dérive induite », signature de René Couzinet, la puissance généreuse de trois moteurs 650 ch Hispano carénés à la perfection, un fuselage parfaitement lisse d'un blanc laiteux ceinturé par un ruban aux sept couleurs de l'arc-en-ciel. Mermoz était conquis.

Le raid France-Amérique fut aussitôt décidé. Dubourdieu fit quelques vols de réglages, mais les obstacles surgirent, principalement au service technique de l'Aéronautique, mettant le Couzinet 70 à l'index pour avoir été construit sans marché d'État : interdiction de traverser la mer…

désastre inévitable… Avions sur terre, hydravions sur l'eau… le sempiternel leitmotiv. Enfin, le 5 janvier 1933, M. Chaumié, directeur de l'Aéronautique, prit sur lui de signer l'autorisation de vol. Le 7 janvier, l'avion était à Istres ; le 12 à 10 h 01, Mermoz l'enlevait facilement avec ses mille quatre cent soixante kilos. Ils étaient sept à bord : Mermoz, Carretier et Mailloux pilotes, Manuel radio, Jousse et Mariault mécaniciens et René Couzinet passager. L'*Arc-en-Ciel* mettait le cap au sud, destination Buenos Aires.

Le vol de retour eut lieu le 15 mai, depuis Natal où l'avion était arrêté depuis le 11 février par le mauvais temps et un carburant défectueux qu'il fallait remplacer. Paul Bringuier, journaliste, était du voyage avec Couzinet. A sept cents kilomètres de Dakar, le moteur gauche fut stoppé à cause d'une fuite d'eau à son radiateur. La situation devenait critique avec la chaleur tropicale et c'est grâce au radioguidage précis effectué de Dakar par Macaigne que l'avion a peut-être évité le pire.

Grâce au Couzinet 70, avion tout en bois construit dans un petit atelier de banlieue à un seul exemplaire, la Ligne aux couleurs françaises pouvait continuer. Premier au monde à avoir couvert vingt-cinq mille kilomètres à deux cent vingt km/h de moyenne dont sept mille de parcours maritime sur lesquels sept cents à pleine

charge avec un moteur coupé, il apportait à ses détracteurs la preuve éclatante de l'aptitude d'un multimoteur digne de ce nom à voler sur une ligne transocéanique. Mais les services officiels n'étaient pas encore tous prêts à en convenir.

Très peu de temps après son triomphal retour, l'*Arc-en-Ciel* était entré en révision complète à Villacoublay pour subir une longue série de transformations, imposées, afin de corriger une instabilité latérale rendant le pilotage fatigant, que seule la musculature de Mermoz pouvait compenser. Le phénomène était dû au manque de surface verticale de dérive. De visite en visite, l'avion fut allongé de quatre mètres, on remplaça ses hélices, on modifia successivement les capots, les fenêtres, les raccords d'ailes Karman, on ajouta au plan fixe deux « oreilles de cochon », terme imagé d'ateliers désignant les petites dérives d'appoint de chaque bord. Mermoz rongeait son frein. Pendant ce temps, la Ligne continuait tant bien que mal avec les avisos tandis que l'hydravion Latécoère 300 *Croix-du-Sud* réussissait son premier vol d'exploration sur l'Atlantique sud, piloté par le commandant Bonnot.

Le chantier ne prit fin que le 17 mai 1934, soit près d'un an après son ouverture. Un certificat de navigabilité fut délivré ce jour-là au « Couzinet 71 », son

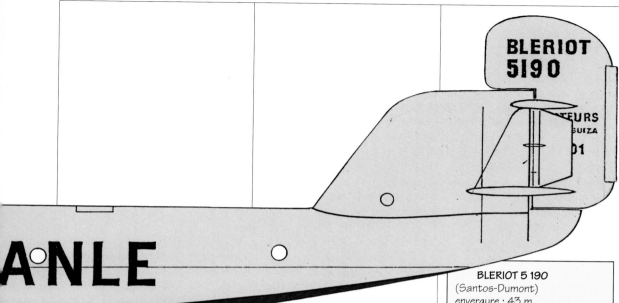

BLERIOT 5190
(Santos-Dumont)
envergure : 43 m
longueur : 26 m
hauteur : 6,90 m
surface portante : 236 m²
poids à vide : 12 750 kg
charge utile : 600 kg
vitesse de croisière : 190 km/h
distance franchissable : 5 100 km
moteurs : 4 Hispano Suiza 12 Nbr,
650 ch, 12 cylindres en V,
refroidis par eau.
construction : structure
métallique et voilure entoilée.

nouveau type, en lui laissant sa première immatriculation F-AMBV. Dès le lendemain matin, Mermoz avait reconstitué son équipe de la grande époque avec Dabry, Gimié, Collenot, et l'*Arc-en-Ciel* s'était envolé pour Istres où, loin des tracasseries, l'on pourrait préparer très vite sa reprise de service sur l'Atlantique sud. En huit jours ce fut fait. Mais il ne vola pas longtemps.

Encore une fois, le concept « de l'hydravion sur la mer » avait prévalu. Le ministre profita des retards subis par le Couzinet pour mettre en avant la *Croix-du-Sud* qui avait effectué six voyages sur l'Atlantique dans l'intervalle des deux réalisés par l'*Arc-en-Ciel*, alors que seule était en cause l'infrastructure défaillante du terrain de Natal.

À nouveau immobilisé, l'*Arc-en-Ciel*, marqué aux couleurs d'Air France, devait subir encore une fois des transformations mineures. Pour la forme, car il ne vola plus jamais. Le 28 mai 1937, cinq mois après la mort de Jean Mermoz, qui avait tant remué l'opinion, le grand « oiseau blanc » était mis en vente par les Domaines sans le moindre état d'âme au milieu d'un bric-à-brac de machines à écrire et de vieux tapis. Des forains voulaient l'acheter pour l'exhiber sur les places. René Couzinet, ulcéré, parvint en poussant les enchères à le reprendre pour douze mille francs. Remisé dans son hangar de Le-

vallois, il fut détruit complétement en 1940 par les troupes allemandes d'invasion.

Au plan industriel, pourquoi ces années glorieuses finirent-elles en désastre pour René Couzinet ? Alexandre, son frère, par devoir de justice, l'a révélé avant de s'éteindre. Au retour des deux traversées triomphales, une commande officielle de l'État, assortie des félicitations du ministre, avait été notifiée au constructeur pour la livraison dans des délais très courts de trois *Arc-en-Ciel* Couzinet 73, semblables au prototype 70, mais avec train rentrant ; trois avions postaux transatlantiques destinés à Air France qui, elle aussi, par lettre signa la confirmation de cet engagement à la fin de 1934.

L'usine les avait mis en chantier quand, le 25 février 1935, le ministère annula sa commande de manière stupéfiante, sans explications, sèchement rayée d'un trait de plume. L'affaire fut retentissante. Couzinet assigna le ministre en justice, la presse s'en mêla, un procès fut engagé. Mais rien n'y fit. Le combat du pot de terre se termina comme dans la fable. Couzinet ne s'en releva jamais.

BLERIOT 5190
Santos-Dumont

Cinq semaines après le dernier vol de l'*Arc-en-Ciel*, avion à tout jamais volontairement écarté, le ministère de l'Air se tournait

vers le nouvel hydravion *Santos-Dumont* et lui ouvrait la voie royale du programme transatlantique national. Ses qualités de vol avaient été remarquées dès les premiers essais, notamment quand il décolla de l'étang de Berre au poids de seize tonnes en dix-sept secondes avec un moteur arrêté.

Après deux voyages probatoires aux mains de Bossoutrot en novembre et décembre 1934, cet hydravion quadrimoteur, unique appareil transatlantique alors disponible, se voyait confier, début 1935, l'ouverture du service postal régulier cent pour cent aérien France-Amérique du Sud et devenait l'objet d'une exceptionnelle campagne de publicité de la part d'Air France.

Du 4 février au 16 avril 1935, à raison d'une traversée de trois mille trois cents kilomètres par semaine, le même équipage de cinq hommes aux ordres du pilote Givon navigua constamment entre les deux tropiques, franchit dix fois l'équateur et son Pot-au-Noir, ne profita que de quelques jours d'escales torrides à chaque bout de la Ligne pour sacrifier aux révisions de routine. Givon, Pon-

ce, Comet, Néri, Richard et le *Santos-Dumont* réussirent admirablement cette gageure. Relevé par le Farman *Centaure* et le Laté *Croix-du-Sud*, le Blériot, piloté par Mermoz, ne reprit ses vols qu'en juillet 1935. Vols réguliers au cours desquels un reportage filmé fut tourné.

Après la disparition de Mermoz, Guerrero reprit le *Santos-Dumont* pour ses dernières traversées. La trente-huitième et dernière eut lieu le 23 juin 1937 : le Blériot 5190, honnête et sérieuse machine, avait rempli son contrat dans la discrétion, sans jamais égarer même une seule lettre de son précieux chargement. Il fut livré aux ferrailleurs et dépecé en 1938.

Le Blériot 5190 n° 1 *Santos-Dumont*, dessiné par l'ingénieur italien Zappata, immatriculé F-ANLE, fut seul de son espèce. Construit en 1933 aux normes imposées par l'État pour le concours des hydravions postaux de la ligne Dakar-Natal, bien que peu classique dans sa conception, il fut agréé d'emblée. Hydravion monoplan à coque à deux redans de structure générale métallique, sa principale originalité résidait dans une sorte de cheminée centrale incorporant, comme dans une timonerie de navire largement vitrée, les postes de pilotage, de navigation, de contrôle et de transmissions.

Il était animé par quatre moteurs Hispano Suiza de 650 ch – les mêmes que ceux de l'*Arc-en-Ciel* et de la *Croix-du-Sud* – disposés d'une façon très peu courante : au sommet de la « cheminée », un bloc tandem tracto-propulseur encadré de deux moteurs tractifs un peu en retrait sur le bord d'attaque de l'aile épaisse. Il emportait onze mille six cent quatre-vingts litres de carburant répartis dans seize réservoirs. Son poste d'équipage était confortable puisqu'une version avait été mise à l'étude pour soixante passagers. Le *Santos-Dumont* était de deux couleurs : aluminium sur les superstructures, la voilure et les empennages, brun antirouille « cargo » sur les œuvres vives.

Si René Couzinet avait été ruiné par le non-respect d'une commande d'État de plusieurs *Arc-en-Ciel*, la Société Blériot Aéronautique, à peu près en même temps, subit un sort comparable avec le *Santos-Dumont*. Une commande ferme du ministère de l'Air lui avait été passée pour trois hydravions 5190 semblables au prototype, à la suite des vols remarquables effectués par Givon en 1935. Blériot avait dû faire de lourds emprunts pour lancer la série quand le contrat fut résilié par l'État avec la même désinvolture que pour Couzinet, sans explications ni indemnités. Pour la Société Blériot, en proie à de gros problèmes financiers, s'ajoutait un trou de cinq millions de francs. C'était le coup de grâce. Louis Blériot, le vainqueur de la Manche, qui venait d'être fait commandeur de la Légion d'honneur, devait fermer ses ateliers. Le 1er août 1936, miné par les soucis, il était emporté par une crise cardiaque.

LATECOERE 300
Croix-du-Sud

En même temps que Blériot créait le *Santos-Dumont*, Marcel Moine chez Latécoère, avec dix-neuf ingénieurs et trente-deux dessinateurs, élaborait le chantier de son premier géant : le 300 *Croix-du-Sud*, un hydravion de vingt-quatre tonnes et quarante-cinq mètres d'envergure qui allait lui prendre tout un bâtiment d'usine et tout son temps. Jamais à Toulouse on n'avait encore vu si grand. Les problèmes n'allaient pas manquer.

Le 17 décembre 1931, à la première minute de son premier vol d'essai, le prototype 01 F-AKCU, mal centré, échappait au contrôle de Gonord. Les commandes trop souples ne répondaient pas, la machine se cabra, retomba de cinquante mètres dans l'étang de Biscarrosse et se cassa en deux. Le pilote et le mécanicien en sortirent indemnes. Immense déception : tout était à refaire. Reconstruit, passablement modifié, le Laté 300 n° 1 reprenait les vols d'essai en septembre 1932 sous le contrôle de la Marine nationale. Jugé acceptable sans être parfait, il recevait, le 9 août 1933, un certificat de navigabilité et les marques F-AKGF indiquant son appartenance à l'État. Il lui restait à faire ses preuves en vraie grandeur sur l'océan pendant cinq cents heures.

Commandée par le capitaine de corvette Bonnot, la *Croix-du-Sud* déjaugea de Berre le 31 décembre 1933 pour une longue croisière qui débuta bien. Ayant rejoint Saint-Louis du Sénégal en moins de vingt-quatre heures, le record mondial de distance pour hydravion de marine lui fut attribué. La traversée de l'Atlantique suivit le 3 janvier 1934, prolongée par un vol de prestige vers Rio de Janeiro le 9, où la *Croix-du-Sud* reçut un formidable accueil. Le vol de retour partit de Natal le 31 janvier. D'escale en escale,

l'hydravion boucla le circuit le 8 février sur le plan d'eau de Berre, ayant parcouru dix-neuf mille sept cent soixante-sept kilomètres en deux cent trente-sept heures, sans incident sérieux. Une réception officielle l'attendait aux Mureaux le 4 mars 1934. Image inoubliable d'un Paris chaleureux venu fêter le grand hydravion qui, sous ses yeux, descendait majestueusement pour effleurer le miroir de la Seine avant de s'immobiliser devant les tribunes.

Printemps 1934, finis les honneurs : la *Croix-du-Sud* se mettait au travail. Aux ordres du commandant Bonnot, il gagnait Dakar pour assurer deux courriers France-Amérique en juillet et septembre, alternés avec les deuxième et troisième courriers de l'*Arc-en-Ciel*, pilotés par Mermoz. Une concurrence évidente avec de gros enjeux à la clé s'établissait entre les deux machines inséparables de l'aventure de Jean Mermoz qui ne cachait pas, dans ses prises de position publiques, sa méfiance instinctive pour le grand hydravion.

Au terme des cinq cents heures probatoires, la *Croix-du-Sud*, accusant des signes de fatigue dus au climat équatorial, était de retour à Biscarrosse en octobre pour entrer en chantier de grande révision et subir des

transformations : empennage vertical agrandi, aile amenée à un dièdre de 4° et pose d'hélices à pas variable en vol sur les Hispano. En juillet 1935, officiellement confié à Air France, l'hydravion revenait à Dakar et entrait de nouveau dans la ronde des vols postaux vers Natal aux mains de son nouveau commandant, Fernand Rouchon, pilote de ligne. Il effectua quatorze traversées du 1er juillet 1935 au 27 janvier 1936 puis, en mars, entra aux ateliers d'Air France de Dakar pour une nouvelle révision générale qui dura jusqu'au 12 octobre.

Entre-temps étaient apparus trois hydravions Latécoère 301, filiation directe du prototype 300 *Croix-du-Sud*, commandés par Air France pour le service Dakar-Natal : le n° 1 F-AOIK *Orion* puis *Ville-de-Buenos-Aires*, entré en service le 6 décembre 1935 ; le n° 2 F-AOIL *Eridan* puis *Ville-de-Rio*, entré en service le 18 janvier 1936 ; le n° 3 F-AOIM *Nadir* puis *Ville-de-Santiago*, entré en service le 22 janvier 1936.

Ces trois machines avaient les formes et les dimensions de la *Croix-du-Sud*, mais avec un balcon vitré en plus à l'avant et surtout des moteurs différents spécialement étudiés pour l'Atlantique sud, les Hispano 12 NER de 650 ch à réducteurs, aux systèmes de graissage et d'embiel-

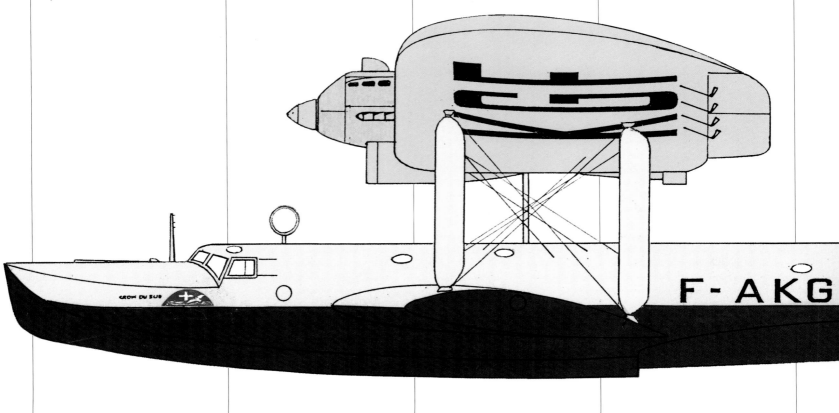

lage compliqués, qui furent incriminés dans la recherche des causes possibles des accidents du *Ville-de-Buenos-Aires* et de la *Croix-du-Sud* qui venait d'en être équipée à son tour.

À propos de ces deux tragédies, on doit se souvenir que Mermoz, aussi bien que son fidèle mécanicien Collenot, s'y attendaient. Celui-ci lui avait dit un jour : « Monsieur Mermoz nous y passerons tous. » Et à Jean Dabry, il avait confié, le 10 février 1936, au moment de l'envol du *Ville-de-Buenos-Aires* pour sa quatrième et fatale traversée, qu'« il n'avait pas confiance dans la machine ». Mermoz, quant à lui, avait convoyé deux mois plus tôt, avec Collenot, mécanicien, et Maryse Bastié, passagère, le même hydravion flambant neuf vers Dakar. Le vol avait fini sur trois moteurs après la rupture du réducteur d'un groupe avant, l'emballement et la mise en drapeau de l'hélice.

Que se passa-t-il à 16 heures le 10 février 1936 ? Le *Ville-de-Buenos-Aires* avait donné sa position près du rocher Saint-Paul, volant à cent cinquante mètres par un temps bouché. Le silence pour toujours suivi ce message de routine. Malgré les importants moyens de recherches mis en œuvre, on ne retrouva absolument rien. Le drame dut être foudroyant : il tua Collenot dix mois avant son patron Mermoz. Dix mois pendant lesquels l'inspecteur général d'Air France ne cessa d'alerter sa direction sur les graves défauts des nouveaux Laté 301 auxquels il fallait remédier avant de continuer à les faire voler. Il ne fut pas écouté. Pourtant, tous les accidents et incidents de moteurs et d'hélices ayant touché ces grands hydravions s'étaient produits avec la seconde génération de moteurs, les 12 NER. C'était tout de même inquiétant.

Le 7 décembre à 4 heures du matin, la *Croix-du-Sud* s'envola du plan d'eau de Bel-Air. Elle y revenait à 6 heures avec l'hélice du groupe arrière droit qui ne passait pas au grand pas. Mermoz demanda un autre avion ; il n'y en avait pas. Le temps pressait, on fit changer le réducteur

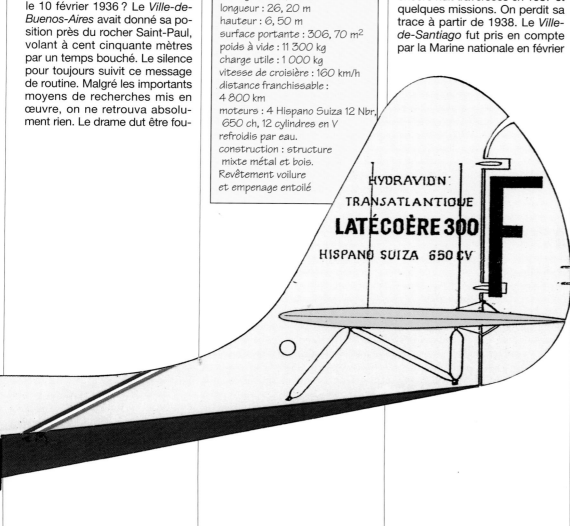

LATÉ 300 (Croix-du-Sud)
envergure : 44, 20 m
longueur : 26, 20 m
hauteur : 6, 50 m
surface portante : 306, 70 m²
poids à vide : 11 300 kg
charge utile : 1 000 kg
vitesse de croisière : 160 km/h
distance franchissable :
4 800 km
moteurs : 4 Hispano Suiza 12 Nbr,
650 ch, 12 cylindres en V
refroidis par eau.
construction : structure
mixte métal et bois.
Revêtement voilure
et empenage entoilé

HYDRAVION TRANSATLANTIQUE
LATÉCOÈRE 300
HISPANO SUIZA 650 CV
F

qui perdait de l'huile sur le circuit électrique du variateur de pas d'hélice. A 6 h 53, la *Croix-du-Sud* reprenait l'air, cap sur Natal. Moins de quatre heures après, Dakar recevait le trop fameux message : « Coupons moteur arrière droit… » Six navires et trois avions quadrillèrent l'océan du 7 au 14 décembre sans rien trouver. Air France déclara la perte corps et bien de la *Croix-du-Sud* le 9 décembre.

Enfin, une commission d'enquête venue de France à Dakar et comptant dans ses membres un représentant d'Hispano Suiza décida très rapidement l'interdiction de vol des moteurs 12 NER et demanda de rééquiper les deux Laté 301 restant – le *Ville-de-Rio* et le *Ville-de-Santiago* – des anciens moteurs classiques NBR. Cela prit six mois.

Les vols des deux survivants se firent de plus en plus espacés, les Farman type *Centaure* ayant pris la relève. Le *Ville-de-Rio* fit encore huit traversées en 1937 et quelques missions. On perdit sa trace à partir de 1938. Le *Ville-de-Santiago* fut pris en compte par la Marine nationale en février

1938. Baptisé *de Llorza*, il fut affecté à l'escadrille E.4. où il rejoignit trois hydravions de grande exploration Laté 302 construits pour la Marine en même temps que les 301 et sur les mêmes plans : le *de Cuverville*, le *Mouneyres* et le *Guilbaud*.

FARMAN 220
Centaure

Pendant tout le premier semestre de 1935, la régularité des vols France-Amérique du Sud reposa sur les ailes du seul *Santos-Dumont*. Un incident mineur lui serait-il survenu et tout le programme s'effondrait tant était précaire la situation du matériel volant disponible. Le seul autre appareil existant la *Croix-du-Sud* en cours de grandes transformations à Biscarrosse, dont l'immobilisation se prolongeait de mois en mois, pendant que la Lufthansa, directement concurrente, développait d'importants moyens avec le Zeppelin et les Dornier catapultables en particulier.

Cet état d'urgence décida le ministre de l'Air à prêter à Air France le prototype d'un bombardier de nuit gros porteur qui achevait ses essais à Villacoublay : le Farman 220.

Après transformation des soutes à bombes en réservoirs d'essence et « civilisation » de son aspect général, ce grand quadrimoteur baptisé *Centaure*, arborant les marques d'Air France et l'indicatif F-ANLG, fit quelques vols d'essai d'endurance entre la France et le Sénégal avant d'être mis en ligne sur l'Atlantique sud.

Confié à Guillaumet pour sa première traversée Dakar-Natal le 3 juin 1935, il réussissait facilement un vol de quatorze heures et cinquante-deux minutes, suivi d'un vol de retour le 11 puis d'un nouveau voyage aller et retour les 17 et 24 sans le moindre incident. Avec treize mille deux cents kilomètres de parcours exclusivement maritime en trois semaines, il démontrait d'emblée ses réelles qualités, lui, l'avion à « roulettes » encore si controversé en haut lieu et pour lequel Mermoz prenait si fermement position.

Le *Centaure*, qui avait gardé de ses origines de bombardier lourd un nez « à la Vauban » et de rustiques aménagements fit toute sa carrière en long-courrier postal. Elle ne dura que treize mois mais fut intensément remplie : vingt-

La Ligne a mobilisé de grands classiques, mais aussi des engins moins connus. Comme (de gauche à droite et de haut en bas) : le Breguet 14, dit "le chameau", (à cause de sa bosse), aménagé pour l'entraînement sans visibilité ; le Laté 3 "limousine", prévu pour le transport des passagers; le monstrueux Laté 5 qui effectua quelques essais sans suite; le Laté 8 "à pipes" pas autrement élégant; le Laté XIV, exceptionnellement photographié en vol; le Laté 15 "hydro", très vite oublié; le Breguet 393 T, démodé avant d'être né; le très robuste Wibault 283 T; enfin, le rapide Dewoitine D 333, utilisé entre Casablanca et Dakar.

fut intensément remplie : vingt-quatre traversées sont à son actif dont seize dans les six premiers mois de 1936 avec le record de vitesse Dakar-Natal en treize heures et trente-sept minutes. Il ne fit qu'une seule fois demi-tour ! Il revint à Toulouse pour un examen de santé le 10 août 1936 avec sept cent trente-six heures de vol. On jugea qu'il en avait assez fait et on le réforma pour toujours.

Mais ses états de service avaient enfin ouvert les yeux des fonctionnaires qui reconnurent « d'utilité publique » ce type d'appareil et amenèrent Air France à commander cinq avions long-courriers postaux directement dérivés de lui : le *Ville-de-Montevideo* F-AOXE (1935) ; le *Ville-de-Mendoza* F-AOXF (1936) ; le *Ville-de-Natal* F-AQCX (1937) ; le *Ville-de-Saint-Louis* F-AQCY (1937) et le *Ville-de-Dakar* F-APKY (1937). Ces machines assurèrent le service transatlantique sud alternativement avec les hydravions Blériot 5190 et Latécoère 300-301 jusqu'en septembre 1937, puis exclusivement à quatre jusqu'en juin 1940.

Le Farman 220 avait été conçu pour un usage militaire sur des plans de 1930, solide et réparable, facile d'entretien. Tout l'avion était une structure de profilés et de tôles de Duralumin formant des ensembles et des caissons facilement transportables par fer, puisqu'au gabarit des wagons.

L'intérieur était à l'état brut, toutes pièces apparentes. Le poste de pilotage au sommet de l'avion dominait celui du navigateur et du radio situés dans le nez à la place initiale d'un mitrailleur. Extérieurement enduit de peinture aluminium avec ses grandes immatriculations noires, il surprenait par le volume de ses formes cubiques taillées à coups de serpe, mais il impressionnait par son envergure et la puissance qui se dégageait de sa masse.

Dessinateur et historien de l'aviation, **Joseph de Joux** collabore à de nombreuses publications et au *Fana de l'aviation* en particulier. Il a travaillé pour l'aviation civile et vécu quinze ans en Mauritanie, là même où Saint-Exupéry a tiré une partie de son inspiration. Il a réalisé plus d'une dizaine de timbres et d'aérogrammes.

LES HÉROS DE LA LIGNE

Pendant plus de quinze ans, la Ligne a fédéré les énergies au-delà de l'imaginable et motivé toute une génération de pilotes, de mécaniciens ou de radios. Découragés par l'effort, certains ont renoncé. Enthousiasmés par l'aventure, beaucoup ont, dans le même temps, servi la cause avec ferveur. Au total, plus d'une centaine (en gras dans la liste) ont payé de leur vie leur engagement.[1]

	Dates d'engagement	Dates de départ [2]
Adami Raoul	07-1928	
Algrall	1923	1923 ?
Ancel Jean	06-1927	03-1928
Andrade Arthur	?	12-08-1932
Andrault Pierre	05-1929	
Antoine Léon	03-1926	
Arcaute Jean	02-1922	
Arin Emmanuel	10-1929	
Arnaud	1924	
Artigau Pierre	03-1929	
Aubert Albert	?	02-08-1936
Aubry Léopold	?	25-01-1930
Baïle Alexandre	11-1925	
Barbier Pierre	08-1927	27-02-1932
Barrière Émile [3]	?	10-02-1936
Bart Guy	11-1922	03-1923
Basset	1924	1924
Battistini Pierre	?	12-08-1932
Beauregard Claude	1925	09-1930
Bédrignans Adrian	09-1923	
Bénas Léo	?	05-10-1920
Berdin Gustave	?	31-12-1927
Berjaud Raoul	?	25-04-1925
Bideau Émile	08-1925	04-1927
Bizien Corentin	08-1928	
Bodin Maurice	1924 ?	07-1924
Bonnetête Louis	1919	09-1924
Bosano	1923	1925 ?
Bossard	?	24-02-1931
Bourgat Henri	1924	
Bourgeois Ange	1923	1923
Bourguignon Albert	?	09-12-1931
Bruyère Alphonse	1929 ?	25-01-1930
Bury Alexandre	02-1925	01-08-1927
Caillebotte Laurent	?	21-01-1936
Camoin Julien	05-1923	02-1928
Canal	?	22-05-1929
Canivet André	1923	1924 ?
Capillon Roger	07-1930	10-1930

Catin Bernard	05-1923	03-1932
Cessieux Henri	09-1928	
Chabbert Gustave	11-1928	
Chailan Fortuné	?	01-1932
Champsaur Jean	10-1929	09-12-1931
Chansel Jean	02-1930	
Charpentier Maurice	1926	12-1927
Chêne Georges	01-1924	12-1925
Chenu Gaston	03-1927	
Clavel Pierre	1921	1924
Clavère Fernand	?	04-11-1935
Clerc Raymond	12-1922	1923
Collenot Alexandre	?	10-02-1936
Collet Robert	05-1922	07-1932
Colombani Jean	?	12-08-1932
Cornez René	01-1926	03-1929
Corsin Charles	06-1921	07-1923
Costa André	01-1929	09-1929
Couret Jean	08-1930	
Cruveilher Edgar	?	07-12-1936
Cueille Robert	1921	1925
Dantin Jean	?	12-08-1932
Darnaud Émile	10-1925	07-1926
Daumas G.	1925	1926
Daurat Didier	1919	06-1932
Debrien (ou Debain)	1924	1925
Decaen Jean	?	12-08-1932
Decombes Marcel	1928	1930
Depecker André	?	04-11-1935
Dedieu Pierre	08-1930	
Defives Raymond	11-1928	03-1929
Defretière Lionel	01-1930	08-1930
Deglise Roger	08-1924	01-1925
Delage Georges	10-1930	04-1931
Delaunay Henri	03-1927	05-1931
Deley Pierre	05-1923	
Deloche Louis	10-1928	03-1929

Delpech Calixte	1926 ?	
Delrieu Louis	1919	
Denis Jean	03-1921	02-1926
Depecker André	01-1926	
Dhé Paul	07-1931	
Doerflinger Joseph	1923	03-1928
Drouillet René	12-1929	08-1930
Drouin Georges	1923	1925
Dubourdieu André	08-1924	
Dubourg Jacques	07-1930	12-1931
Ducaud Pierre	?	31-01-1929
Dumont André	?	12-08-1932
Dumesnil Maurice	05-1927	05-1929
Dupont Ernest	?	22-05-1929
Dupuy Roger	06-1929	07-1931
Durand Joseph	05-1930	
Emler Jacques	08-1927	09-05-1933
Enderlin Achille	1922	31-12-1927
Engelhard Gaspard	1927	12-1928
Érable Henri		11-11-1926
Espitalier Jean	05-1929	
Étienne Victor	06-1925	05-08-1934
Ezan Henri	?	07-12-1936
Favreau Louis	10-1930	03-1931
Félix Paul	08-1925	
Fernet André	11-1927	
Féru Roger	1927	
Francès Georges	?	15-01-1928
Fustier	1922	1923
Gambade Lucien	02-1928	07-1931
Garrabos Jean	1928	14-06-1929
Garrigue Maxime	?	15-02-1921
Gary François	?	12-08-1932
Gauthé Louis	?	11-11-1935
Gay Victor	1922	17-01-1923
Gaye François	?	14-08-1921
Génin Gaston	?	02-08-1936
Gennes Jean de	1928 ?	17-09-1929
Gensollen Alphonse	?	03-12-1922
Genthon Charles	?	05-10-1920
Girard Fernand	?	15-11-1928
Giraud Louis	08-1925	02-1928
Givon Léon	1930	
Givon Louis	09-1923	12-1925
Goalan	1326	1927
Goret Marcel	12-1928	27-10-1937

Pilotes célèbres ou mécaniciens anonymes, tous les acteurs de la Ligne étaient soudés par la même passion. On reconnaît sur cette photo : Prévost (9e debout en partant de la gauche) et Caballé (2e assis en partant de la gauche).

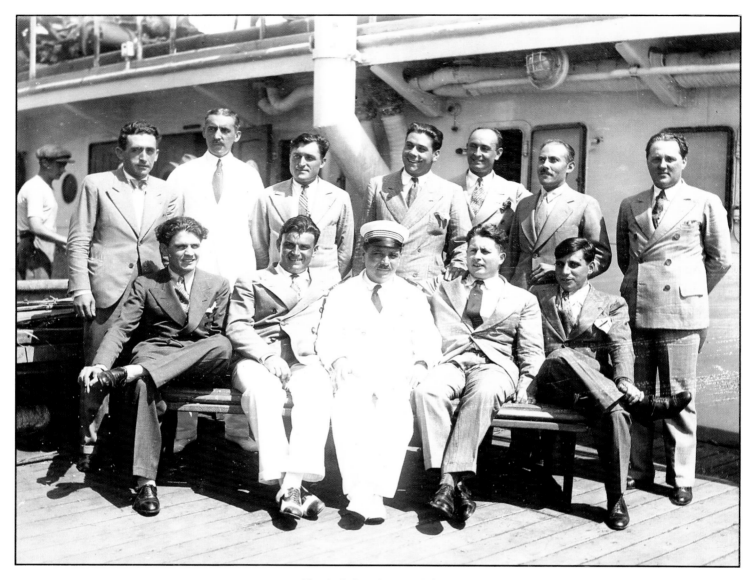

Une belle brochette de héros
pendant un court moment de répit
sur le pont ensoleillé du paquebot *Lipari*
de retour d'Amérique du Sud.
Assis de gauche à droite :
Barrière, Pourchasse,
le commandant Pauvert, Reine, Soulas.
Debout, de gauche à droite :
Moré, d'Oliveira, Ville,
Guillaumet, Dupont, Vanier,
un adjoint d'Oliveira.

Gorsse Ulysse	03-1922	02-1928
Gourbeyre Georges	?	27-02-1932
Gourp Léopold	10-1923	05-12-1926
Grilhon Eugène	?	12-08-1932
Gros Louis	1922	
Guay René	1923	1928
Guerrero Laurent	02-1928	27-10-1937
Guilmet Eugène	1923 ?	1930 ?
Guillaumet Henri [4]	02-1926	
Guy Gaston	02-1928	02-1929
Guyollot Georges	1926 ?	01-08-1927
Guyomar Alfred	?	09-05-1933
Hamm Victor	1922	27-02-1932
Hodapp Denis	1925	20-07-1925
Jaladieu Pierre	1924 ?	27-01-1928
Janet Pierre	10-1925	
Joffre Edouard	12-1929	
Juge Robert	?	21-01-1936
Joliot Edmond	01-1928	10-1930
Joly Émile	1923 ?	1928 ?
Julien Pierre	04-1920	
Klein Théodore	1930 ?	1931 ?
Knipping Max	1921	1923 ?
Lacaze Alfred	09-1928	02-1931
Lafay Étienne	1925	1925
Lafannechère Gaston	1926 ?	06-1928
Laget Albert	?	11-01-1933
Laguerie de Germain	?	12-10-1930
Lambert Henri	10-1924	02-1932
Languille	?	09-02-1930
Larbonne Edmond	02-1927	21-01-1936
Larmor Louis	1926	03-05-1927
Lartigue Gaston	09-1927	
Lassalle Edmond	1925	06-10-1927
Lavidalie Jean	?	07-12-1936
Lavinal Anselme	02-1927	1928
Le Bouteiller Pierre	?	30-11-1929
Lechevalier Charles	05-1928	08-1929
Leclaire Henri	12-1925	09-1928
Leclère Georges	1925 ?	1928 ?
Lecœur Édouard	11-1927	06-1929
Lécrivain Émile	11-1924	31-01-1929
Le Duigou Joseph	?	04-11-1935
Lemoigne Pierre	1923	1924
Lemoine Alexandre	07-1928	11-11-1935
Lemonnier	1924	1925
Lempereur Émile	?	25-04-1925
Lescure Louis	04-1927	06-1927
Letellier Eugène	08-1923	
Lhotellier Jean	?	10-02-1936
Lhuillier Marcel	?	11-11-1935
Lucas Jean	09-1929	09-1930
Mac Leod Raoul	12-1928	02-1932
Malaplate Jean	05-1925	10-1925
Mallet Jacques	1923	25-04-1925
Marchal Esposito	1928 ?	1928 ?
Mare Lucien	05-1929	
Marmier Lionel de	06-1930	
Marret Frédéric	?	10-02-1936
Marsac René	09-1927	03-10-1928
Martinez Manuel	1925 ?	1926
Martin-Jaubert E.	09-1928	
Marty-Mahé François	?	02-10-1920
de Masin	1925 ?	1926
Mattei	?	31-12-1927
Mauler Raymond	12-1920	06-1923
Méchin Gaston	?	26-07-1922

Mercier René	?	31-12-1927
Mérel Henri	?	15-02-1921
Mérentier Victor	04-1927	12-1929
Méresse Marceau	09-1927	08-1929
Mermoz Jean	10-1924	07-12-1936
Miche Gustave	?	12-08-1932
Micheletti Charles	1921 ?	1923
Millou Jean-Baptiste	09-1930	
Mingat Louis	10-1923	26-06-1925
Mittern	1928	1928 ?
Monville Albert	04-1924	08-1926
Moreau Alphonse	?	06-10-1927
Morel Auguste	?	04-11-1935
Morfaux Henri	04-1930	
Morvan Paul	03-1923	
Murier Marcel	08-1929	13-08-1929
Navarro	1923	1925
Négrin Élisée	03-1926	10-05-1930
Nevot Henri	04-1925	10-1925
Noailhat Paul	06-1925	04-1926
Nouvel Daniel	05-1928	10-1930
Paille	1922	1923
Pallières Guy des	1924 ?	18-10-1925
Parant Raymond	06-1922	01-1925
Parayre André	06-1929	10-02-1936
Pareire	1923	1924
Parizot Fernand	03-1930	
Pascaud Jean	11-1928	10-1930
Pauillac Louis	03-1922	12-1926
Payan Georges	1922	06-11-1924
Péchon Victor	06-1927	10-1927
Pelgas	1924	1925
Perignon Henri de	06-1930	09-1930
Perret	?	31-12-1927
Perrier	1930 ?	1930 ?
Petit Geoffroy	1922	1924
Pharabod Pierre	07-1929	12-1930
Pichodou Alexandre	03-1927	07-12-1936
Pinot Albert	08-1929	12-10-1932
Pintado Lorenzo	?	11-11-1926
Pivot Georges	03-1924	12-1932
Plamont Robert	03-1927	05-1928
Pommereau Albert	01-1923	04-1923
Ponce Jean	?	10-02-1936
Portal Roger	?	14-08-1921
Poulain Raymond	1922	1923
Poulin Charles	01-1921	
Poutheau	1926	1927 ?
Pranville Julien [5]	?	10-05-1930
Prieur Fernand	1930 ?	1930 ?
Pruneta René	?	10-05-1930
Pueyo Louis	1923 ?	02-1929
Ramos G.	1924 ?	1927
Raynal Robert	1929	09-02-1930
Reine Marcel	01-1925	
Rémy Georges	1925 ?	03-1930
Renold	1929 ?	1929 ?
Ribardière	1922	1923
Rigaud Roger	11-1923	1925
Riguelle René	11-1925	09-05-1933
Ringel Jacques	01-1928	12-1928
Ripault Guy	01-1930	1930 ?
Robert Jean	1923	1923
Roblin Paul	1928	1928 ?
Rodier Jean	?	02-10-1920
Roidot Louis	1929 ?	1930 ?
Rolin Ernest	05-1930	

Rolland Clément	02-1929	
Ronnelle André	03-1930	
Rouchon Fernand	10-1929	
Roulant Louis	06-1929	07-1929
Rousset V.	1929	1930 ?
Rozès Henri	06-1921	05-1929
Rugammer Jean	08-1923	07-1925
Sagnot Jean	?	24-12-1920
Saint-Exupéry A. de [6]	10-1926	1932
Salvadou Joseph	?	26-06-1925
Santelli Hervé	08-1927	05-01-1928
Sautereau Camille	08-1930	05-1933
Savarit Roger	06-1932	02-08-1936
Schenk Georges	1928	30-11-1929
Serge Louis	08-1927	01-1928
Simon Étienne	1925	1929
Simon Francis	12-1927	10-12-1932
Sirvin Léopold	?	01-08-1927
Sprimont Jean	1924	1927 ?
Stitcher Marcel	?	08-05-1921
Teissier	1929 ?	1929 ?
Tellet-Larente André	02-1929	03-1929
Thomas Gabriel	1923	
Touge Joseph	10-1925	12-1927
Touvet Pierre	12-1922	
Traverse	?	09-02-1930
Vachet Paul	06-1921	
Vallin Henri	05-1927	03-1929
Valot Henri	02-1925	02-1926
Vanier Raymond	1919	
Vareille Raoul	05-1923	04-1932
Vedel Gaston	01-1923	12-1924
Veniel Marcel	1929?	1929
Vercruysse André	10-1927	11-1927
Verneilh Charles de	1928	1929 ?
Vidal Louis	1925	1931 ?
Ville Éloi	05-1924	10-06-1932
Vilmin Roger	11-1927	04-1929
Visa de	1929	1931 ?
Vleck	1929	1929
Winckler Georges	02-1927	10-1928

1. Cette liste n'est pas exhaustive. Elle concerne les pilotes engagés entre 1919 et 1933, sous les bannières des Lignes Latécoère (1919-1927) et de l'Aéropostale (1927-1933). Elle énumère en priorité les pilotes en activité (même si certains ont été affectés à des tâches sédentaires au cours de leur carrière). Mais elle recense aussi les mécaniciens ou radios tués entre le 2 octobre 1920 (morts de Rodier et Marty-Mahé) et le 7 décembre 1936 (disparition de l'équipage de La *Croix-du-Sud*). Cette liste doit beaucoup aux recherches entreprises par Raymond Danel (*Les Pionniers de l'aviation commerciale*, Éd. Privat, 1986-1989).
2. Les dates de départ ne sont indiquées qu'entre 1919 et 1933. Au-delà, l'Aéropostale ayant cessé ses activités, certains pilotes ont poursuivi leur carrière sous l'égide d'Air France.
3. Chef de réseau.
4. Abattu le 27 novembre 1940 en Méditerranée aux commandes d'un quadrimoteur Farman.
5. Directeur d'exploitation.
6. Disparu le 31 juillet 1944 en Méditerranée aux commandes d'un Lightning P.38.

IL FAUT QUE LE COURRIER PASSE

La Ligne vaut aussi par son aventure aérophilique. Petits morceaux d'histoire, dépêches confidentielles, correspondances industrielles, les millions de lettres qui ont transité entre l'Europe et l'Amérique du Sud, et vice versa, sont là pour témoigner du succès d'une entreprise tout entière vouée à la cause du courrier.

par Gérard Collot

En 1918, un jeune industriel de Montaudran, Pierre-Georges Latécoère, met au point avec un de ses amis, Beppo de Massimi, l'ambitieux projet de créer une ligne aérienne entre la France et l'Amérique du Sud. Pour transporter des passagers, peut-être, mais d'abord et surtout pour acheminer du courrier entre deux pôles économiques et culturels de première importance. Concurrent direct des liaisons maritimes, ce nouveau mode d'expédition et d'acheminement devait, à terme, se révéler plus efficace et surtout plus rapide.

L'aventure de la Ligne relève sans doute de l'épopée technique et humaine ; elle illustre aussi l'une des plus belles pages de l'histoire postale française. Par-delà les exploits, les malheurs et les mille et un rebondissements qui ont fait le quotidien de ce réseau à nul autre pareil, seuls importaient les sacs de courrier, les cargaisons de lettres et de cartes transportées au mépris des dangers, dans un contexte souvent hostile et des conditions météorologiques parfois exécrables. Ce furent des millions de factures, de bons de commande, de bordereaux di-

vers, de billets d'amour, qu'un bataillon de pilotes et de mécaniciens dévoués prirent sous leurs ailes par devoir, avec honneur, sans penser à la mort qui rôdait.

Dès le 8 mars 1919, Pierre-Georges Latécoère se rend à Rabat (sur un Salmson 2 A.2, piloté par Lemaître), où il rencontre le maréchal Lyautey. Le résident général voit immédiatement l'intérêt d'une liaison postale rapide avec la métropole et concède dans l'instant un contrat en bonne et due forme à son interlocuteur.

Pour le voyage de retour, Pierre-Georges Latécoère a préparé une vingtaine d'enveloppes témoins portant au recto : l'oblitération de départ Casablanca (12 mars, 7 heures), le cachet rond et rouge de l'Aéronautique au Maroc et le cachet rectangulaire rouge Latécoère. Et, au verso : l'oblitération d'arrivée à Toulouse (14 mars 1919, 21 heures).

L'organisation se met en place. Diverses escales sont créées à Barcelone, Alicante et Malaga. Les premiers courriers sont transportés dès septembre 1919 et Didier Daurat devient chef d'exploitation un an plus tard. Sous son autorité, le développement est très rapide : 182 000 lettres seront du voyage en 1920 et 1,4 million, deux ans plus tard. Dans le même temps, la surtaxe aérienne baisse. Pour expédier une lettre de moins de 20 grammes, il en coûte : 0,25 + 1,25 de surtaxe, soit 1,50 franc en 1920 ; 0,25 + 0,75 de surtaxe, soit 1 franc en 1921 et 0,25 + 0,50 de surtaxe, soit 0,75 franc en 1922.

Poursuivant son objectif de ligne postale aérienne vers l'Amérique du Sud, Pierre-Georges La-

técoère commande une mission de reconnaissance jusqu'à Dakar, confiée au capitaine Roig, proche du maréchal Lyautey. Des escales sont prévues à Agadir, Cap-Juby, Villa Cisneros et Port-Étienne. Ce vol aller-retour de près de six mille kilomètres, effectué par trois Breguet 14 du 3 au 22 mai 1923, se révèle être un succès, malgré quelques difficultés dans le survol de la partie désertique. Les plis transportés lors du voyage aller portent la griffe rectangulaire rouge de l'aéro-club du Maroc et l'oblitération de départ de Casablanca (2 mai) et d'arrivée à Dakar (5 mai).

La mise en place du prolongement de la Ligne jusqu'à Dakar va s'éterniser pendant près de deux ans. Le gouvernement espagnol rechigne à accorder le droit de survol du Rio de Oro et voit d'un mauvais œil des avions français se ravitailler sur ce même territoire. Enfin, le 1er juin 1925, le premier courrier régulier Casablanca-Dakar peut être organisé.

La traversée du désert de Mauritanie présente des risques importants. Le Breguet 14 est un excellent avion, mais son moteur tombe souvent en panne et les atterrissages forcés sont innombrables. Les Maures comprennent rapidement le profit qu'ils peuvent tirer de ces gros « oiseaux » tombés du ciel : la capture de l'équipage, la mise à sac de l'avion et, bien sûr, le pillage du courrier. Dans l'espoir d'y trouver des billets de banque, les rebelles ouvrent toutes les enveloppes, quand ils ne les détruisent pas complètement.

Le 23 juillet 1925, soit moins de deux mois après le début de la mise en exploitation, deux Breguet 14 font un atterrissage forcé à l'oued Noun (au sud d'Agadir).

À peine posés, les deux pilotes, Rozès et Ville, sont attaqués par une tribu et obligés de faire usage du pistolet de bord pour se dégager. Resté dans l'avion en panne, le courrier est bien sûr malmené. Miracle : quelques lettres seront retrouvées deux, trois ou huit mois plus tard !

Le 17 octobre 1926, deux avions en panne au sud de Tiznit, avec Pivot et Reine à leur bord, sont attaqués à leur tour. Capturés, les deux pilotes retrouvent la liberté une semaine plus tard, contre rançon. Le courrier est de nouveau pillé, mais cette fois encore quelques lettres seront retrouvées et apportées à Agadir le 10 décembre. Postée le 8 octobre à Vannes, une lettre (vide) parvint à son destinataire à Dakar le 14 décembre. Conclusion cocasse : on lui réclama une taxe de 20 centimes pour insuffisance d'affranchissement (3 F au lieu de 3,10 F) !

Pierre-Georges Latécoère n'attend pas que la ligne africaine soit opérationnelle pour lancer une reconnaissance en Amérique du Sud. Dès le mois de janvier 1925, Joseph Roig avec trois Breguet 14, trois pilotes (Vachet, Hamm, Lafay) et trois mécaniciens gagnent Rio, prêts à étudier le parcours vers le sud, jusqu'à Buenos Aires et, vers le nord, jusqu'à Pernambouc. Les premières missions sont menées tambour battant. Pour ces voyages, Roig a préparé des enveloppes spéciales qu'il fait timbrer et oblitérer chemin faisant. Parfois, on relève sur ces pièces le cachet de l'aéro-club argentin. Un sceau qui, à rebours, nous permet de rapporter une des anecdotes les plus savoureuses de cette aventure.

Le 15 janvier 1925, les Breguet 14 de la mission Roig rallient Buenos Aires depuis Rio de Janeiro en trente-six heures seulement. Mais la mise en place de la ligne aérienne commerciale en Amérique du Sud ne se fait pas en un jour. Ce n'est qu'en novembre 1927, soit deux mois et demi plus tard, que le premier

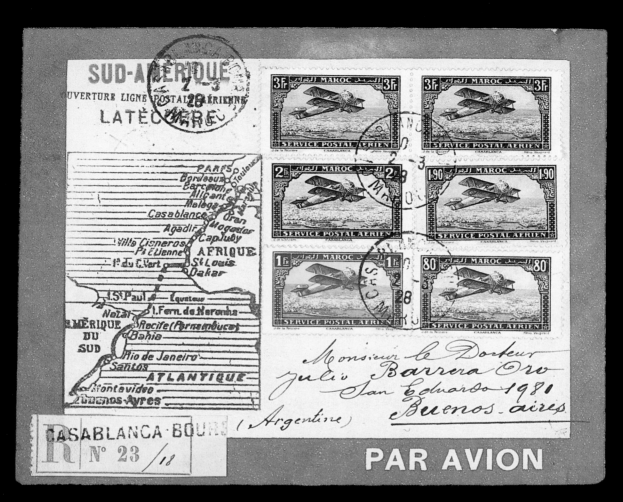

La Ligne est une réalité, le premier courrier transatlantique aussi.
Parti de Casablanca le 2 mars 1928, ce pli surchargé de timbres
et de tampons arrivera à Buenos Aires le 17 mars.
Le dessin qui orne l'enveloppe explique clairement
les diverses étapes qu'il a suivies ;
le bandeau et la précaution typographique ("Par avion")
insistent sur l'exceptionnel de la situation.

courrier aéropostal transite entre Natal, Rio de Janeiro et Buenos Aires. Dans l'intervalle, Pierre-Georges Latécoère est contraint de vendre son entreprise à Marcel Bouilloux-Lafont, industriel et financier français, installé au Brésil. La Compagnie générale aéropostale prend le pas sur la Ligne.

À la fin de 1927, les deux tronçons africains et sud-américains ne sont plus séparés que par les trois mille kilomètres de l'Atlantique sud, mais les avions ou les hydravions capables d'assurer une traversée régulière n'existent pas encore. En attendant que le rêve de Pierre-Georges Latécoère se réalise, des

bateaux acheminent le courrier entre le Sénégal et le Brésil. Les contrats signés en Amérique du Sud stipulent que le voyage ne peut excéder huit jours. En fait, le démarrage sera très laborieux et le transport dans les temps ne sera effectif qu'au bout de neuf mois d'exploitation seulement.

Le premier courrier (avion + aviso) Frame (France-Amérique) joue vraiment de malchance. Parti de Toulouse le 2 mars 1928, il n'arrive à Buenos Aires que le 17, soit avec sept jours de retard. Dans un premier temps, le courrier Casablanca-Dakar se perd dans les sables du désert à la suite d'une banale panne d'es-

sence. Il faut trois jours pour retrouver et ravitailler l'équipage. L'aviso fonce ensuite à toute vapeur, mais à l'arrivée à Natal la fébrilité est telle que les manœuvres s'effectuent dans la précipitation : les sacs de courrier venant de France sont embarqués sur l'aviso et ceux d'Amérique du Sud prennent le chemin de Rio. Le pilote Deley s'aperçoit de la méprise à l'escale de Bahia. Heureusement, on parvient à joindre l'aviso par radio, ce qui limite la nouvelle perte de temps à quatre jours. Dans le sens Amfra (Amérique du Sud-France), le courrier mit treize jours pour arriver à Toulouse.

La Ligne, qui jusque-là s'arrête à Buenos Aires, devait tout naturellement se prolonger jusqu'à Santiago du Chili. Encore faut-il passer outre la cordillère des Andes. Jean Mermoz, chef pilote en Amérique du Sud depuis novembre 1927, et son mécanicien Alexandre Collenot sont les premiers à défricher cette ligne. Avec, en point d'orgue, le fameux accident de mars 1929 au cours duquel ils réparèrent leur avion pendant trois jours et deux nuit à... quatre mille mètres d'altitude. Cette mésaventure précipite le remplacement des Laté 25 par des Potez 25. Le 18 juillet, Mermoz et Guillaumet, sur ce

M.
L. Hermonet
47ème r. d'Orsel
Paris XVIII
Francia

RETARD DU
SERVICE

PREMIER
COURRIER PAR AVION
CASABLANCA-TOULOUSE
M^{on} G. LATÉCOÈRE

CASABL
7
12
MAR

AÉRONAUTIQUE DU MAROC

LE COM: ANDART

POR VIA AEREA.

EL PILOTO

Señor,

A.H. Davis

Casilla Correo 1588

BUENOS AIRES.

Quelques trésors
aérophiliques. En haut,
de gauche à droite :
un pli transporté par
Guillaumet, accidenté dans
les Andes et récupéré
à la fonte des neiges,
en juin 1930 ;
un des vingt plis témoins
transportés par Pierre-
Georges Latécoère entre
Casablanca et Toulouse,
en mars 1919 ;
une enveloppe emportée par
Roig entre Rio et Buenos
Aires, en janvier 1925.
En bas, de gauche à droite :
un pli signé par Saint-
Exupéry à l'occasion de
l'inauguration de la ligne
de Patagonie,
en novembre 1929 ;
une enveloppe signée par
Mermoz lors d'une tentative
de traversée atlantique,
en juillet 1930.

Deux plis sud-américains.
Le premier courrier officiel
Santiago-Buenos Aires du
18 juillet 1929, signé par
Jean Mermoz (en haut) et le
premier courrier Caracas-
Maracaibo du 14 et 15 avril
1930, signé par Paul Vachet
(en bas). Lors de ce second
voyage, il n'y eut que
cent plis transportés.

nouveau type d'avion, inaugurent le premier courrier Chili-Argentine (départ de Santiago à 6 heures, arrivée à Buenos Aires à 19 heures).

À partir de septembre 1929 et pendant près d'un an, Henri Guillaumet assure seul le service postal hebdomadaire entre Buenos Aires et Santiago. Le 12 juin 1930 (en plein hiver austral), malgré une forte tempête de neige, il décolle et monte à six mille mètres d'altitude. En vain. Dès le lendemain, le pilote courageux renouvelle l'expérience et découvre une trouée en direction de la Laguna Diamante. Le courrier doit passer à tout prix : la consigne est formelle. Il s'ensuit l'accident que l'on sait, l'attente et l'incroyable marche forcée entreprise par le rescapé : cinq jours et quatre nuits sans s'arrêter, de peur d'être saisi par le froid ! Le courrier resté dans l'avion sera récupéré à la fonte des neiges en décembre 1930. Après trois semaines de repos, Guillaumet reprend son service sur la Cordillère.

En octobre 1928, Marcel Bouilloux-Lafont a créé l'Aeroposta Argentina pour les lignes du Paraguay et de la Patagonie et confié sa direction et son exploitation à Paul Vachet. La ligne Buenos Aires-Asuncion est ouverte dès le 1er janvier 1929. Elle ne fonctionne qu'avec des pilotes argentins. La ligne de Patagonie est inaugurée par Antoine de Saint-Exupéry le 30 octobre. Vachet s'occupe ensuite de l'organisation du réseau aérien au Venezuela.

Avec la sortie du nouveau Laté 28, monomoteur de 600 ch, mis progressivement en service sur la Ligne en 1929, la Compagnie s'estime enfin capable de franchir les trois mille kilomètres de l'Atlantique sud. Une performance qui doit lui permettre de gagner trois jours dans l'acheminement du courrier. La première liaison postale entièrement aérienne France-Amérique du Sud est fixée au 12 mai 1930. Elle se

déroulera comme une course de relais parfaitement synchronisée.

Le train postal part de Paris le samedi 10 mai 1930 à 17 heures 10 et arrive à Toulouse le lendemain matin. Les cent trente kilos de courrier venant de France et d'Europe sont embarqués dans un Laté 28 qui décolle à 5 heures du matin. Pendant ce temps, à Saint-Louis du Sénégal, Mermoz, Dabry et Gimié préparent leur Laté 28 Comte-de-La Vaulx désigné pour franchir les trois mille kilomètres d'océan. Didier Daurat a mis en place sur l'Atlantique un dispositif de sécurité constitué de trois navires espacés de mille kilomètres et équipés de station météo, de goniomètres et de liaisons radio.

Le courrier arrive à Saint-Louis le 12 mai à l'heure prévue. Il est immédiatement embarqué dans l'hydravion qui décolle à 10 heures 56 et amerrit à Natal le lendemain à 9 heures 20. Raymond Vanier prend alors le courrier et l'achemine jusqu'à Rio, puis Marcel Reine jusqu'à Buenos Aires et enfin Henri Guillaumet jusqu'à Santiago, où il atterrit le 15 mai à 13 heures 30. Le retour est fixé à la prochaine pleine lune, le 8 juin. Mais, l'hydravion de Mermoz ne veut pas décoller. On allège les 9 et 10 juin. Même scénario les 9 et 10 juin. En désespoir de cause, Didier Daurat ordonne de transférer le courrier sur l'aviso Epernay. Il arrivera à Paris le 18 juin.

Avec la première traversée aérienne commerciale de l'Atlantique sud, l'Aéropostale atteint le faîte de sa gloire. Malheureusement, la crise économique et le contexte politique français précipitent la faillite de cette prestigieuse compagnie. Le réseau est bientôt réduit et limité aux deux lignes France-Chili et France-Algérie. Malgré cela, le flux de courrier demeure stable (onze millions de lettres au total).

En 1932, un jeune industriel, René Couzinet, sort de ses usines un trimoteur parfaitement inédit : l'Arc-en-Ciel dont il confie les commandes à Jean Mermoz. La première traversée avec ce nou-

vel appareil s'effectue en quatorze heures vingt-sept minutes soit à une vitesse moyenne de deux cent trente kilomètres à l'heure. Le 17 janvier, l'Arc-en-Ciel arrive à Rio au milieu d'une foule en délire. De nombreuses cartes postales avec photo de l'équipage sont transportées à cette occasion. Elles portent l'oblitération de départ d'Istres (12.01.1933, 5 heures 30) et d'arrivée à Rio de Janeiro (17.01.1933, 19 heures) et Buenos Aires (22.01.1933, 13 heures).

Le 11 février, l'Arc-en-Ciel doit rejoindre Dakar, mais la piste détrempée s'enfonce sous les seize tonnes du trimoteur. Le décollage ne peut s'effectuer que le 15 mai. Après un vol sans histoire, l'équipage est à nouveau accueilli en grande pompe à Orly. Avec dans sa soute quelques cartes postales et lettres témoins portant l'oblitération de départ de Natal (15.05.1933) et d'arrivée à Dakar (15.05.1933).

Le 3 janvier 1934, le nouvel hydravion Laté 300 Croix-du-Sud décolle de Saint-Louis du Sénégal et amerrit à Natal 19 heures et 12 minutes plus tard. L'équipage est dirigé par le commandant Bonnot. Depuis la traversée de l'Atlantique sud par l'Arc-en-Ciel en janvier 1933, aucune nouvelle tentative n'a été effectuée par un avion ou un hydravion commercial français. Après de nombreuses réceptions en l'honneur de l'équipage à Rio de Janeiro, le retour Natal-Saint-Louis est accompli le 1er février. Puis, après quelques escales supplémentaires, le grand hydravion de quarante quatre mètres d'envergure amerrit sur l'étang de Berre le 7 février. Le courrier transporté à cette occasion ne fut sans doute pas très important car les lettres s'y référant sont rarissimes.

Jusqu'en 1935, le transport hebdomadaire du courrier ne peut pas être assuré à cent pour cent par la voie aérienne et les avisos continuent leurs incessants va-et-vient entre Dakar et Natal. Les quelques vols réalisés par l'Arc-en-Ciel en 1933-1934 puis par la Croix-du-Sud (dix-huit traver-

sées en 1934-1935) et le Santos-Dumont (vingt-six traversées en 1934-1935), ne suffisent pas à assurer un service régulier. Dans un premier temps, l'armée de l'air met à la disposition d'Air France son nouveau bombardier prototype Farman 220 baptisé Centaure qui accomplit huit traversées en 1935. Enfin, la mise en service, dans les premiers mois de 1936, de trois nouveaux Laté 301 dérivés du 300 permettent à Air France d'annoncer un service cent pour cent aérien à partir du 5 janvier 1936. Le courrier envoyé à cette date reçoit une griffe spéciale tant au départ de France qu'à l'occasion des différentes escales en Amérique du Sud.

Le 21 juillet 1936, Air France annonce la centième traversée aérienne de l'Atlantique sud. Divers cachets commémoratifs sont apposés sur les plis au départ de France, d'Uruguay, d'Argentine et du Chili. Le Brésil édite une carte postale spéciale. Ces plis sont transportés le 21 juillet 1936 par les Laté 301 Ville-de-Rio et Ville-de-Santiago ainsi que par le Farman 2 200 Ville-de-Montevideo dont c'est le premier vol retour le 28 juillet 1936.

Le 7 décembre 1936, Mermoz, aux commandes de la Croix-du-Sud, décolle de Dakar à destination de Natal. Deux heures plus tard, il s'abîme en mer. Malgré de très nombreuses recherches, le célèbre pilote et ses quatre compagnons sont portés disparus. Le courrier transporté a évidemment totalement disparu.

Vice-président du Cercle aérophilique français, **Gérard Collot** a écrit (en collaboration avec Alain Cornu) un ouvrage très remarqué, primé plusieurs fois à l'étranger : Ligne Mermoz (Histoire aérophilique Latécoère, Aéropostale Air France, 1918-1940), Éditions Bernard Sinais, 1990.

Comment, en huit jours, un sac de courrier est acheminé de Paris à Santiago

Georges Hamel, dit Géo Ham (1900-1972), connut son heure de gloire entre les deux guerres comme peintre, illustrateur et affichiste. Comme nul autre, il crayonnait les automobiles, les trains et les avions. En 1932, il effectua le voyage Toulouse-Santiago pour «mieux rendre compte». Publié dans *L'Illustration* du 19 novembre, son témoignage (texte et aquarelles) est unique en son genre.

par Géo Ham

«Nos lecteurs n'ont pas oublié les émouvants dessins que M. Géo Ham rapporta d'un stage à bord de l'aviso *Aéropostale-II* quelques jours avant que le petit bâtiment fît naufrage. C'est, disions-nous, au cours d'un grand reportage sur la ligne aérienne postale Toulouse-Santiago que l'artiste avait exécuté ces croquis, et nous nous promettions de publier plus tard son carnet de route.

«Géo Ham raconte que, s'apprêtant un jour à envoyer une lettre "par avion" au Chili, il eut la vision de l'immense chevauchée qu'allait accomplir ce bout de papier à travers les airs et les mers : en une semaine, parcourant près de vingt mille kilomètres et touchant trois continents, cette lettre franchirait le désert et l'Atlantique, les cimes rocheuses et les pampas; elle subirait alternativement la tempête, le simoun et les bourrasques de neige... Pendant huit jours et huit nuits, des hommes lutteraient obscurément pour porter, au péril de leur vie, à l'autre extrémité du monde cette missive peut-être insignifiante : et cela ne constituerait point un raid homologué, mais la performance normale d'un service postal régulier. Alors Géo Ham eut le désir de connaître les héros de cet effort quotidien, c'est-à-dire de partager leurs fatigues et leurs angoisses en montant à bord de leur avion. Or, les appareils n'étant pas aménagés pour recevoir des passagers, il ne fallait point songer à faire le voyage en touriste; et c'est pourquoi notre hardi collaborateur dut se substituer à un sac de courrier dans le fond de la carlingue : « enregistré » donc comme un simple colis, c'est dans des conditions exceptionnelles d'inconfort qu'il accomplit les trente-cinq mille kilomètres du trajet Paris-Santiago du Chili-Paris.

Et ce sont ces notes et dessins crayonnés au hasard des vols et des étapes que nous publions; ils constituent un film curieux où se côtoient les paysages les plus hétéroclites, les peuples les plus divers.

« "Par cette aube pluvieuse, l'aéroport de Toulouse s'éveille lentement; seul, sous un hangar, brille dans la lumière crue des lampes à arc un grand avion argenté que coupent sans cesse les ombres mouvantes d'une foule de mécaniciens, pilotes, radios, douaniers et postiers... Sur le terre-plein s'entassent des sacs de courrier sur lesquels je lis au hasard : Dakar, Rio, Buenos Aires, Santiago... Et je salue en eux mes futurs compagnons de voyage, ceux qui partageront avec moi le fond obscur de la carlingue; j'assiste à leur embarquement dans la cabine arrière déjà envahie par les nombreux colis postaux, valises et paquets dont le transport est admis jusqu'à Casablanca.

"L'hélice tourne... Qu'attend-on ? Pour toute réponse, on me montre la camionnette qui, dans le halo de lumière, vient de déposer sous la grande aile des sacs de lettres descendus quelques minutes plus tôt du train : c'est la correspondance de Paris. Un autocar sortant également de l'ombre amène des passagers, car jusqu'au Maroc le service n'est pas strictement postal et l'avion est un grand appareil confortable pouvant contenir douze personnes. Je ne fais donc pas encore connaissance avec la soute aux bagages.

"Vérification des passeports; serrements de main... Dans le grondement de ses 500 ch le Laté 28 sautille dans les flaques de boue, gagne les balises aux feux rouges et s'élève dans les rafales de pluie. Il est 5 h 30 ; l'avion pique vers le sud. Bientôt l'orage éclate et les remous nous secouent fortement; notre pilote, Delpeuch, lutte contre les éléments déchaînés ; la T.S.F crépite ; par les hublots les éclairs irradient la cabine et la foudre éclate près de nous... Nous sommes obligés d'atterrir à Carcassonne où l'on nous confirme téléphoniquement que la tempête fait rage sur Barcelone.

"Qu'importe ! ... Le courrier est chose sacrée que ne doivent retarder ni les hésitations ni les fatigues d'un équipage : vingt minutes plus tard, nous décollons en direction de l'Espagne, et Delpeuch, vieux routier de la Ligne, va tenter de passer par le Perthus. Nous prenons donc de la hauteur : mille cinq cents... deux mille mètres... Et nous voilà bientôt au-dessus des Pyrénées que cachent des écharpes de brume. Quelques minutes d'arrêt à Barcelone pour déposer des sacs postaux et nous survolons les côtes catalanes bordées de plages d'or ; puis voici Villaneuva où Lalouette et de Permangle se

tuèrent l'année dernière en tentant un record ; voici Tarragone, Peniscola et Alicante enfin où, sur l'aérodrome, un avion nous attend moteur au ralenti.

"Transfert des bagages, potage brûlant à la cantine et nous reprenons notre course.

"Vers 1 heure, la Sierra Nevada nous apparaît avec ses

monts désertiques sur lesquels se profile l'ombre bleue de notre avion ; puis Gibraltar surgit avec son orgueilleux rocher et sa rade où sommeillent les cuirassés anglais. Et voici l'Afrique : alors le décor change brusquement. Je reconnais les classiques paysages agrémentés de palmiers et de chameaux. Larache passé, voici les plages de Média et Salé, grouillantes d'une population bariolée ; puis Rabat, que domine le palais du sultan. Nous descendons en une large spire et l'oiseau de France se trouve entouré d'Arabes en costumes éclatants.

"La baguette d'un magicien n'eût pas fait surgir sans plus d'étonnement pour moi ce peuple bigarré dans ce décor de minarets, de mosquées et de jardins... D'étranges têtes enturbannées se penchent sur l'avion pour s'emparer des sacs de courrier... Et, sans même avoir quitté la carlingue, nous repartons vers Casablanca où pilote et appareil termineront leur étape ; il sera 18 h 10. Sur l'aérodrome, un Laté 26 m'attendra. J'envie un instant les passagers qui vont gagner la ville fraîche... Mais Parisot et, derrière lui, le radiotélégraphiste sont déjà prêts pour l'envol au-dessus du désert ; dans la soute arrière, les indigènes chargent le fret et je m'installe tant bien que mal dans cet étroit réduit encombré de colis, d'armes et de sacs. Pour me donner de l'air et du jour, on a retiré le couvercle de ma boîte ; et le vent, qui n'est retenu par aucun pare-brise, me laboure le visage.

"Dernières recommandations concernant la génératrice qui tourne à quelques centimètres de ma tête ; salut de la main à l'équipage avec lequel je vais partager une nuit pleine d'aléas ; et, dans le vrombissement du moteur, au milieu d'un nuage de poussière, nous décollons. À la verte campagne ont succédé les dunes et les monts roux de l'Atlas. Le soir tombe : l'ombre de notre appareil nous a quittés. Nos feux de position s'allument ; je me recroqueville dans mon 'poil de chameau', transpercé par le froid subit des nuits sahariennes ; je me retourne, dos à la route, et dans mes lunettes brille comme une veilleuse le feu arrière du 'stabilo'. Au-dessus de moi l'échappement lance de longues flammes bruyantes.

"Je n'ai plus pour horizon que les sacs de courrier dont chacun représente une étape de ma randonnée et mon coude s'appuie sur un couffin de cuir rouge, le dernier venu de mes compagnons, qui évoque ce prestigieux Maroc dont mon pied n'aura même pas touché le sol…

Puis, malgré l'inconfort, je m'assoupis…

Des claquements m'éveillent : moteur réduit, nous descendons vers un rectangle lumineux entouré de petits feux rouges : c'est Agadir. Officiers et indigènes nous entourent. Un magnifique guerrier chleuh, entre autres, attire mon attention : son turban bleu, sa ceinture hérissée de poignards aux pommeaux de cuivre et la grosse cordelière qui retient sur sa poitrine de nombreux fétiches et amulettes lui donnent grand air… Mais, geste attendu, le voilà qui relève son burnous, ajuste des lunettes sur son masque sauvage et enjambe délibérément la carlingue de l'avion dans lequel nous venons prendre place ! Avec une impassibilité tout orientale, il s'installe à côté de moi sur un fût d'eau douce. En cas de panne chez les pillards du Rio del Oro, ce Chleuh doit nous servir d'interprète, discuter notre rançon et tenter d'éviter notre massacre. Et je songe avec un frisson aux supplices qu'à chaque voyage risque notre pilote.

Malheureusement, le poids de ce passager ajouté au mien a alourdi l'avion qui est forcé de monter aux balises pour allonger son terrain. Et tout d'un coup c'est le craquement, le choc formidable ; l'appareil s'est couché dans la poussière, son train d'atterrissage brisé contre un moteur abandonné dans le sable par des aviateurs militaires.

"Quelques minutes plus tard, ayant une fois de plus changé d'avion, nous n'en prenons pas moins notre vol et abordons, tous feux éteints, dans un épais brouillard, la zone dangereuse espagnole. Mon compagnon de route, maintenant assis sur le courrier, s'est pelotonné contre moi ; les manches de ses poignards m'entrent dans les côtes et m'empêchent de dormir… Je pense alors à la France que dix-sept heures de vol ont rendue déjà si lointaine… Le moteur tourne régulièrement et, dans ma demi-conscience, j'imagine les pistons qui exécutent leur diabolique va-et-vient, les bougies qui crépitent brûlantes, l'huile ruisselle dans les tubulures, tout ce cœur monstrueux dont une microscopique poussière pourrait entraver les pulsations et nous précipiter infailliblement dans la mort, car ni les dunes ni les tribus dissidentes ne nous pardonneraient une panne.

"À 1 h 15 nous arrivons à Cap-Juby ; une enceinte de fils barbelés nous sépare seule des campements d'insoumis aux aguets ; de bruns guerriers voilés nous accueillent avec des cris gutturaux et nous offrent des œufs frits à l'huile d'arachide. Un chef maure a remplacé le beau Chleuh ; nous nous élevons maintenant au-dessus d'une mer de nuages sur laquelle la lune répand une lumière laiteuse ; notre avion se découpe tragiquement jusqu'au moment où il s'enfonce dans la nuit pour venir survoler en un large virage Villa Cisneros : dans le quadrilatère que dessinent les projecteurs, un sac de lettres tombe parmi les silhouettes lilliputiennes qui s'agitent… Et nous passons. Ce n'est qu'à l'aube qu'apparaîtra Port-Étienne dans la blondeur de ses dunes ; pour faciliter l'atterrissage, des Touareg se pendront aux ailes par grappes bondissantes. Mais je ne jouirai guère du pittoresque des lieux puisque au bout de dix mi-

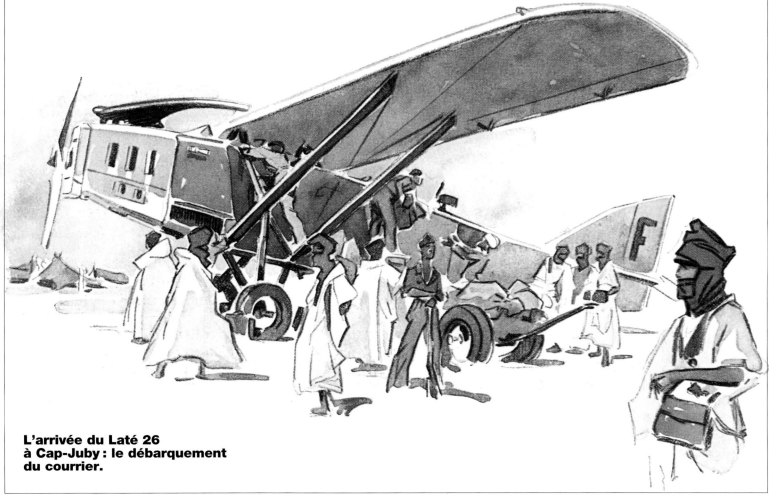

L'arrivée du Laté 26 à Cap-Juby : le débarquement du courrier.

nutes nous survolerons à nouveau le désert fastidieux, accablant, infini…

"L'atmosphère est irrespirable et je cherche en vain l'ombre dans mon étroit réduit, parmi les tôles brûlantes et les vapeurs enflammées que l'échappement crache près de mon visage ; or je n'ai bu que deux verres d'eau depuis Toulouse…
Il y a pourtant des êtres qui vivent dans cette fournaise : tels les méharistes dont les tentes bleues entourent ce petit fortin de terre, Nouakchott, perdu dans le bled. Un drapeau français flotte : jalon tricolore sur la route postale.

"Cependant les dunes se piquent de boqueteaux roussâtres ; bientôt apparaissent les paillotes et les eaux limoneuses du Sénégal : voici l'aérodrome de Saint-Louis et, vingt minutes plus tard, celui de Dakar. Ardemment j'avais souhaité une halte… Mais tandis que l'équipage va chercher à la cantine un peu d'aliments et de sommeil mérités, une voiture de poste me cueille avec le courrier… et je continue ma course folle comme une balle que des joueurs habiles se passent de main en main. Et maintenant un chauffeur intrépide m'entraîne dans la ville à une allure vertigineuse, parmi les indigènes qu'effarouche notre sirène spéciale.

"Dans le port, le petit aviso *Aéropostale-II*, prévenu de notre arrivée par T.S.F., est prêt à appareiller. On me pousse sur la passerelle qui se relève aussitôt ; et, dès que les Noirs ont lancé à bord le dernier sac de courrier, la coque blanche s'écarte du quai dans un bouillonnement d'écume. Traverser l'Atlantique en quatre-vingt-seize heures sur un bateau si léger est un tour de force ; et pourtant le port est désert : les héros de ces raids n'ont point d'admirateurs… La sirène mugit : dernier adieu à la terre. Je n'ai qu'un désir : absorber quelque chose. Et puis m'étendre enfin… Mais, hélas ! l'aviso est tellement sensible au roulis qu'il est impossible de rien manger ni de se maintenir sur une couchette ; d'ailleurs, il n'eût point fallu chercher à dormir tant la tête est martelée par le bruit que font les paquets de mer contre les hublots.

"Cette rude existence de l'équipage fut déjà décrite dans *L'Illustration* ; mais on ne dira jamais trop la force de volonté de ceux qui, fiers de former un maillon de la grande chaîne Pa-

ris-Santiago, oublient leurs fatigues pour le seul espoir de gagner quelques minutes sur l'horaire, car toute leur vie gravite autour des sacs postaux qui encombrent le carré des officiers. C'est à un lieutenant du bord qu'incombe la charge de trier ce monceau de lettres et de paquets drainés dans le monde entier par les avions et la poste ; est-il besoin de dire que, malgré la

plomb. Comme aucun navire n'emprunte jamais cette route, c'est la solitude complète ; seuls de sinistres oiseaux noirs, les 'veuves' , strient l'océan de leur vol étrange : on les dit habités par les âmes des trépassés à la recherche de leurs restes humains. Bientôt, heureusement, le soleil réapparaîtra, les hommes de quart quitteront leurs suroîts ruisselants et leurs bottes de caout-

Au-dessus de la mer de nuages, par clair de lune : la soute à bagages dans laquelle Géo Ham fit le voyage en compagnie d'un guerrier chleuh. On distingue le fût d'eau douce et les sacs de courrier diversement colorés. À droite, la flamme de l'échappement.

chambre qui oscille, il s'en acquitte religieusement avec l'aide de quelques nègres ? Pendant quatre heures, il couvre d'une écriture régulière les pages du registre de contrôle.

Au soir du deuxième jour, la houle tombe : nous approchons de l'équateur ; accablé par la chaleur, je contemple avec un spleen infini le ciel d'encre et la mer de

chouc pour la tenue blanche ou le pyjama ; la gaieté reviendra et nous passerons joyeusement la Ligne.

" 'Terre…' a crié Decaen dans l'après-midi du quatrième jour. La bande orange des falaises émerge des flots ; et bientôt se précisent les 'bosses de dromadaire', le Pinto et la plage de Petropolis.

Derrière la voile rouge du bateau-pilote nous nous engageons dans le rio Grande do Norte pour aller jeter l'ancre en face de Natal. La sirène mugit trois fois. Le pont du petit navire est envahi par les employés du service de santé ; les douaniers viennent contrôler les registres et ouvrir quelques sacs ; puis le précieux courrier est lancé à bord d'une vedette.

"Il faut quitter mes amis, non sans leur avoir promis de regagner l'Afrique avec eux ; promesse que je tins. Mais pouvais-je deviner alors que je participais à leur dernier voyage, que quelques jours plus tard la nouvelle se répandrait du naufrage de l'*Aéropostale-II* ? Je vous verrai toujours, Dumont, Baptistini, Decaen, à la coupée de votre beau bateau blanc ! Dans nos dernières effusions, vous m'assuriez de votre amitié. Les nègres et les mécaniciens étaient rangés le long du bastingage pour me serrer une dernière fois la main. Hélas ! vous n'êtes plus maintenant que des ombres dans les flots verts et je voudrais faire un pèlerinage dans les mers équatoriales pour voir voler dans un ciel sombre les 'veuves' portant en leurs flancs vos âmes héroïques !

"De la vedette j'ai sauté dans une Ford qui m'emmène rapidement à travers la ville, puis fonce dans la campagne : souvenirs bien imprécis de maisons roses, jaunes ou bleues, puis d'une piste sablonneuse coupée d'immenses flaques d'eau ; des palmes se croisent au-dessus de nos têtes ; de merveilleux papillons et des perruches vertes animent la forêt : première vision d'exotisme… Sur le terrain un Laté 26 tourne au ralenti. Le pilote Rolland et le radio Soulas sont à leur poste ; leurs têtes casquées dominent le fuselage rouge sur lequel flamboie l'audacieuse mention : 'France-Amérique'. Rendu à la compagnie du courrier, je n'ai que le temps de creuser mon nid parmi celui-ci… Et nous prenons un envol rapide. Il est 15 h 55.

"Après un coup d'œil aux débris de l'avion transatlantique de Challe, nous naviguons interminablement au-dessus de monotones lagunes pour n'arriver que le soir à Recife, la curieuse cité lacustre pompeusement appelée la 'Venise du Brésil'. Les renseignements météorologiques sont défavorables. Le pilote osera-t-il reprendre le vol dange-

L'*Aéropostale-II* avec son grand pavois, en vue de Natal.

reux au-dessus de la brousse ? 'Ne partez pas !' nous crie-t-on. Mais Rolland montre les sacs multicolores qui doivent être ce soir à Bahia ; et nous nous lançons dans la nuit : une nuit opaque et froide qui ne me permet pas de distinguer le bout des ailes ; suspendu dans l'obscurité au-dessus du « matto », ce désert de broussailles hérissées, je ressens une affreuse impression de solitude, d'abandon.

"Et cependant, de tous côtés, des stations de T.S.F nous recherchent pour nous guider. N'est-il pas vrai qu'à Paris la direction de l'Aéropostale elle-même, renseignée d'heure en heure sur notre situation, prend sa part de nos angoisses ? Devant moi j'aperçois, éclairées par les lampes de bord, les têtes de deux hommes dont j'aurais tort de douter ; et mon malaise se transforme en un banal ennui. Les ratés du moteur m'avertissent de notre descente sur Maceio dont les lumières et les projecteurs percent difficilement la brume. Le plafond est de plus en plus bas ; à peine avons-nous touché le sol que de larges gouttes de pluie commencent à tomber, qui nous contraignent à remiser l'avion… en dépit des objurgations du pilote mal résigné.

"Et comme l'orage est imminent, nous avons le temps, pour dîner, de gagner la ville dont les faubourgs, à l'occasion de la Saint-Jean, sont illuminés : les nègres, endimanchés, fiers de leur chapeau de paille et de leur pantalon blanc, dansent autour des cases au son de la guitare, des chants et des pétards. Les rues sont parcourues par les farandoles des 'Mulatines', belles

À Port-Étienne : des Touareg se pendent aux ailes pendant les manœuvres d'atterrissage.

jeunes filles au teint d'ambre, parées de fleurs. Mais je tombe de fatigue et de sommeil. De retour au terrain on m'offre alors pour attendre plus confortablement l'éclaircie la couchette tant souhaitée… Mais ayant appris qu'un serpent avait été tué le matin même sous ce lit, je ne peux fermer l'œil ; et ce n'est qu'à 4 h 30, lorsque nous reprenons notre vol fastidieux au-dessus du « matto »,

que je m'assoupis enfin. Au soleil levant nous survolons Bahia, ancienne capitale du Brésil, fière de ses trois cents mille habitants et de ses trois cent soixante-cinq églises ; puis, nous atterrissons cinquante kilomètres plus loin, sur un terrain découpé en pleine forêt vierge.

"Cet immense quadrilatère fut entièrement aménagé par l'Aéropostale ; ce qui représente un

**Baptême des tropiques atlantiques.
Une heure de détente : le passage de la Ligne fêté joyeusement par les membres de l'équipage.
Suivant la coutume, Neptune, trident en main, préside à la toilette du néophyte assisté des deux gendarmes aux chéchias étoilées.**

bon nombre d'hectares défrichés et nivelés, de tonnes de matériaux amenées en pirogue sur soixante kilomètres de rivières et de routes taillées dans la forêt ; et sait-on que, sur quarante-six terrains utilisés par la ligne, trente-cinq ont été créés par la compagnie au prix de semblables efforts ? Cela explique pourquoi aucune organisation étrangère n'avait cru possible avant nous l'établissement d'un service régulier. Ces relais constituent des îlots français organisés par quelques mécaniciens courageux qui vivent en plein bled, exposés à de multiples dangers dont les plus redoutables sont les fièvres et les serpents ; je voudrais leur parler ; mais nous n'avons que le temps de changer d'avion et de nous élancer à 7 h 55 sous une voûte multicolore formée de cinq arcs-en-ciel.

"Le radio me transmet alors par écrit le dernier message : 'Géo Ham a-t-il l'intention de continuer sur Buenos Aires ou d'attendre le prochain courrier ? 'Ma réponse est aussitôt rédigée : 'J'accompagnerai jusqu'au bout les sacs postaux.'… Et pourtant je tombe de fatigue et de faim ; l'étape d'aujourd'hui me semble interminable : ce soir seulement nous serons en vue de Rio de Janeiro après avoir touché Caravellas et Victoria, après avoir survolé des étendues infinies de plantations… A la nuit tombante nous

survolerons l'admirable baie : la ville éclairée semblera ruisseler des collines et un halo lumineux fera croire que cet extraordinaire chaos est éclairé par en dessous.

"Et puis, après changement d'avion et de pilote, il faudra se lancer au-dessus de la mer, assurer une liaison que Costes lui-même considérait comme très problématique, car ni la côte, qui est rocheuse et déchiquetée, ni l'eau, qui est infestée de requins, ne font grâce en cas de chute… Combien sont illusoires les bouées dont on a encombré mon

réduit ! Blotti parmi les sacs, claquant les dents de froid et livré à la fantaisie d'un mécanisme, je ne dois avoir d'espoir qu'en mes deux pilotes, ces hommes hardis qui savent défier la mort. Aussi quel soulagement de voir apparaître, au pied de la Serra Dou Mar, les lumières de Santos.

"Santos ! Un nouveau bond sur la carte du monde… Les villes les plus inaccessibles pour moi se juxtaposent et mon esprit n'est pas encore à l'échelle de nos étapes. La descente commence : en passant au-dessus du port le pilote Couret me montre l'immense brasier alimenté par le café que depuis un an l'on détruit. Puis nous touchons le sol. Oserai-je dire que je ne regrette point les quelques heures de repos que le mauvais temps nous force à prendre ! D'autant plus que, pour atteindre Mendoza, nous allons avoir à franchir, presque d'une seule traite, plus de trois mille kilomètres au-dessus d'immenses étendues de lagunes et de mer : jusqu'à Florianopolis la côte, encore hérissée de rochers et dépourvues de plages, se prolonge menaçante… Et il faut attendre les environs de Montevideo pour qu'apparaissent les grandes plaines monotones et roussâtres où paissent des animaux à demi sauvages : la capitale de l'Uruguay règne sur ces monotones étendues à l'embouchure du rio de la Plata dont l'immense estuaire barre l'horizon. À mesure que nous nous élevons, le fleuve, roulant sur une largeur de soixante kilomètres ses flots limoneux et agités, devient plus impressionnant. Sur l'autre rive, à peine visible, je contemple obstinément une masse grise dont les contours peu à peu se précisent : Buenos Aires.

"Le directeur de l'Aéropostale, M. Colin-Jeannel, m'attend sur le terrain et me présente à Guillaumet, l'homme dont toute la ville connaît l'épopée, le roi de l'air qui, tombé dans la Cordillère et poursuivi par des vautours, s'en tira sain et sauf après cinq jours d'épuisantes ascensions. C'est lui qui me pilotera au-dessus des farouches montagnes… Si toutefois on me laisse partir. Car, déprimé par le manque de sommeil et par une semaine de privations, j'inspire, avec mes traits tirés, ma barbe de trois jours et ma peau brûlée, une évidente

pitié ; et des amis charitables voudraient me retenir quelques jours. Mais mon refus est catégorique ; je profite des courts instants que dure le transport du fret pour noter, malgré la nuit, les perspectives illuminées de ce magnique aérodrome ; mais comment traduire une telle animation ? Chariots et voitures de poste sillonnent le terrain tandis que des employés aux mains promptes trient le courrier au fur et à mesure de son arrivée. Un bruit d'activité monte des ateliers de réparation et d'entretien, véritables usines où l'on forge les pièces et rentoile les fuselages… Centre unique en Amérique du Sud et dont l'Aéropostale est encore l'auteur. Mais l'avion trépide déjà et, délaissant la soute où sont entassés trois cents kilos de courrier, je me hisse à bord au côté du radiotélégraphiste Cruveilher, dans l'enchevêtrement des fils et des cadrans.

"7 heures du soir : la nuit est opaque : le pampero, vent des pampas, glacé d'avoir traversé les montagnes, nous transit. Comme il n'y a rien à voir et que le bruit du moteur interdit toute conversation, je ne puis que m'intéresser à la manœuvre ; j'admire l'étonnant instrument de repérage qu'est devenue la T.S.F : grâce aux tables radiogoniométriques de Serres, le radio peut à tout moment faire le point d'après la direction des postes avec lesquels il communique. De temps en temps, lorsque des lumières scintillent au-dessous de nous, mon compagnon me montre sur la carte une ville perdue ; et pour chasser peut-être le spleen qui nous étreint, il me demande par écrit des nouvelles de France :

À Natal : transport du courrier par automobiles du port à l'aérodrome.

'Que devient M. Herriot ? … Quel est notre champion de tennis actuel ? 'Vers 1 heure du matin, Guillaumet nous montre du doigt les lumières de Mendoza voilées de brume et demande à Cruveilher de réclamer, par l'intermédiaire de la radio, l'orientation sur le terrain de tous les projecteurs. L'avion descend, passe entre les feux d'essence, puis s'illumine dans un crépitement : des fusées destinées à éclairer le sol viennent de s'allumer sur le train d'atterrissage : les panneaux vernis brillent et les haubans s'inscrivent en ombres sur les plans… Puis le feu d'artifice cesse : nous sommes à terre.

"Après quelques heures de repos, Guillaumet m'éveille au petit jour et m'entraîne dehors où, malgré mes vêtements de cuir, ma chemise bourrée, je suis immédiatement pénétré par un froid terrible. La Cordillère, dont je n'avais point soupçonné hier la présence, se dresse immense, écrasante, avec ses entassements de rochers et de neige, avec ses contreforts menaçants ; et le pilote m'en fait admirer, en termes attendris, les sommets rosis par l'aurore.

L'avion qui doit franchir ce formidable obstacle est un Potez 25, appareil de chasse choisi pour ses qualités ascensionnelles, mais non conçu pour le transport

L'avion postal éclairé par ses fusées de roues à son arrivée à Mendoza. Des balises rouges encadrent le terrain et situent les antennes de T.S.F ; un projecteur tourne son pinceau lumineux dans le sens de l'atterrissage. Page de gauche : un Potez 25 au-dessus des Andes.

des bagages ; et lorsque je m'assieds sur les sacs, dans la soute rudimentaire, tout mon buste dépasse… Il faut donc m'attacher au fuselage avec des cordes, en prévision des remous formidables qui cahoteront l'appareil.

"Nous décollons : le mur gigantesque est contre nous, et nous devons prendre rapidement de l'altitude ; mais plus nous montons plus surgissent d'obstacles ; nous frôlons les massifs en exécutant une danse insensée : pris dans les remous, cahoté en tous sens, fouetté à plein corps par un vent qui soulève la neige des crêtes, je me crispe au fuselage malgré mes doigts insensibles… Le thermomètre enregistre 35° de froid ; mes oreilles bourdonnent, il me semble que ma tête éclate. Parvenus au col de Caracolles, nous voyons se dresser les deux massifs géants de la Cordillère : le Tupungato et l'Aconcagua, hauts de six mille six cents et de sept mille deux cents mètres. Guillaumet, pour se hisser à leur hauteur, utilise habilement les courants et se faufile à travers un inexprimable chaos montagneux ; il déjoue les éléments qui cherchent à le plaquer sournoisement au sol. Et puis la descente commence, rapide, impressionnante. Au pied même de la montagne apparaît, minuscule, Santiago du Chili vers lequel nous descendons. Sur l'aérodrome de Cérillos nous attendent, après l'accueil aimable de M. Delleye, le déchargement du courrier et les formali-

tés de douane ; après quoi nous nous rendons à l'aéroport de Colinas, propriété de l'Aéropostale, pour y garer l'avion. Mon objectif est atteint : Géo Ham 'enregistré' à Paris a été 'livré' à Santiago dans les huit jours ; et il ne me reste plus qu'à lever mon verre en l'honneur de mes compagnons d'aventure : dans le restaurant où nous entrons donc, des gauchos, reconnaissant Guillaumet, se lèvent et entonnent, au son d'une guitare, la chanson à la mode :

…Quand il y a encore une goutte de vie

Un Français ne se rend pas.

Guillaumet, pour la France, la patrie chérie,

Les Chiliens te saluent.

"Telle est la propagande que nous font les merveilleux équipages qui, jour et nuit, hiver comme été, accomplissent anonymement les raids les plus audacieux pour porter le nom de la France au-delà des continents : hommes courageux soutenus par une organisation de premier ordre que, par bonheur, les plus fâcheuses compromissions n'atteignent pas. Il faut avoir parcouru ces dix-sept mille kilomètres pour comprendre l'importance économique d'une telle liaison : ce service postal qui a drainé, sur certains tronçons, plus de la moitié du courrier. Belle œuvre de paix ! Malheureusement les Français sont en général les seuls à ignorer leurs richesses, qu'ils risquent de laisser échapper par de néfastes querelles de personnes." »

INDEX

LA LIGNE

par JEAN-GÉRARD FLEURY

nrf

GALLIMARD

BIBLIOGRAPHIE

Généralités sur l'histoire de l'aviation

Baccabrère, Georges et Jorre, Georges, *Toulouse terre d'envol,* Privat, 1966.

Chadeau, Emmanuel, *De Blériot à Dassault, l'industrie aéronautique en France (1900-1950),* Fayard, 1987.

Chambe, René, *L'Histoire de l'aviation,* Flammarion, 1980.

Costelle, Daniel, *Histoire de l'aviation,* Larousse, 1978.

Detroyat, Michel, *Tu seras aviateur,* Les Éditions de France, 1938.

Espérou, Robert, *Histoire d'Air France,* Éditions Ouest-France, 1986.

Facon, Patrick, *Les As de l'aviation,* Éditions Atlas, 1985.

Houart, Victor et Petit, Edmond, *Dictionnaire de l'aviation,* Seghers, 1964.

Jackson, Donald Dale, *La Poste aérienne,* Éditions Time-Life, 1982.

Mortane, Jacques, *La Belle Vie des pilotes de ligne,* Mame, 1936.

Petit, Edmond, *Heures de vol,* Émile-Paul, 1956.

Petit, Edmond, *La Vie quotidienne dans l'aviation de 1900 à 1935,* Hachette, 1979.

Petit, Edmond, *Nouvelle Histoire mondiale de l'aviation,* Hachette, 1978.

Les Grands Dossiers de L'Illustration, L'épopée de l'aviation, 1989.

Généralités sur l'histoire de la Ligne

Bousquet, Augusto Victor, *La Aeroposta Argentina y el correo aero,* édité par l'auteur, 1992.

Castroviéjo, Gilles, *Enlevez les cales !,* Éditions Dominique Bedou, 1992.

Collot, Gérard et Cornu, Alain, *Ligne Mermoz,* Éditions Bernard Sinais, 1990.

Couzinet, Alexandre, *Mermoz-Couzinet, Le rêve fracassé de l'Aéropostale,* Éditions Picollec, 1986.

Cuny, Jean, *Latécoère, les avions et les hydravions,* Docavia-Éditions Larivière, 1992.

Danel, Raymond, *Les Pionniers de l'aviation commerciale, 1. Les Lignes Latécoère (1918-1927), 2. L'Aéropostale (1927-1933),* Privat, 1986-1989.

Paluel-Marmont, *L'Épopée aérienne de l'Atlantique sud,* Larousse, 1953.

Vié-Klaze, Marie-Paule, *Les Grands Latécoère sur l'Atlantique (1930-1956),* Denoël, 1981.

Icare, « Les avisos », n°129.

Souvenirs et témoignages à propos de la Ligne

Bobrowski, Édouard, *Aéropostale,* Hachette, 1980.

Delaunay, Henri, *Araignée du soir,* France-Empire, 1968.

Fleury, Jean-Gérard, *La Ligne,* Gallimard, 1939.

Fleury, Jean-Gérard, *L'Atlantique sud de l'Aéropostale à Concorde,* Denoël, 1974.

Gaubert, Jean-Pierre, *Cavaillès, compagnon de Mermoz,* Privat, 1983.

Griffe, Pierre, *Histoire maritime de l'Aéropostale,* édité par l'auteur, 1986.

Kessel, Joseph, *Vent de sable,* Gallimard, 1966.

Kessel, Joseph, *Des hommes,* Gallimard, 1972.

Macaigne, Jean, *Le Courrier de l'aventure,* Fayard, 1962.

Macaigne, Jean, *Au cœur de l'aventure,* inédit.

Massimi, Beppo de, *Vent debout,* Plon, 1949.

Moré, Marcel, *J'ai vécu l'épopée de l'Aéropostale,* Acropole, 1980.

Mossey, Claude, *Mécano de Saint-Ex,* Ramsay, 1984.

Roig, Joseph, *Pour que passe le courrier,* édité par l'auteur, 1980.

Vachet, Paul, *Avant les jets,* Hachette, 1964.

Vanier, Raymond, *Tout pour la Ligne,* France-Empire, 1960.

Vedel, Gaston, *Le Pilote oublié,* Gallimard, 1976.

Viré, Pierre, *T.V.B.,* Gallimard, 1937.

Viré, Pierre, *Au péril de l'espace,* Les Éditions de la nouvelle France, 1943.

Sur Latécoère

Chadeau, Emmanuel, *Latécoère,* Olivier Orban, 1990.

Debens, Christophe, *Pierre-Georges Latécoère,* Éditions Maxence Fabiani, 1993.

Sur Daurat

Migeo, Marcel, *Didier Daurat,* Flammarion, 1962.

Icare, « Daurat », n°140.

De Daurat

Daurat, Didier, *Dans le vent des hélices,* Seuil, 1956.

Sur Saint-Exupéry

Alberes, R. M. , *Saint-Exupéry,* La Nouvelle Édition, 1946.

Chadeau, Emmanuel, *Saint-Exupéry,* Plon, 1994.

Deschodt, Éric, *Saint-Exupéry,* Lattès, 1980.

Estang, Luc, *Saint-Exupéry par lui-même,* Seuil, 1956.

L'hospice, Michel, *Saint-Exupéry, Le paladin du ciel,* France-Empire, 1994.

Manoll, Michel, *Saint-Exupéry, prince des pilotes,* Éditions G.P., 1967.

Migeo, Marcel, *Saint-Exupéry,* Flammarion, 1958.

Phillips, John, *Au revoir Saint-Ex,* Gallimard, 1994.

Roy, Jules, *Saint-Exupéry,* La Manufacture, 1990.

Tavernier, René, *Saint-Exupéry en procès,* Éditions Pierre Belfond, 1967.

Vircondelet, Alain, *Antoine de Saint-Exupéry,* Julliard, 1994.

Webster, Paul, *Saint-Exupéry, Vie et mort du Petit Prince,* Éditions du Félin, 1993.

Werth, Léon, *Saint-Exupéry, tel que je l'ai connu,* Seuil, 1950.

Zeller, Renée, *La Grande Quête d'Antoine de Saint-Exupéry,* Éditions Alsatia, 1961.

Album Saint-Exupéry, La Pléiade, Gallimard, 1994.

Cahiers Saint-Exupéry, n°3, Gallimard, 1989.

Catalogue d'exposition, Antoine de Saint-Exupéry, Archives nationales, 1984.

Icare, « Saint-Exupéry », n°s 64, 67, 75, 78, 84, 96 et 108.

De Saint-Exupéry

Saint-Exupéry, Antoine de, *Courrier Sud,* Gallimard, 1929.

Saint-Exupéry, Antoine de, *Vol de nuit,* Gallimard, 1931.

Saint-Exupéry, Antoine de, *Terre des hommes,* Gallimard, 1939.

Saint-Exupéry, Antoine de, *Pilote de guerre,* Gallimard, 1942.

Saint-Exupéry, Antoine de, *Lettre à un otage,* Gallimard, 1944.

Saint-Exupéry, Antoine de, *Un sens à la vie,* Gallimard, 1956.

Saint-Exupéry, Antoine de, *Écrits de guerre (1939-1944),* Gallimard, 1982.

Sur Mermoz

Blonay, Didier, *Mermoz, l'aventure du ciel,* Gallimard, 1985.

Hubinon, Victor et Charlier, Jean-Michel, *Mermoz,* Dupuis, 1956 (bande dessinée).

Kessel, Joseph, *Mermoz,* Gallimard, 1938.

Marck, Bernard, *Il était une fois, Mermoz,* Éditions Picollec, 1986.

Micheluzzi, Attilio, *Mermoz,* Éditions Kesselring, 1987 (bande dessinée).

Mortane, Jacques, *Jean Mermoz,* Plon, 1937.

Icare, « Mermoz », n°s 48 et 49.

De Mermoz

Mermoz, Jean, *Mes vols,* Flammarion, 1937.

Sur Guillaumet

Migeo, Marcel, *Henri Guillaumet,* Arthaud, 1949.

Tessier, Roland, *Guillaumet chevalier du ciel,* Éditions Baudinière, 1940.

Tessier, Roland, *Henri Guillaumet,* Flammarion, 1947.

Sur Buenos Aires

Corto Maltese, n°11, Casterman, novembre 1986.

Remerciements

La réalisation de cet ouvrage n'a été possible qu'avec le soutien et les conseils de nombreuses personnes, institutions ou organes de presse. Les auteurs tiennent à remercier, avec chaleur et reconnaissance :

Edouardo Amores Olivier, Oscar Jose Bahamontes, Nicolas Benichi, Guillemette de Bure, Jean Chenet, Gérard Collot, Christine de Colombel, Dominique Cornière, Jean-Pierre Defail, Alain Degardin, Joseph de Joux, Jacqueline Dieuzaide, Jean Dieuzaide, Valérie Ducastel, Robert Espérou, Marcelin Hodeir, Francis Huertas, Laurent Lachaux, Michèle Lacroix, Serge Laget, Marie-Vincente Latécoère, Pierre-Jean Latécoère, Jean Lasserre, Pierre Lazuech, Hélène Le Guernevé, Nelly Lengellé, Liliana Maghenzana, Olivier Merlin, Philippe Mitschké, Dominique Mounoury, Jean Noetinger, Jean Macaigne, Joël Petit, Oscar Luis Rodriguez, Jules Roy, André Sabas, Marie-Paule Vié-Klaze, Françoise Vincent-Moré.

Ainsi que : l'Association des Vieilles Tiges, le *Fana de l'aviation*, *Icare*, le musée de l'Air, le musée Air-France, le Service historique de l'Armée de l'Air, les Temps de la presse et de l'image. Merci aussi à Françoise Verny qui, la première, a encouragé notre projet et à Yves Madec dont l'aide nous a été si précieuse.

Quelque part au milieu de l'Atlantique nord, en route pour les États-Unis.
Sur le pont du *Normandie*, Saint-Exupéry salue Guillaumet aux commandes
de son Laté 521. Mermoz est mort, mais il n'est pas loin qui veille…

Crédits photographiques

Archives Latécoère-atelier Jean Dieuzaide : 22-23,30-31,46-47,50,58,62-65,68,82-83,90-93,95,110-111 ; Collection Guillemette de Bure : 102 ; Photos Jean-Pierre Defail : 1,182-187 (Collections Collot-Lazuech) ; Collection Robert Espérou : 44,130 ; Collection Joseph de Joux : 145,150-151, 178 (9) ; Collection Marie-Vincente Latécoère : 18-21,24,26-29,32-35,40-42,52-53,56-57,66-67,69-75,80-81,86-87,94,97-100 (h), 114-115,132-133,179 ; Collection Françoise Vincent-Moré : 76-77,112,180 ; Direction de Estudios Historicos de la Fuerza Aerea Argentina : 100 (b), 161 ; DR : couverture, 6-7,38, 39, 59,78,84,89,117,122,123 (b),126-127,136,138,144,146-148,156,159,198,199 ; Icare-Musée Air France : 36-37,43,47,48-49,61,88,96,101,104-107,118-119 (4), 120,124 (3),124-125,128,131,139-141,162,quatrième de couverture ; Keystone-L'Illustration : 108-109 ; 188-197 ; Musée de l'Air : 12-13,45,54,116,123 (h),152-154 ; Musée Service historique de l'armée de l'Air : 16-17 ; La Prensa : 126-127 ; Roger-Viollet : 103,135,142.

Achevé d'imprimer par Mame Imprimeurs, à Tours, en septembre 1994
N° d'impression : 32704
Imprimé en France

CENTIEME

10fr

CONQUETE AÉRIENNE